みんなが知りたい!

日本の「世界遺産」

未来に遺すわたしたちの文化と自然

Mates-Publishing

もくじ

※各遺産《かくいさん》は、話題性《わだいせい》などを総合的《そうごうてき》に判断《はんだん》した順序《じゅんじょ》で掲載《けいさい》しています。　※情報《じょうほう》は2023年《ねん》1月現在《がつげんざい》のデータや資料《しりょう》に基《もと》づくものです。

※本書《ほんしょ》は2020年発行《ねんはっこう》の『知《し》っておきたい! 日本《にほん》の「世界遺産《せかいいさん》」がわかる本《ほん》 増補改訂版《ぞうほかいていばん》』を元《もと》に内容《ないよう》の確認《かくにん》、新規内容《しんきないよう》を追加《ついか》、書名《しょめい》・装丁《そうてい》を変更《へんこう》して新《あら》たに発行《はっこう》したものです。

日本の世界遺産

にほんのせかいいさん

世界遺産《せかいいさん》とは？

１９７２（昭和《しょうわ》47）年《ねん》のユネスコ総会《そうかい》で採択《さいたく》された正式名《せいしきめい》「世界《せかい》の文化遺産《ぶんかいさん》及《およ》び自然遺産《しぜんいさん》の保護《ほご》に関《かん》する条約《じょうやく》」（いわゆる『世界遺産条約《せかいいさんじょうやく》』）にもとづき、人類共有《じんるいきょうゆう》のかけがえのない財産《ざいさん》として「国際的《こくさいてき》」に保護《ほご》・保全《ほぜん》していくことが義務《ぎむ》づけられている「遺跡《いせき》」や「建造物《けんぞうぶつ》」、「自然《しぜん》」などのことです。これらを次世《じせ》代《だい》に伝《つた》えていこうとするものです。

▲法隆寺《ほうりゅうじ》 夢殿《ゆめどの》

日本《にほん》の物件《ぶっけん》が初《はじ》めて世界遺産《せかいいさん》に登録《とうろく》されたのは、1993（平成《へいせい》5）年《ねん》12月《がつ》。「法隆寺《ほうりゅうじ》地域《ちいき》の仏教建造物《ぶっきょうけんぞうぶつ》」、「姫路城《ひめじじょう》」、「屋久島《やくしま》」、「白神山地《しらかみさんち》」の4件《けん》が登録《とうろく》されました

世界遺産《せかいいさん》に登録《とうろく》されるには、ユネスコの「世界遺産委員会《せかいいさんいいんかい》」において、資産《しさん》の内容《ないよう》が、他《ほか》に類例《るいれい》のない固有《こゆう》のものであり、国際的《こくさいてき》に決《き》められた判定基準《はんていきじゅん》に照《て》らして「顕著《けんちょ》で普遍的《ふへんてき》な価値《かち》」があると認《みと》められることが第一条件《だいいちじょうけん》です。また、資産《しさん》の価値《かち》にふさわしい、有効《ゆうこう》な保存管理《ほぞんかんり》が手厚《てあつ》くなされることも、必要条件《ひつようじょうけん》となっています。

２０２１年《ねん》７月時点《がつじてん》、世界遺産条約《せかいいさんじょうやく》の締約国《ていやくこく》の数《かず》は１９４カ国《こく》にのぼります。日本《にほん》は１９９２（平成《へいせい》４）年《ねん》に１２５番目《ばんめ》の締約国《ていやくこく》として世界《せかい》の仲間入《なかまい》りを果《は》たしました。なお、２０２１年《ねん》７月《がつ》時点《じてん》、世界《せかい》で登録《とうろく》されている世界遺産《せかいいさん》の件数《けんすう》は１１５４件《けん》（※）。日本《にほん》では25件《けん》が登録《とうろく》されています。

※１１５４件《けん》（文化遺産《ぶんかいさん》：８９７件《けん》、自然遺産《しぜんいさん》：２１８件《けん》、複合遺産《ふくごういさん》：39件《けん》）。

世界遺産《せかいいさん》の種類《しゅるい》

世界遺産《せかいいさん》には、文化遺産《ぶんかいさん》、自然遺産《しぜんいさん》、複合遺産《ふくごういさん》の3種類《しゅるい》があります。また有形《ゆうけい》の不動産《ふどうさん》が対象《たいしょう》になっています。簡単《かんたん》にいえば、形《かたち》があって動《うご》かないものということです。

世界遺産《せかいいさん》

- **文化遺産《ぶんかいさん》**：顕著《けんちょ》な普遍的価値《ふへんてきかち》を有《ゆう》する記念物《きねんぶつ》、建造物《けんぞうぶつ》群《ぐん》、遺跡《いせき》、文化的景観《ぶんかてきけいかん》など
- **自然遺産《しぜんいさん》**：顕著《けんちょ》な普遍的価値《ふへんてきかち》を有《ゆう》する地形《ちけい》や地質《ちしつ》、生態《せいたい》系《けい》、景観《けいかん》、絶滅《ぜつめつ》のおそれのある動植物《どうしょくぶつ》の生息《せいそく》・生息地《せいそくち》などを含《ふく》む地域《ちいき》
- **複合遺産《ふくごういさん》**：文化遺産《ぶんかいさん》と自然遺産《しぜんいさん》の両方《りょうほう》の価値《かち》を兼《か》ね備《そな》えている遺産《いさん》

負《ふ》の遺産《いさん》

世界遺産条約《せかいいさんじょうやく》の中《なか》に「負《ふ》の遺産《いさん》」と呼《よ》ぶ正式《せいしき》なジャンルがあるわけではありません。世界遺産《せかいいさん》は本来《ほんらい》、人類《じんるい》の文《ぶん》化《か》や自然《しぜん》を「大切《たいせつ》な宝物《たからもの》」として未来《みらい》に引《ひ》き継《つ》いでいこうとするものです。

しかし、戦争《せんそう》や人種差別《じんしゅさべつ》などマイナス（負《ふ》）の記憶《きおく》を留《とど》めるものも世界遺《せかいい》産《さん》として登録《とうろく》されています。たとえば、広島《ひろしま》の「原爆《げんばく》ドーム」は核兵器《かくへいき》の恐《おそ》ろしさを今《いま》に伝《つた》え、核兵器廃絶《かくへいきはいぜつ》と世界《せかい》の平和《へいわ》を訴《うった》え続《つづ》けています。このほかにも第二次世界大戦中《だいにじせかいたいせんちゅう》、ユダヤ人《じん》を大量虐殺《たいりょうぎゃくさつ》する舞台《ぶたい》となったポーランドの「アウシュヴィッツ強制《きょうせい》収容所《しゅうようじょ》」などがあります。

▲原爆《げんばく》ドーム世界遺産記念碑《せかいいさんきねんひ》

ポイント解説《かいせつ》　世界遺産委員会《せかいいさんいいんかい》

世界遺産条約《せかいいさんじょうやく》に基《もと》づいて組織《そしき》される委員会《いいんかい》で、締約国《ていやくこく》の中《なか》から異《こと》なる地《ち》域《いき》および文化《ぶんか》を偏《かたよ》りなく代表《だいひょう》するよう選《えら》ばれた21ヵ国《こく》によって構成《こうせい》されます。委員会《いいんかい》の任期《にんき》は原則《げんそく》6年間《ねんかん》で、2年《ねん》に一度開《いちどひら》かれる世界遺産条約締約《せかいいさんじょうやくていやく》国総会《こくそうかい》で改選《かいせん》されます。なお現在《げんざい》、条約《じょうやく》の規則《きそく》により任期《にんき》を4年《ねん》に短縮《たんしゅく》し、委員国任期《いいんこくにんき》を終《お》えた国《くに》は、次《つぎ》の立候補《りっこうほ》まで6年間《ねんかん》あけることとする措置《そち》が取《と》られています。

世界遺産委員会《せかいいさんいいんかい》は原則毎年《げんそくまいとし》1回開催《かいかいさい》され、新規《しんき》に世界遺産《せかいいさん》に登録《とうろく》される物件《ぶっけん》や拡大案件《かくだいあんけん》、「危機《きき》にさらされている世界遺産《せかいいさん》」などの登録《とうろく》および削除《さくじょ》、また、登録《とうろく》された遺産《いさん》の継続監《けいぞくかん》視《し》や技術支援《ぎじゅつしえん》、ワールド・ヘリテージ・ファンド（世界遺産基金《せかいいさんききん》）の用途《ようと》などを審議《しんぎ》、決定《けってい》しています。

世界《せかい》遺産《いさん》登録《とうろく》までの流《なが》れ

登録《とうろく》までの流《なが》れのトップにくる「暫定《ざんてい》リスト」は、遺産《いさん》候補地《こうほち》の名簿《めいぼ》をつくり、各国《かっこく》がユネスコ世界《せかい》遺産《いさん》センターに提出《ていしゅつ》するリストのことです。原則《げんそく》として、文《ぶん》化《か》遺産《いさん》については、このリストに掲載《けいさい》されていないものを世界遺産登録委員会《せかいいさんとうろくいいんかい》に登録推薦《とうろくすいせん》することは認《みと》められていません。（P200参照《さんしょう》）

コアゾーンとバッファゾーン

登録遺産面積《とうろくいさんめんせき》は、コアゾーンとバッファゾーンに分《わ》けて表示《ひょうじ》されることがあります。コアゾーンは「核心地域《かくしんちいき》」と呼《よ》ばれているエリアですが、一《ひと》つの遺産《いさん》の中《なか》に二《ふた》つのゾーンがあると受《う》け取《と》られるおそれがあるため、核心地域《かくしんちいき》という呼称《こしょう》は資産《しさん》（プロパティ）という呼《よ》び名《な》になりましたが、本書《ほんしょ》ではコアゾーンとバッファゾーンで表《あらわ》しています。なおバッファゾーン（緩衝地域《かんしょうちいき》）は、登録《とうろく》資産《しさん》を保護《ほご》するためにその周囲《しゅうい》に設《もう》けられる利用制限区域《りようせいげんくいき》のことです。

登録《とうろく》までの流《なが》れ

登録《とうろく》を求める地域《ちいき》の担当政府機関《たんとうせいふきかん》が候補地推薦《こうほちすいせん》・「暫定《ざんてい》リスト」を提出《ていしゅつ》

↓

ユネスコ世界遺産《せかいいさん》センターが評価依頼《ひょうかいらい》

↓

文化遺産候補《ぶんかいさんこうほ》は国際記念物遺跡会議《こくさいきねんぶついせきかいぎ》（ICOMOS）が現地調査《げんちちょうさ》し報告《ほうこく》。文化景観《ぶんかけいかん》に関《かん》しては、IUCNとも協議《きょうぎ》が行《おこな》われる場合《ばあい》があります

自然遺産候補《しぜんいさんこうほ》は国際自然保護連合《こくさいしぜんほごれんごう》（IUCN）が現《げん》地調査《ちちょうさ》し報告《ほうこく》

↓

ユネスコ世界遺産《せかいいさん》センターが登録推薦《とうろくすいせん》を判定《はんてい》

↓

世界遺産委員会《せかいいさんいいんかい》で最終審議《さいしゅうしんぎ》

↓

正式登録《せいしきとうろく》

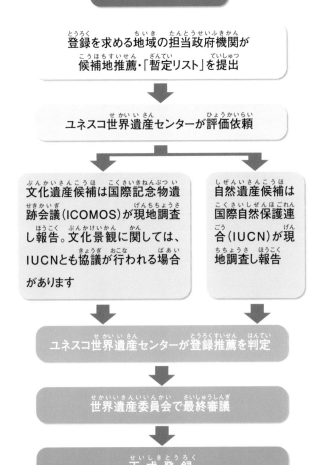

「佐渡《さど》島の金山《きんざん》」が世界遺産登録《せかいいさんとうろく》を目指《めざ》す歩《あゆ》み

1997年《ねん》	佐渡金銀山《さどきんぎんざん》を調査《ちょうさ》する「世界文化遺産《せかいぶんかいさん》を考《かんが》える会《かい》」が発足《ほっそく》
2003年《ねん》	相川地区《あいかわちく》で「佐渡金銀山友《さどきんぎんざんとも》の会《かい》」発足《ほっそく》。市民向《しみんむ》けに啓発活動《けいはつかつどう》を開始《かいし》
2004年《ねん》	島内《とうない》10市町村《しちょうそん》が合併《がっぺい》し、佐渡市誕生《さどしたんじょう》
2006年《ねん》	国内推薦候補《こくないすいせんこうほ》「暫定《ざんてい》リスト」入《い》りを目指《めざ》し、文化庁《ぶんかちょう》に提案書《ていあんしょ》を提出《ていしゅつ》。県《けん》と佐渡市《さどし》などが金銀山《きんぎんざん》の歴史調査《れきしちょうさ》を本格化《ほんかくか》
2007年《ねん》12月《がつ》	世界遺産暫定一覧表記載資産候補提案書《せかいいさんざんていいちらんひょうきさいしさんこうほていあんしょ》を提出《ていしゅつ》
2010年《ねん》6月《がつ》	世界遺産暫定一覧表《せかいいさんざんていいちらんひょう》に記載《きさい》(「金《きん》を中心《ちゅうしん》とする佐渡鉱山《さどこうざん》の遺産群《いさんぐん》」)
2015年《ねん》3月《がつ》	推薦書原案《すいせんしょげんあん》を文化庁《ぶんかちょう》に初提出《はつていしゅつ》
2015年《ねん》7月《がつ》	国《くに》の文化審議会《ぶんかしんぎかい》で推薦候補見送《すいせんこうほみおく》り
2016年《ねん》3月《がつ》	2度目《どめ》の推薦書原案《すいせんしょげんあん》(改訂版《かいていばん》)を提出《ていしゅつ》
2016年《ねん》7月《がつ》	2度目《どめ》の推薦候補見送《すいせんこうほみおく》り
2017年《ねん》3月《がつ》	3度目《どめ》の推薦書原案《すいせんしょげんあん》(改訂版《かいていばん》)を提出《ていしゅつ》
2017年《ねん》7月《がつ》	3度目《どめ》の推薦候補見送《すいせんこうほみおく》り
2018年《ねん》3月《がつ》	4度目《どめ》の推薦書原案《すいせんしょげんあん》(改訂版《かいていばん》)を提出《ていしゅつ》
2018年《ねん》7月《がつ》	4度目《どめ》の推薦候補見送《すいせんこうほみおく》り。文化審《ぶんかしん》は「課題《かだい》が残《のこ》る」としながらも「有力《ゆうりょく》な推薦候補《すいせんこうほ》となり得《う》る」と評価《ひょうか》
2020年《ねん》3月《がつ》	5度目《どめ》の推薦書原案《すいせんしょげんあん》(改訂版《かいていばん》)を提出《ていしゅつ》。「顕著《けんちょ》な普遍的価値《ふへんてきかち》」をより明確化《めいかくか》するため三《みっ》つあった構成資産《こうせいしさん》を二《ふた》つに集約《しゅうやく》。名称《めいしょう》を「佐渡《さど》島の金山《きんざん》」に
2020年《ねん》6月《がつ》	新型《しんがた》コロナウイルスの影響《えいきょう》で文化審《ぶんかしん》の選定作業《せんていさぎょう》が延期《えんき》
2021年《ねん》3月《がつ》	「世界的《せかいてき》にも稀有《けう》な鉱山《こうざん》」と記《しる》すなどした新《あら》たな推薦書原案《すいせんしょげんあん》を提出《ていしゅつ》
2021年《ねん》12月《がつ》	文化審《ぶんかしん》が国内推薦候補《こくないすいせんこうほ》に「佐渡《さど》島の金山《きんざん》」を選定《せんてい》するよう答申《とうしん》
2022年《ねん》2月《がつ》	日本政府《にほんせいふ》が2023年《ねん》の世界遺産登録《せかいいさんとうろく》を目指《めざ》す国内候補《こくないこうほ》として「佐渡《さど》島の金山《きんざん》」の推薦《すいせん》を閣議了解《かくぎりょうかい》し、ユネスコに推薦書《すいせんしょ》を提出《ていしゅつ》
2022年《ねん》4月《がつ》	ロシアのウクライナ侵攻《しんこう》を受《う》け、世界遺産委員会《せかいいさんいいんかい》が無期限延期《むきげんえんき》に
2022年《ねん》7月《がつ》	ユネスコが推薦書《すいせんしょ》の不備《ふび》を指摘《してき》。目標《もくひょう》としていた23年中《ねんちゅう》の登録《とうろく》を断念《だんねん》
2022年《ねん》9月《がつ》	日本《にほん》が「佐渡《さど》島の金山《きんざん》」の暫定版推薦書《ざんていばんすいせんしょ》をユネスコに提出《ていしゅつ》

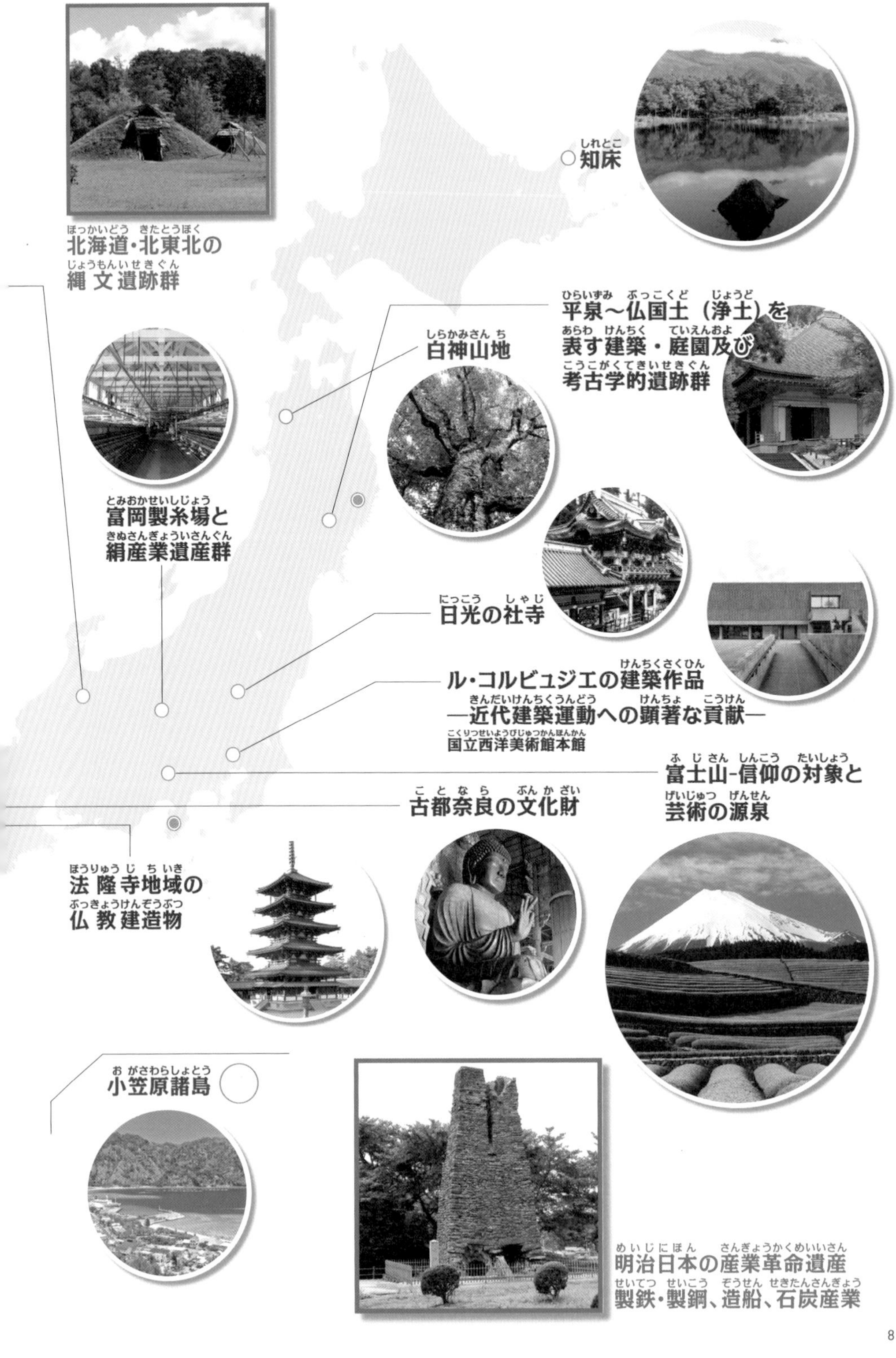

北海道《ほっかいどう》・北東北《きたとうほく》の
縄文遺跡群《じょうもんいせきぐん》
知床《しれとこ》
平泉《ひらいずみ》～仏国土《ぶっこくど》（浄土《じょうど》）を
表《あらわ》す建築《けんちく》・庭園及《ていえんおよ》び
考古学的遺跡群《こうこがくてきいせきぐん》
白神山地《しらかみさんち》
富岡製糸場《とみおかせいしじょう》と
絹産業遺産群《きぬさんぎょういさんぐん》
日光《にっこう》の社寺《しゃじ》
ル・コルビュジエの建築作品《けんちくさくひん》
―近代建築運動《きんだいけんちくうんどう》への顕著《けんちょ》な貢献《こうけん》―
国立西洋美術館本館《こくりつせいようびじゅつかんほんかん》
富士山《ふじさん》-信仰《しんこう》の対象《たいしょう》と
芸術《げいじゅつ》の源泉《げんせん》
古都奈良《ことなら》の文化財《ぶんかざい》
法隆寺地域《ほうりゅうじちいき》の
仏教建造物《ぶっきょうけんぞうぶつ》
小笠原諸島《おがさわらしょとう》
明治日本《めいじにほん》の産業革命遺産《さんぎょうかくめいいさん》
製鉄《せいてつ》・製鋼《せいこう》、造船《ぞうせん》、石炭産業《せきたんさんぎょう》

日本《にほん》の世界遺産《せかいいさん》25カ所《しょ》

現在《げんざい》、日本《にほん》には25カ所《しょ》の世界遺産《せかいいさん》があります。(2023年《ねん》1月現在《がつげんざい》)

○ 自然遺産《しぜんいさん》 ○ 文化遺産《ぶんかいさん》

◎「明治日本《めいじにほん》の産業革命遺産《さんぎょうかくめいいさん》 製鉄《せいてつ》・製鋼《せいこう》、造船《ぞうせん》、石炭産業《せきたんさんぎょう》」は岩手《いわて》、静岡《しずおか》、山口《やまぐち》、福岡《ふくおか》、熊本《くまもと》、佐賀《さが》、長崎《ながさき》、鹿児島《かごしま》の8県《けん》に点在《てんざい》する文化遺産《ぶんかいさん》

◎「百舌鳥《もず》・古市古墳群《ふるいちこふんぐん》」は大阪府《おおさかふ》の堺市《さかいし》、羽曳野市《はびきのし》、藤井寺市《ふじいでらし》に点在《てんざい》する文化遺産《ぶんかいさん》

●「長崎《ながさき》と天草地方《あまくさちほう》の潜伏《せんぷく》キリシタン関連遺産《かんれんいさん》」は長崎《ながさき》、熊本県《くまもとけん》に点在《てんざい》する文化遺産《ぶんかいさん》

白川郷《しらかわごう》・五箇山《ごかやま》の合掌造《がっしょうづく》り集落《しゅうらく》

古都京都《こときょうと》の文化財《ぶんかざい》

石見銀山遺跡《いわみぎんざんいせき》とその文化的景観《ぶんかてきけいかん》

広島《ひろしま》の平和記念碑《へいわきねんひ》(原爆《げんばく》ドーム)

「神宿《かみやど》る島《しま》」宗像《むなかた》・沖ノ島《おきのしま》と関連遺産群《かんれんいさんぐん》

姫路城《ひめじじょう》

長崎《ながさき》と天草地方《あまくさちほう》の潜伏《せんぷく》キリシタン関連遺産《かんれんいさん》

厳島神社《いつくしまじんじゃ》

百舌鳥《もず》・古市古墳群《ふるいちこふんぐん》

奄美大島《あまみおおしま》、徳之島《とくのしま》、沖縄北部及《おきなわほくぶおよ》び西表島《いりおもてじま》

屋久島《やくしま》

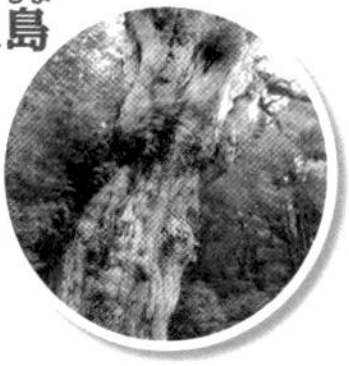

紀伊山地《きいさんち》の霊場《れいじょう》と参詣道《さんけいみち》

琉球王国《りゅうきゅうおうこく》のグスク及《およ》び関連遺産群《かんれんいさんぐん》

世界遺産《せかいいさん》の登録基準《とうろくきじゅん》

世界遺産《せかいいさん》リストに登録《とうろく》されるためには、まず下記《かき》の登録基準《とうろくきじゅん》のいずれか1つ以上《いじょう》に合致《がっち》することが必要《ひつよう》です。なお世界遺産《せかいいさん》の登録《とうろく》基準《きじゅん》は2005年《ねん》2月《がつ》2日《か》から下記《かき》のとおり文化遺産《ぶんかいさん》と自然遺産《しぜんいさん》が統合《とうごう》された新《あたら》しい登録基準《とうろくきじゅん》に変更《へんこう》されました。文化遺産《ぶんかいさん》、自然遺産《しぜんいさん》、複合遺産《ふくごういさん》の区分《くぶん》については、基準《きじゅん》1(Ⅰ)~6(Ⅵ)で登録《とうろく》された物件《ぶっけん》は文化《ぶんか》遺産《いさん》、7(Ⅶ)~10(Ⅹ)で登録《とうろく》された物件《ぶっけん》は自然《しぜん》遺産《いさん》、文化遺産《ぶんかいさん》と自然遺産《しぜんいさん》の両方《りょうほう》の基準《きじゅん》で登録《とうろく》されたものは複合遺産《ふくごういさん》としています。

■世界遺産《せかいいさん》の登録基準《とうろくきじゅん》

1(Ⅰ)	人類《じんるい》の創造的《そうぞうてき》才能《さいのう》を表《あらわ》す傑作《けっさく》である
2(Ⅱ)	建築《けんちく》、科学技術《かがくぎじゅつ》、記念碑《きねんひ》、都市計画《としけいかく》、景観設計《けいかんせっけい》の発展《はってん》に重要《じゅうよう》な影響《えいきょう》を与《あた》えた、ある期間《きかん》にわたる価値観《かちかん》の交流又《こうりゅうまた》はある文化圏内《ぶんかけんない》での価値観《かちかん》の交流《こうりゅう》を示《しめ》すものである
3(Ⅲ)	現存《げんそん》するか消滅《しょうめつ》しているかにかかわらず、ある文化的伝統又《ぶんかてきでんとうまた》は文明《ぶんめい》の存在《そんざい》を伝承《でんしょう》する物証《ぶっしょう》として無二《むに》の存在《そんざい》(少《すく》なくとも希有《けう》な存在《そんざい》)である
4(Ⅳ)	歴史上《れきしじょう》の重要《じゅうよう》な段階《だんかい》を物語《ものがた》る建築物《けんちくぶつ》、その集合体《しゅうごうたい》、科学技術《かがくぎじゅつ》の集合体《しゅうごうたい》、あるいは景観《けいかん》を代表《だいひょう》する顕著《けんちょ》な見本《みほん》である
5(Ⅴ)	あるひとつの文化《ぶんか》(または複数《ふくすう》の文化《ぶんか》)を特徴《とくちょう》づけるような伝統的居住形態若《でんとうてききょじゅうけいたいも》しくは陸上《りくじょう》・海上《かいじょう》の土地利用形態《とちりようけいたい》を代表《だいひょう》する顕著《けんちょ》な見本《みほん》である。又《また》は、人類《じんるい》と環境《かんきょう》のふれあいを代表《だいひょう》する顕著《けんちょ》な見本《みほん》である(特《とく》に不可逆的《ふかぎゃくてき》な変化《へんか》によりその存続《そんぞく》が危《あや》ぶまれているもの)
6(Ⅵ)	顕著《けんちょ》な普遍的価値《ふへんてきかち》を有《ゆう》する出来事《できごと》(行事《ぎょうじ》)、生《い》きた伝統《でんとう》、思想《しそう》、信仰《しんこう》、芸術的作品《げいじゅつてきさくひん》、あるいは文学的作品《ぶんがくてきさくひん》と直接《ちょくせつ》または実質的関連《じっしつてきかんれん》がある(この基準《きじゅん》は他《ほか》の基準《きじゅん》とあわせて用《もち》いられることが望《のぞ》ましい)
7(Ⅶ)	最上級《さいじょうきゅう》の自然現象《しぜんげんしょう》、又《また》は、類《たぐい》まれな自然美《しぜんび》・美的価値《びてきかち》を有《ゆう》する地域《ちいき》を包含《ほうがん》する
8(Ⅷ)	生命進化《せいめいしんか》の記録《きろく》や、地形形成《ちけいけいせい》における重要《じゅうよう》な進行中《しんこうちゅう》の地質学的過程《ちしつがくてきかてい》、あるいは重要《じゅうよう》な地形学的又《ちけいがくてきまた》は自然地理学的特徴《しぜんちりがくてきとくちょう》といった、地球《ちきゅう》の歴史《れきし》の主要《しゅよう》な段階《だんかい》を代表《だいひょう》する顕著《けんちょ》な見本《みほん》である
9(Ⅸ)	陸上《りくじょう》・淡水域《たんすいいき》・沿岸《えんがん》・海洋《かいよう》の生態系《せいたいけい》や動植物群集《どうしょくぶつぐんしゅう》の進化《しんか》、発展《はってん》において、重要《じゅうよう》な進行中《しんこうちゅう》の生態学的過程又《せいぶつがくてきかていまた》は生物学的過程《せいぶつがくてきかてい》を代表《だいひょう》する顕著《けんちょ》な見本《みほん》である
10(Ⅹ)	学術上又《がくじゅつじょうまた》は保全上顕著《ほぜんじょうけんちょ》な普遍的価値《ふへんてきかち》を有《ゆう》する絶滅《ぜつめつ》のおそれのある種《しゅ》の生息地《せいそくち》など、生物多様性《せいぶつたようせい》の生息域内保全《せいそくいきないほぜん》にとって最《もっと》も重要《じゅうよう》な自然《しぜん》の生息地《せいそくち》を包含《ほうがん》する

一度《いちど》は行《い》ってみたい

日本《にほん》の世界遺産《せかいいさん》4選《せん》!

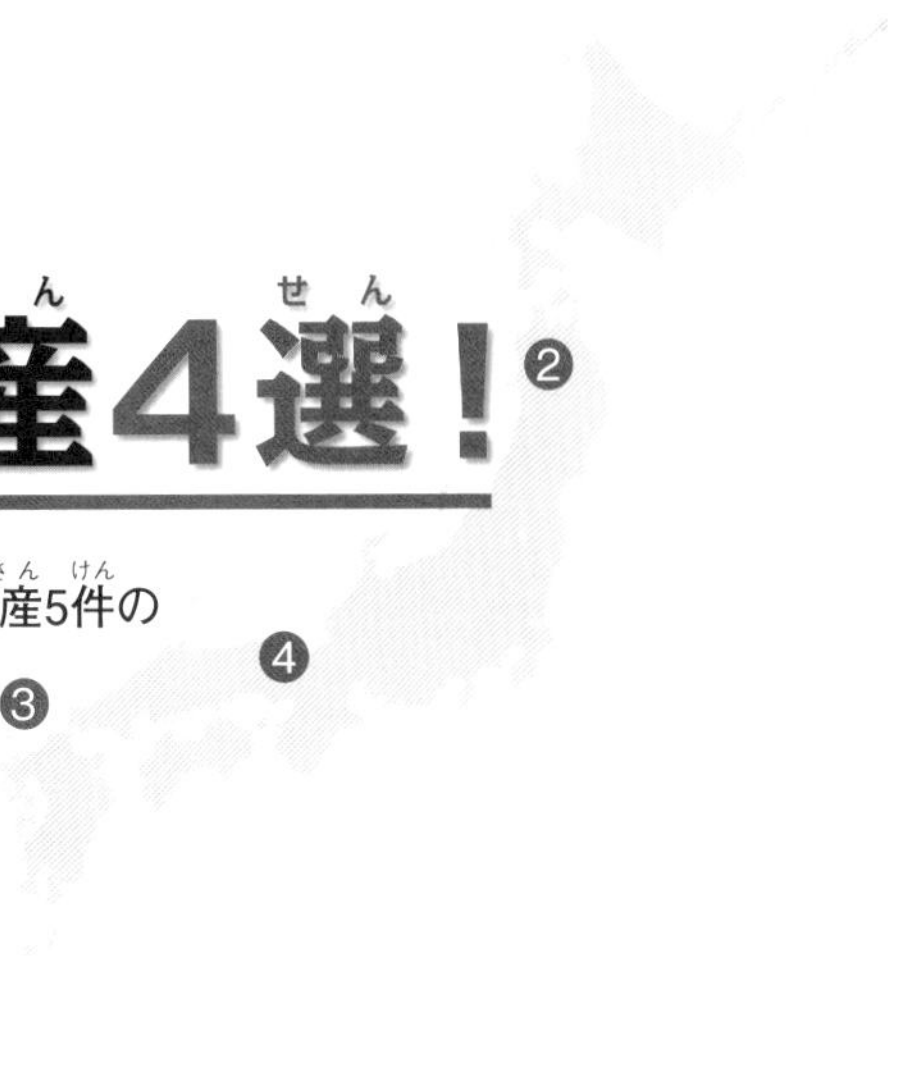

現在《げんざい》、日本《にほん》にある世界遺産《せかいいさん》は文化遺産《ぶんかいさん》20件《けん》、自然遺産《しぜんいさん》5件《けん》の合計《ごうけい》25件《けん》の世界遺産《せかいいさん》が登録《とうろく》されています。外国《がいこく》からも多《おお》くの人々《ひとびと》が訪《おとず》れる、魅力《みりょく》あふれる日本《にほん》の世界遺産《せかいいさん》。その世界遺産《せかいいさん》の中《なか》で一度《いちど》は行《い》っておきたいスポット4選《せん》をご紹介《しょうかい》します。

① 奄美大島《あまみおおしま》・徳之島《とくのしま》、沖縄北部《おきなわほくぶ》及《およ》び西表島《いりおもてじま》

鹿児島県《かごしまけん》・沖縄県《おきなわけん》

亜熱帯地域《あねったいちいき》でありながら、黒潮《くろしお》やモンスーンの影響《えいきょう》で降《こう》水量《すいりょう》が多《おお》い、亜熱帯性常緑広葉樹林《あねったいせいじょうりょくこうようじゅりん》が広《ひろ》がる特徴的《とくちょうてき》な地域《ちいき》。マングローブ林《りん》など美《うつく》しい自然《しぜん》と固有《こゆう》の生態系《せいたいけい》を持《も》っています。

② 北海道《ほっかいどう》・北東北《きたとうほく》の縄文遺跡群《じょうもんいせきぐん》

北海道《ほっかいどう》・青森県《あおもりけん》・岩手県《いわてけん》・秋田県《あきたけん》

1万年以上《まんねんいじょう》にわたり採集《さいしゅう》・漁労《ぎょろう》・狩猟《しゅりょう》により定住《ていじゅう》した人々《ひとびと》の生活《せいかつ》と精神文化《せいしんぶんか》を伝《つた》える文化《ぶんか》遺産《いさん》です。北海道《ほっかいどう》・青森県《あおもりけん》・岩手県《いわてけん》・秋田県《あきたけん》に所在《しょざい》する17の遺跡《いせき》で構成《こうせい》されています。

③ 百舌鳥《もず》・古市古墳群《ふるいちこふんぐん》-古代日本《こだいにほん》の墳墓群《ふんぼぐん》-

大阪府《おおさかふ》

2019年《ねん》7月《がつ》、令和《れいわ》に入《はい》ってから初《はつ》の世界遺産登録《せかいいさんとうろく》を果《は》たした「百舌鳥《もず》・古市古墳群《ふるいちこふんぐん》」。圧倒的《あっとうてき》なスケールを誇《ほこ》る「仁徳天皇陵《にんとくてんのうりょう》古墳《こふん》」など、49基《き》の古墳《こふん》が点在《てんざい》しています。

④ 古都京都《こときょうと》の文化財《ぶんかざい》

京都府《きょうとふ》

言《い》わずと知《し》れた「古都京都《こときょうと》の文化《ぶんか》財《ざい》」。日本《にほん》を代表《だいひょう》する歴史《れきし》ある神社《じんじゃ》や寺《てら》が並《なら》び、国内外《こくないがい》問《と》わず多《おお》くの観光客《かんこうきゃく》が訪《おとず》れています。遺産以外《いさんいがい》も街全体《まちぜんたい》が風情《ふぜい》あふれる雰囲気《ふんいき》です。

① 奄美大島《あまみおおしま》、徳之島《とくのしま》、沖縄島北部《おきなわとうほくぶ》及《およ》び西表島《いりおもてじま》

約《やく》4万《まん》3000haの森林《しんりん》と固有動植物《こゆうどうしょくぶつ》

詳《くわ》しい解説《かいせつ》ページは16p〜

概要《がいよう》

遺産種別《いさんしゅべつ》	自然遺産《しぜんいさん》
登録年《とうろくねん》	2021年《ねん》
所在地《しょざいち》	鹿児島県《かごしまけん》:奄美市《あまみし》、徳之島町《とくのしまちょう》　沖縄県《おきなわけん》:国頭村《くにがみそん》、竹富町《たけとみちょう》

温暖《おんだん》・多湿《たしつ》な亜熱帯性気候《あねったいせいきこう》に「アマミノクロウサギ」や「ヤンバルクイナ」、「イリオモテヤマネコ」といった固有種《こゆうしゅ》が多《おお》く生息《せいそく》しています。日本全体《にほんぜんたい》の固有《こゆう》種《しゅ》や絶滅危惧種《ぜつめつきぐしゅ》に占《し》める割合《わりあい》も高《たか》くこの特異《とくい》な生態系《せいたいけい》は、

琉球列島《りゅうきゅうれっとう》の中《なか》でこの4島《とう》が、200万年前《まんねんまえ》に大陸《たいりく》から切《き》り離《はな》されて形成《けいせい》されたことによるものです。残《のこ》された生物《せいぶつ》が、それぞれの島《しま》で独自《どくじ》の進化《しんか》を遂《と》げ、命《いのち》を繋《つな》いでいます。自然《しぜん》の奇跡《きせき》を感《かん》じられる、日本《にほん》が誇《ほこ》るべき貴重《きちょう》なエリアといえます。

② 約《やく》1万年前《まんねんまえ》の日本《にほん》の先史時代《せんしじだい》へタイムスリップ

北海道《ほっかいどう》・北東北《きたとうほく》の縄文遺跡群《じょうもんいせきぐん》

詳《くわ》しい解説《かいせつ》ページは24p～

概要《がいよう》

遺産種別《いさんしゅべつ》	文化遺産《ぶんかいさん》
登録年《とうろくねん》	2021年《ねん》
所在地《しょざいち》	北海道《ほっかいどう》:千歳市《ちとせし》、伊達市《だてし》、洞爺湖町《とうやこちょう》、函館市《はこだてし》 青森県《あおもりけん》:青森市《あおもりし》、八戸市《はちのへし》、つがる市《し》、弘前市《ひろさきし》、七戸町《しちのへまち》、外ヶ浜町《そとがはままち》 岩手県《いわてけん》:一戸町　秋田県《あきたけん》:鹿角市《かづのし》、北秋田市《きたあきたし》

縄文文化《じょうもんぶんか》は、狩猟《しゅりょう》・漁労《ぎょろう》・採集《さいしゅう》を生業《なりわい》としながら定住生活《ていじゅうせいかつ》を達成《たっせい》し、紀元前《きげんぜん》1万《まん》3千年《ぜんねん》から1万年《まんねん》以上《いじょう》もの長期《ちょうき》にわたり持続《じぞく》可能《かのう》な社会《しゃかい》を実現《じつげん》した、日本特有《にほんとくゆう》の先史文化《せんしぶんか》です。

北海道南部《ほっかいどうなんぶ》と北東北《きたとうほく》は、津軽海峡《つがるかいきょう》を挟《はさ》みながらも円筒土器文化《えんとうどきぶんか》や十腰内文化《とこしないぶんか》など、縄文文化全般《じょうもんぶんかぜんぱん》を通《つう》じて同一《どういつ》の文化圏《ぶんかけん》を形成《けいせい》していました。世界最古級《せかいさいこきゅう》の土器《どき》が出土《しゅつど》しているほか、日常使用《にちじょうしよう》した生活道具《せいかつどうぐ》に加《くわ》え、精神性《せいしんせい》・芸術性《げいじゅつせい》に富《と》んだ土偶《どぐう》や装飾品《そうしょくひん》などが数多《かずおお》く見《み》つかっています。

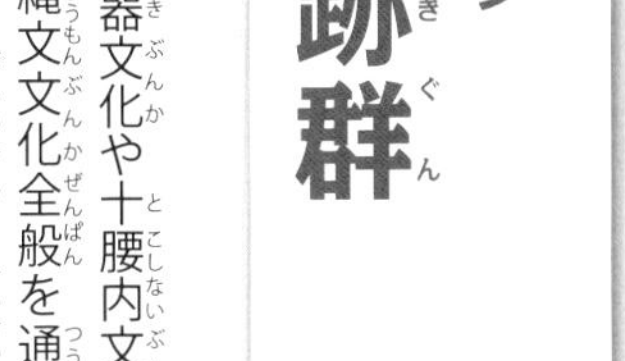

③ 世界《せかい》最大《さいだい》の前方後円墳《ぜんぽうこうえんふん》を間近《まぢか》に見《み》る
百舌鳥《もず》・古市古墳群《ふるいちこふんぐん》
―古代日本《こだいにほん》の墳墓群《ふんぼぐん》―

詳《くわ》しい解説《かいせつ》ページは32p〜

概要《がいよう》

遺産種別《いさんしゅべつ》	文化遺産《ぶんかいさん》
登録年《とうろくねん》	2019年《ねん》
所在地《しょざいち》	大阪府《おおさかふ》：堺市《さかいし》、羽曳野市《はびきのし》、藤井寺市《ふじいでらし》

百舌鳥《もず》・古市古墳群《ふるいちこふんぐん》は、大阪府《おおさかふ》堺市《さかいし》に位置《いち》する百舌鳥《もず》古墳群《こふんぐん》と、羽曳野市《はびきのし》と藤井寺市《ふじいでらし》にまたがる古市古墳群《ふるいちこふんぐん》の2つの古墳群《こふんぐん》の総称《そうしょう》です。ビルや住宅《じゅうたく》がひしめく大都市《だいとし》の真《ま》ん中《なか》に、巨大《きょだい》な古墳《こふん》が点在《てんざい》しています。

その中《なか》でもひときわ存在感《そんざいかん》を放《はな》つのが日本最大《にほんさいだい》の古墳《こふん》である「仁徳天皇陵古墳《にんとくてんのうりょうこふん》」で、その堂々《どうどう》たる姿《すがた》はエジプトのクフ王《おう》のピラミッド、中国《ちゅうごく》の秦《しん》の始皇帝陵《しこうていりょう》と並《なら》ぶ世界三大墳墓《せかいさんだいふんぼ》の一《ひと》つに数《かぞ》えられています。

藤井寺市教育委員会《ふじいでらしきょういくいいんかい》

©羽曳野市教育委員会《はびきのしきょういくいいんかい》

④ 美《うつく》しい寺社《じしゃ》が点在《てんざい》する
古《こ》都《と》京《きょう》都《と》の文化財《ぶんかざい》

詳《くわ》しい解説《かいせつ》ページは40p～

概要《がいよう》

遺産種別《いさんしゅべつ》	文化遺産《ぶんかいさん》
登録年《とうろくねん》	1994年《ねん》
所在地《しょざいち》	京都府《きょうとふ》:京都市《きょうとし》、宇治市《うじし》 滋賀県《しがけん》:大津市《おおつし》

古都京都《こときょうと》は794年《ねん》に平安京《へいあんきょう》が日本《にほん》の中心《ちゅうしん》として築《きず》かれてから、1000年《ねん》以上首都《いじょうしゅと》として栄《さか》えました。その歴史《れきし》から京都《きょうと》には約《やく》3000の社寺《しゃじ》と2000件《けん》を超《こ》える文化財《ぶんかざい》があるといい、中《なか》でも保護状況《ほごじょうきょう》に優《すぐ》れている17カ所《かしょ》の物件《ぶっけん》が世界《せかい》遺産《いさん》に登録《とうろく》されています。金閣寺《きんかくじ》や銀閣寺《ぎんかくじ》、清水寺《きよみずでら》といった有名《ゆうめい》な建築物《けんちくぶつ》をはじめ、東寺《とうじ》や龍安寺《りょうあんじ》などあまり知《し》られていないスポットも見《み》ごたえがあり、日本《にほん》が世界《せかい》に誇《ほこ》る文化遺産《ぶんかいさん》がひしめいているスポットです。

自然《しぜん》遺産《いさん》

奄美大島《あまみおおしま》、徳之島《とくのしま》、沖縄島北部《おきなわとうほくぶ》及《およ》び西表島《いりおもてじま》

日本《にほん》の南端《なんたん》に位置《いち》する琉球《りゅうきゅう》列島《れっとう》の一部《いちぶ》で、奄美大島《あまみおおしま》、徳之島《とくのしま》、沖縄島北部《おきなわとうほくぶ》は中琉球《なかりゅうきゅう》、西表島《いりおもてじま》は南琉球《みなみりゅうきゅう》にあたります。多《おお》くの生物種《せいぶつしゅ》をもつ他《ほか》、絶滅危惧種《ぜつめつきぐしゅ》が多《おお》く生息《せいそく》する、生物《せいぶつ》にとって貴重《きちょう》な地域《ちいき》です。亜熱帯地域《あねったいちいき》でありながら、黒潮《くろしお》やモンスーンの影響《えいきょう》で降水量《こうすいりょう》が多《おお》い亜熱帯性常緑広葉樹林《あねったいせいじょうりょくこうようじゅりん》が広《ひろ》がり、マングローブ林《りん》など美《うつく》しい自然《しぜん》と固有《こゆう》の生態系《せいたいけい》をもちます。

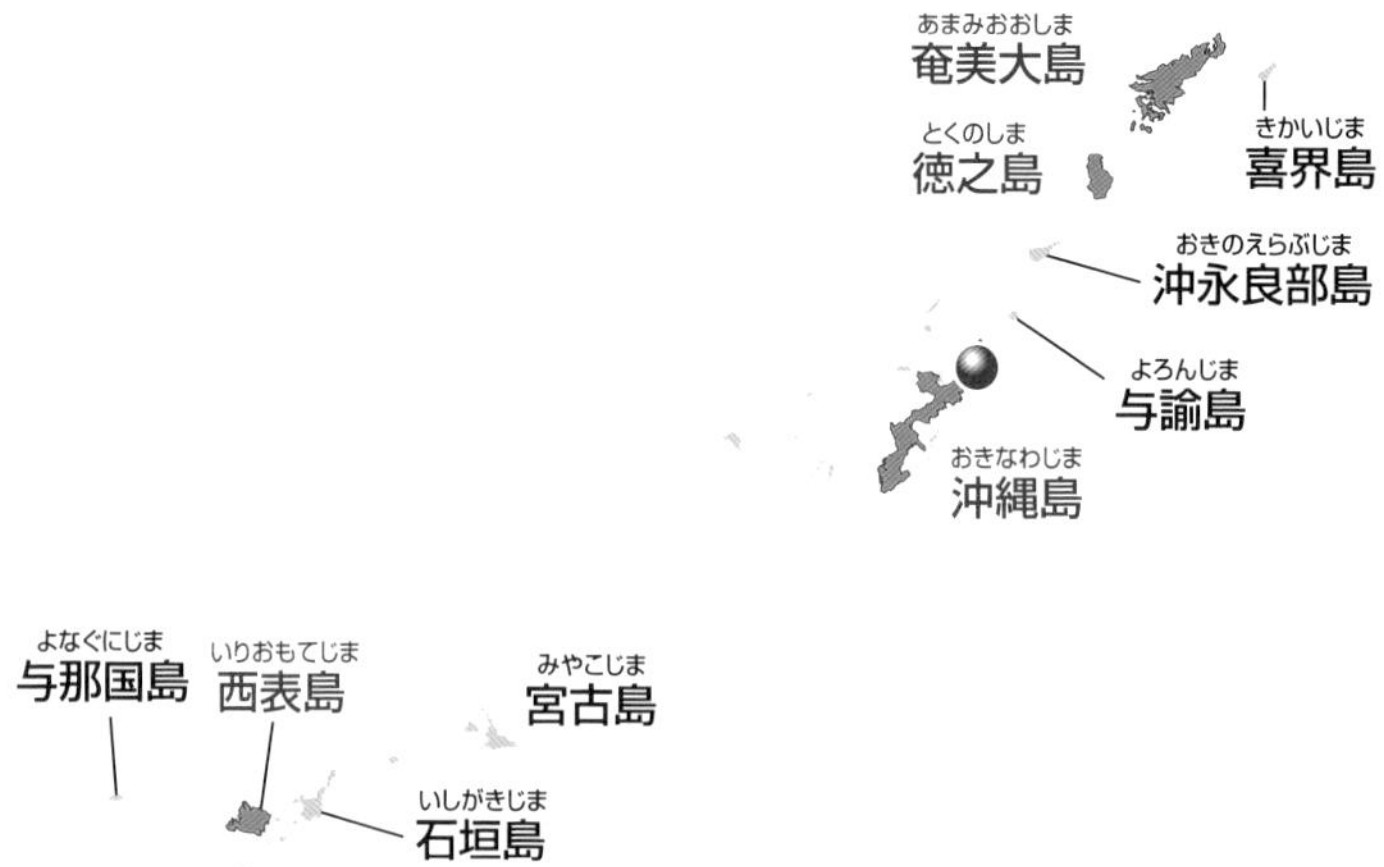

登録内容《とうろくないよう》

遺産種別《いさんしゅべつ》	登録年《とうろくねん》	登録基準《とうろくきじゅん》	面積《めんせき》	登録対象資産《とうろくたいしょうしさん》	行政区分《ぎょうせいくぶん》
自然遺産《しぜんいさん》	2021(令和《れいわ》3)年《ねん》	10	[コアゾーン]42,698ha、[バッファゾーン]24,467ha	生物多様性保全全域《せいぶつたようせいほぜんぜんいき》(奄美群島国立公園《あまみぐんとうこくりつこうえん》、やんばる国立公園《こくりつこうえん》、西表石垣国立公園《いりおもていしがきこくりつこうえん》)、自然環境保全地域《しぜんかんきょうほぜんちいき》(崎山湾《さきやまわん》・網取湾《あみとりわん》)	鹿児島県《かごしまけん》：奄美市《あまみし》、徳之島町《とくのしまちょう》、沖縄県《おきなわけん》：国頭村《くにがみそん》、竹富町《たけとみちょう》

▲奄美大島《あまみおおしま》

▲サキシマキノボリトカゲ
photo by Anonymous Powered

島《しま》の豊《ゆた》かな自然《しぜん》に育《はぐく》まれたここだけの生《い》き物《もの》たち

日本列島《にほんれっとう》の南端部《なんたんぶ》に約《やく》1200㎞にわたって点在《てんざい》する琉球列島《りゅうきゅうれっとう》の一部《いちぶ》で、鹿児島県《かごしまけん》の奄美大島《あまみおおしま》と徳之島《とくのしま》、沖縄県《おきなわけん》の沖縄島北部《おきなわとうほくぶ》と西表島《いりおもてじま》の4つの地域《ちいき》から構成《こうせい》されます。IUCN（国際自然《こくさいしぜん》保護連合《ほごれんごう》）のレッドリストに載《の》る絶滅《ぜつめつ》危惧種《きぐしゅ》の生息地《せいそくち》になります。

大陸《たいりく》から離《はな》れ分離結合《ぶんりけつごう》を繰《く》り返《かえ》しながら孤立《こりつ》した過程《かてい》においてアマミノクロウサギ、ヤンバルクイナ、イリオモテヤマネコなど独自《どくじ》に進化《しんか》した多様《たよう》な生物《せいぶつ》が生息《せいそく》しています。それらの多《おお》くは絶滅《ぜつめつ》が危惧《きぐ》されている希少種《きしょうしゅ》であり、生物多様性《せいぶつたようせい》を保全《ほぜん》する上《うえ》で重要《じゅうよう》な地域《ちいき》であることなどが評価《ひょうか》されました。候補地《こうほち》となって以来《いらい》、登録《とうろく》まで18年《ねん》の間《あいだ》に、西表島《いりおもてじま》のほぼ全島《ぜんとう》を国立公園《こくりつこうえん》にし、やんばると奄美群島《あまみぐんとう》には新《あたら》しい国立公園《こくりつこうえん》を指定《してい》しました。希少種《きしょうしゅ》の保護《ほご》や外来種対策《がいらいしゅたいさく》を進《すす》め、地元《じもと》では外来植物《がいらいしょくぶつ》の駆除《くじょ》や希少種保護《きしょうしゅほご》のパトロールを島全体《しまぜんたい》で取《と》り組《く》み、さらなる対策《たいさく》を進《すす》めました。

日本《にほん》では24件目《けんめ》の世界《せかい》遺産《いさん》に、自然遺産《しぜんいさん》としては小笠原諸島《おがさわらしょとう》以来《いらい》10年《ねん》ぶりの5件目《けんめ》になりました。

豊《ゆた》かな山《やま》と海《うみ》、川《かわ》が育《はぐく》む いきものの楽園《らくえん》・奄美大島《あまみおおしま》

奄美大島《あまみおおしま》の中央部《ちゅうおうぶ》・南部《なんぶ》では山塊《さんかい》から海域《かいいき》まで豊《ゆた》かな亜熱帯照葉樹林《あねったいしょうようじゅりん》が連続《れんぞく》しています。雄大《ゆうだい》な自然環境《しぜんかんきょう》には、北方系《ほっぽうけい》と南方系《なんぽうけい》の生物《せいぶつ》が混在《こんざい》し、アマミノクロウサギ、アマミトゲネズミ、ルリカケス、オットンガエルなどの遺存固有種《いぞんこゆうしゅ》やアマミヤマシギなどの希少種《きしょうしゅ》の生息地《せいそくち》となっています。国土《こくど》面積《めんせき》の0・2%に満《み》たない島《しま》ですが、日本《にほん》で確認《かくにん》される約《やく》3万《まん》8000種《しゅ》の生物《せいぶつ》のうち5083種《しゅ》ものいきものが暮《く》らしています。

奄美市住用町《あまみしすみようちょう》のマングローブ原生林《げんせいりん》は、西表島《いりおもてじま》に次《つ》いで日本《にほん》で2番目《ばんめ》の大《おお》きさです。マングローブとは、熱帯《ねったい》や亜熱帯《あねったい》の河口湿地帯《かこうしっちたい》や、沿岸部《えんがんぶ》の干潟《ひがた》に生育《いくせい》する樹木郡《じゅもくぐん》の総称《そうしょう》です。干潮時《かんちょうじ》の地表《ちひょう》にはオキナワハクセンシオマネキなどのカニ類《るい》、樹々《きぎ》の根本《ねもと》にミナミトビハゼが、顔《かお》をのぞかせます。また河川《かせん》には貴重《きちょう》なリュウキュウアユが生息《せいそく》し、空《そら》には干潟《ひがた》の生《い》き物《もの》を捕食《ほしょく》するルリカケスやリュウキュウコノハズクが舞《ま》います。夜《よる》の森《もり》では、絶滅危惧種《ぜつめつきぐしゅ》のアマミノクロウサギやアマミヤマシギなど夜行性《やこうせい》のいきものが活動《かつどう》します。

▲奄美大島《あまみおおしま》の「金作原原生林《きんさくばるげんせいりん》」。散策路《さんさくろ》にあるヒカリゴケは日本最大《にほんさいだい》の巨大《きょだい》なシダ植物《しょくぶつ》

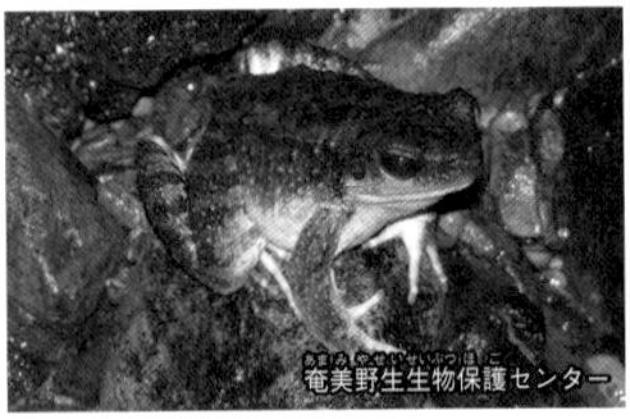

▲オットンガエル

▲ルリカケス

▲アマミヤマギシ

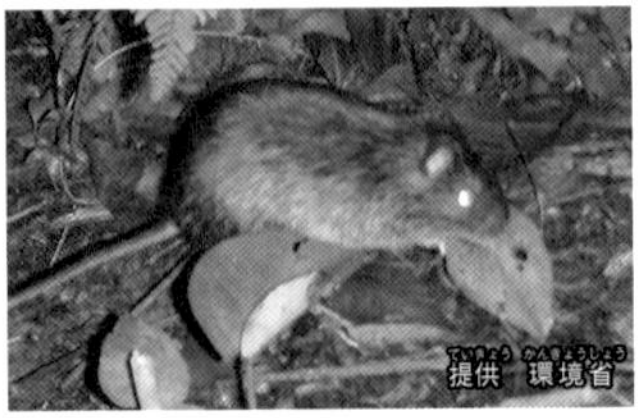

▲アマミトゲネズミ

奄美大島《あまみおおしま》と徳之島《とくのしま》だけの原始的《げんしてき》な姿《すがた》のウサギ

アマミノクロウサギは世界《せかい》で奄美《あまみ》大島《おおしま》と徳之島《とくのしま》にしかいないウサギです。ヨーロッパのアナウサギの先祖《せんぞ》で、500万年《まんねん》~300万年前《まんねんまえ》からいたといわれます。長《なが》らく陸続《りくつづ》きだったため、奄《あま》美大島《みおおしま》と徳之島《とくのしま》の森《もり》に生息《せいそく》しています。

▲アマミノクロウサギ　写真提供《しゃしんていきょう》／環境省《かんきょうしょう》

体《からだ》も耳《みみ》も小《ちい》さく、足《あし》が短《みじか》いので走《はし》るのは苦手《にがて》ですが穴掘《あなほ》りが得意《とくい》です。日中《にっちゅう》は斜面《しゃめん》に掘《ほ》った巣穴《すあな》で過《す》ごし、夜《よる》になると穴《あな》から出《で》て活動《かつどう》をはじめます。赤《あか》ちゃんの育《そだ》て方《かた》が特長的《とくちょうてき》で、自分《じぶん》の巣穴《すあな》とは別《べつ》の穴《あな》を掘《ほ》り、外敵《がいてき》であるハブの侵入《しんにゅう》を防《ふせ》ぐため土《つち》やコケで入口《いりぐち》にふたをします。授乳《じゅにゅう》ごとにふたを掘《ほ》り開《あ》けて、中《なか》の赤《あか》ちゃんにミルクを与《あた》え飲《の》み終《お》えたら、ふたをして去《さ》っていきます。1~2日《にち》に1度《ど》の時《とき》だけ掘《ほ》り返《かえ》します。

ポイント解説《かいせつ》1 徳之島《とくのしま》だけにいるオビトカゲモドキ

トカゲのようですがヤモリの仲間《なかま》で、徳之島《とくのしま》だけに生息《せいそく》する固有種《こゆうしゅ》です。胴体部分《どうたいぶぶん》の長《なが》さが6~8cmで、首《くび》から背中《せなか》にかけて4本《ほん》の桃色《ももいろ》の横帯模様《おうたいもよう》があります。指《ゆび》の裏側《うらがわ》が吸着板《きゅうちゃくばん》のようにはなっておらず、指先《ゆびさき》に小《ちい》さな爪《つめ》があります。樹《き》や壁《かべ》を登《のぼ》ることはしません。

提供《ていきょう》　環境省《かんきょうしょう》

亜熱帯《あねったい》の豊《ゆた》かな大自然《だいしぜん》 沖縄島北部《おきなわとうほくぶ》

沖縄島北部《おきなわとうほくぶ》は「山々《やまやま》が連《つら》なり、森《もり》の広《ひろ》がる地域《ちいき》」という意味《いみ》です。やんばる（山原《やんばる》）と呼《よ》ばれ、林業《りんぎょう》が営《いとな》まれながらも、生物多様性《せいぶつたようせい》が高《たか》いエリアです。最北端《さいほくたん》の三村《さんそん》（国頭村《くにがみそん》、大宜味村《おおぎみそん》、東村《ひがしそん》）のやんばる三村《さんそん》をまたぐ脊梁《せきりょう》山地《さんち》です。スダジイやイジュなどが植生《しょくせい》する亜熱帯照葉樹林《あねったいしょうようじゅりん》では、絶滅《ぜつめつ》危惧種《きぐしゅ》であるヤンバルテナガコガネやケナガネズミ、リュウキュウヤマガメなど多様《たよう》な動植物《どうしょくぶつ》のすみかとなっています。

やんばるの森《もり》にいる固有種《こゆうしゅ》の代表《だいひょう》は、飛《と》べない鳥《とり》のヤンバルクイナやキツツキのノグチゲラ、夜行性《やこうせい》のカエルの仲間《なかま》で、鮮《あざ》やかな苔《こけ》の模様《もよう》をしたオキナワイシカワガエル、ナミガエルなどです。やんばるの山村《さんそん》の森林面積《しんりんめんせき》は、日本国土《にほんこくど》の0・1％ですが、カエルは日本《にほん》で確認《かくにん》される種類《しゅるい》の4分《ぶん》の1、鳥類《ちょうるい》は半分以上観察《はんぶんいじょうかんさつ》ができます。

沖縄島北部登録区域《おきなわけんほくぶとうろくくいき》MAP《まっぷ》

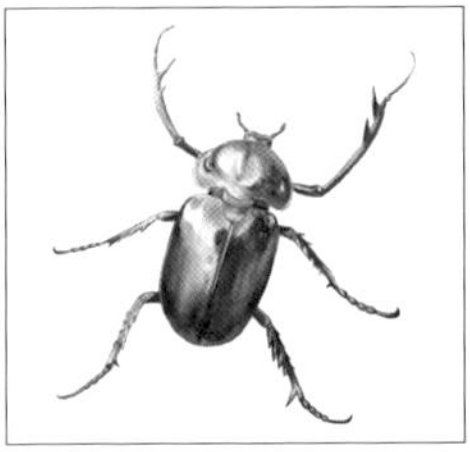
▲ヤンバルテナガコガネ

▲ケナガネズミ

▲走《はし》るのは得意《とくい》だけど、飛《と》べない鳥《とり》「ヤンバルクイナ」。1981年《ねん》に新種《しんしゅ》と発表《はっぴょう》されました

日本最後《にほんさいご》の秘境《ひきょう》の島《しま》
島《しま》の約《やく》9割《わり》がジャングル

西表島《いりおもてじま》は、古見岳《こみだけ》（469・5m）や御座岳《ござだけ》（420・4m）などの山々《やまやま》が連《つら》なります。南部《なんぶ》に仲間川《なかまがわ》、北部《ほくぶ》には沖縄最長《おきなわさいちょう》の川《かわ》・浦内川《うらうちがわ》をはじめ大小多《だいしょうおお》くの川《かわ》が流《なが》れ、山地《さんち》を削《けず》って深《ふか》い谷《たに》をつくりだしています。沖縄《おきなわ》で最《もっと》も落差《らくさ》の大《おお》きいピナイサーラの滝《たき》をはじめ100を超《こ》える滝《たき》があります。原生《げんせい》状態《じょうたい》に近《ちか》い亜熱帯照葉樹林《あねったいしょうようじゅりん》や、河口《かこう》には日本最大《にほんさいだい》のマングローブ林《りん》があり、国内《こくない》で生育《せいいく》しているマングローブ植物《しょくぶつ》7種《しゅ》すべてが分布《ぶんぷ》しているのは西表島《いりおもてじま》だけです。また、国内最大規模《こくないさいだいきぼ》のサンゴ礁《しょう》（石西礁湖《せきせいしょうこ》）があり、ほとんど手《て》つかずの自然《しぜん》が残《のこ》されています。

山地《さんち》はランやシダなどの着生植物《ちゃくせいしょくぶつ》が多《おお》く、島《しま》の90%が森林《しんりん》です。代表的《だいひょうてき》ないきものは、ほ乳類《にゅうるい》のイリオモテヤマネコ、ヤエヤマオオコウモリを筆頭《ひっとう》に、爬虫類《はちゅうるい》はヤエヤマセマルハコガメ、両生類《りょうせいるい》はリュウキュウアカジカガエル、鳥類《ちょうるい》はカンムリワシ、昆虫類《こんちゅうるい》では、日本最大《にほんさいだい》の蛾《が》・ヨナグニサンなど、絶滅危惧種《ぜつめつきぐしゅ》も含《ふく》む、固有《こゆう》のいきものが生息《せいそく》しています。

西表島登録区域《いりおもてじまとうろくくいき》MAP《まっぷ》

▲多《おお》くの河口付近《かこうふきん》にマングローブを有《ゆう》します

▲島《しま》のほぼ全体《ぜんたい》が国立公園《こくりつこうえん》に指定《してい》(1972年《ねん》)

ポイント解説《かいせつ》2

世界一狭《せかいいちせま》いエリアに暮《く》らす野生《やせい》ネコ

1965年《ねん》に八重山列島《やえやまれっとう》の西表島《いりおもてじま》で発見《はっけん》されたヤマネコ。ネコ科《か》ベンガルヤマネコ属《ぞく》に分類《ぶんるい》される、大陸《たいりく》から渡《わた》ってきたベンガルヤマネコの亜種《あしゅ》です。尻尾《しっぽ》は先《さき》まで太《ふと》く、耳《みみ》は先《さき》が丸《まる》くて後《うし》ろに白《しろ》い斑点《はんてん》(虎耳状斑《こじじょうはん》)があります。食《た》べ物《もの》はネズミ、小鳥《ことり》、トカゲ、ヘビ、カニ、魚《さかな》など、島《しま》の環境《かんきょう》に適応《てきおう》していろいろ食《た》べます。

イリオモテヤマネコ

提供《ていきょう》 環境省《かんきょうしょう》

提供《ていきょう》 環境省《かんきょうしょう》

カンムリワシ

西表島《いりおもてじま》と石垣島《いしがきじま》の森林地帯《しんりんちたい》や農耕地《のうこうち》、水田《すいでん》、マングローブ林《りん》など様々《さまざま》な場所《ばしょ》に生息《せいそく》します。一年《いちねん》を通《とお》して飛《と》んでいる姿《すがた》が見《み》られます。

提供《ていきょう》 環境省《かんきょうしょう》

キシノウエトカゲ(成体《せいたい》)

日本産《にっぽんさん》トカゲ類中最大《るいちゅうさいだい》のもので、体長《たいちょう》30センチメートルに達《たっ》する沖縄先島諸島《おきなわさきしましょとう》のみに産《さん》する特産種《とくさんしゅ》。主《おも》に原野《げんや》や墓地《ぼち》に多《おお》く生息《せいそく》します。

提供《ていきょう》 環境省《かんきょうしょう》

ヤエヤマセマルハコガメ

石垣島《いしがきじま》と西表島《いりおもてじま》のみに分布《ぶんぷ》する固有亜種《こゆうあしゅ》で、森林周辺《しんりんしゅうへん》に生息《せいそく》する陸生種《りくせいしゅ》です。高湿《こうしつ》の環境《かんきょう》を好《この》み、低湿地《ていしっち》や河川《かせん》の近《ちか》くで見《み》つかることが多《おお》いです。

生物多様性《せいぶつたようせい》の秘密《ひみつ》は島《しま》の成《な》り立《た》ちに

琉球列島《りゅうきゅうれっとう》は、中新世中期以前《ちゅうしんせいちゅうきいぜん》にはユーラシア大陸《たいりく》の東端《とうたん》を構成《こうせい》していましたが、沖縄《おきなわ》トラフや3つの深《ふか》い海峡《かいきょう》の形成《けいせい》によって大陸《たいりく》や他《ほか》の島嶼《とうしょ》と隔《へだ》てられ、小島嶼群《しょうとうしょぐん》となりました。そこに生息《せいそく》・生育《せいいく》していた陸域生物《りくいきせいぶつ》は、小島嶼《しょうとうしょ》に隔離《かくり》され、独特《どくとく》の進化《しんか》を遂《と》げました。

約《やく》1200万年以前《まんねんいぜん》

約《やく》1200万〜200万年以前《まんねんいぜん》

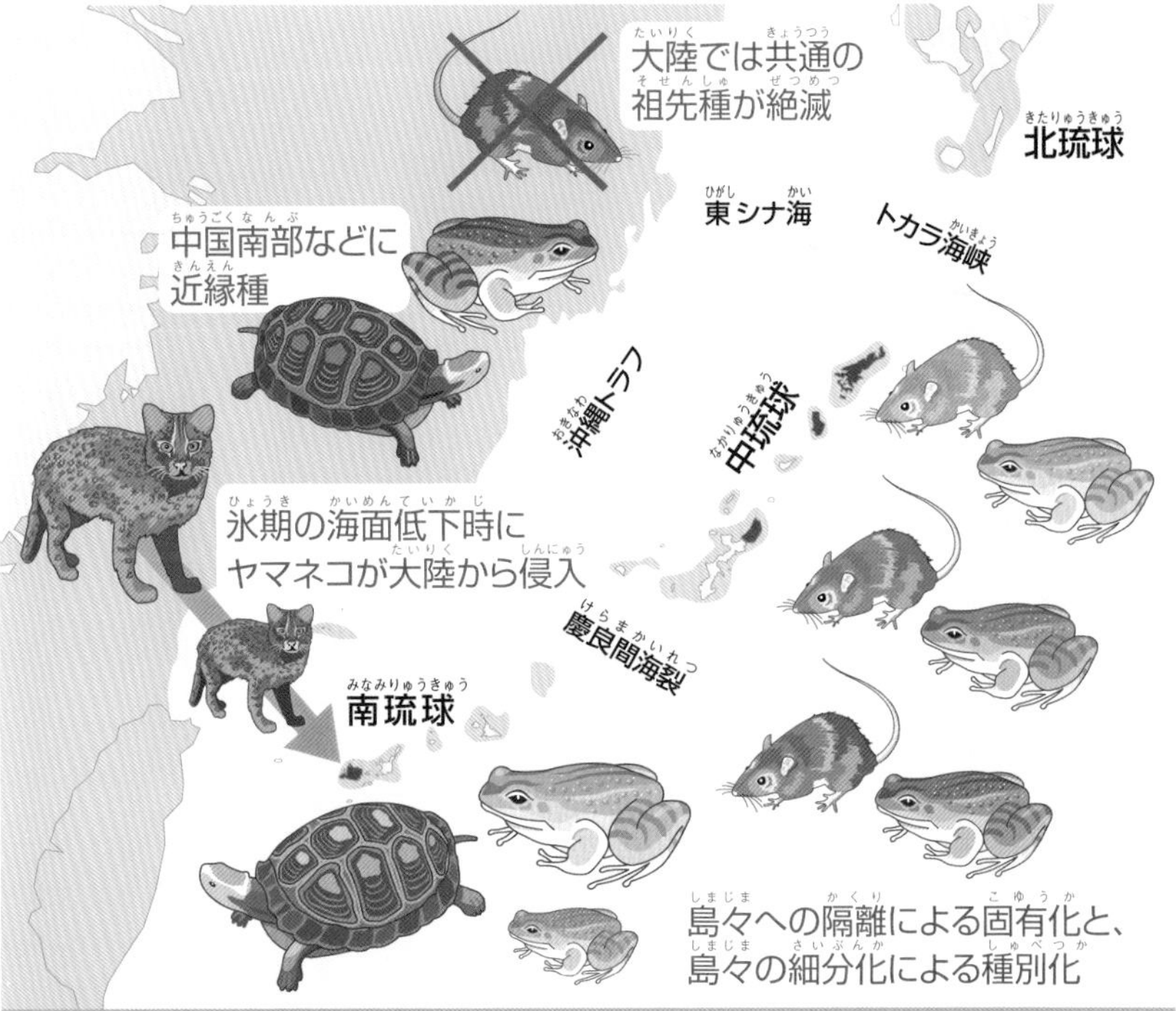

約《やく》200万年前《まんねんまえ》〜現在《げんざい》

文化《ぶんか》遺産《いさん》

北海道《ほっかいどう》・北東北《きたとうほく》の縄文遺跡群《じょうもんいせきぐん》

「北海道《ほっかいどう》・北東北《きたとうほく》の縄文遺跡群《じょうもんいせきぐん》」は、1万年以上《まんねんいじょう》にわたり採集《さいしゅう》・漁労《ぎょろう》・狩猟《しゅりょう》により定住《ていじゅう》した人々《ひとびと》の生活《せいかつ》と精神文化《せいしんぶんか》を伝《つた》える文化遺産《ぶんかいさん》です。北海道《ほっかいどう》・青森県《あおもりけん》・岩手県《いわてけん》・秋田県《あきたけん》に所在《しょざい》する集落《しゅうらく》墓地《ぼち》や祭祀《さいし》・儀礼《ぎれい》の場《ば》である環状列《かんじょうれつ》石《せき》など、このような人々《ひとびと》の生活《せいかつ》の実態《じったい》を示《しめ》す17の遺跡《いせき》で構成《こうせい》されています。

登録内容《とうろくないよう》

遺産種別《いさんしゅべつ》	文化遺産《ぶんかいさん》
登録年《とうろくねん》	2021(令和《れいわ》3)年《ねん》
登録基準《とうろくきじゅん》	3、5
面積《めんせき》	[コアゾーン]141・9ha、[バッファゾーン]948・8ha
登録対象《とうろくたいしょう》資産《しさん》	大平山元遺跡《おおだいやまもといせき》、垣ノ島遺跡《かきのしまいせき》、北黄金貝塚《きたこがねかいづか》、田小屋野貝塚《たごやのかいづか》、二ツ森貝塚《ふたつもりかいづか》、三内丸山遺跡《さんないまるやまいせき》、大船遺跡《おおふねいせき》、御所野遺跡《ごしょのいせき》、小牧野遺跡《こまきのいせき》、入江貝塚《いりえかいづか》、伊勢堂岱遺跡《いせどうたいいせき》、大湯環状列石《おおゆかんじょうれっせき》、キウス周堤墓群《しゅうていぼぐん》、大森勝山遺跡《おおもりかつやまいせき》、高砂貝塚《たかさごかいづか》、亀ケ岡石器時代遺跡《かめがおかせっきじだいいせき》、是川石器時代遺跡《これかわせっきじだいいせき》
行政区分《ぎょうせいくぶん》	北海道《ほっかいどう》：千歳市《ちとせし》、伊達市《だてし》、洞爺湖町《とうやこちょう》、函館市《はこだてし》、青森県《あおもりけん》：青森市《あおもりし》、八戸市《はちのへし》、つがる市《し》、弘前市《ひろさきし》、七戸町《しちのへまち》、外ケ浜町《そとがはままち》、岩手県《いわてけん》：一戸町《いちのへまち》、秋田県《あきたけん》：鹿角市《かづのし》、北秋田市《きたあきたし》

▲青森県《あおもりけん》の三内丸山遺跡《さんないまるやまいせき》　写真提供《しゃしんていきょう》／三内丸山遺跡《さんないまるやまいせき》センター

1万年《まんねん》以上《いじょう》続《つづ》いた独特《どくとく》の縄文文化《じょうもんぶんか》を今《いま》に伝《つた》える

北海道《ほっかいどう》、青森県《あおもりけん》、岩手県《いわてけん》及《およ》び秋田県《あきたけん》に点在《てんざい》する遺跡群《いせきぐん》は、豊《ゆた》かな自然《しぜん》の恵《めぐ》みを受《う》けながら1万年以上《まんねんいじょう》にわたり採集《さいしゅう》・漁労《ぎょろう》・狩猟《しゅりょう》により定住《ていじゅう》した縄文《じょうもん》時代《じだい》の人々《ひとびと》の生活《せいかつ》と精神文化《せいしんぶんか》を今《いま》に伝《つた》える貴重《きちょう》な文化遺産《ぶんかいさん》です。この遺跡群《いせきぐん》は日本列島《にほんれっとう》の縄文文化《じょうもんぶんか》における中核地《ちゅうかくち》の「津軽海峡文化圏《つがるかいきょうぶんかけん》」に位置《いち》しています。

縄文文化《じょうもんぶんか》は、今《いま》から約《やく》1万《まん》5000年前《ねんまえ》～約《やく》2300年前《ねんまえ》にかけて日本《にほん》列島《れっとう》で発展《はってん》した固有《こゆう》の先史文化《せんしぶんか》です。世界史《せかいし》の時代区分《じだいくぶん》にあてはめるなら中石器時代《ちゅうせっきじだい》、もしくは新石器時代《しんせっきじだい》に相当《そうとう》する内容《ないよう》ですが、海外《かいがい》との違《ちが》いは安定《あんてい》した定住生活《ていじゅうせいかつ》などがあげられます。

津軽海峡文化圏《つがるかいきょうぶんかけん》に縄文文化《じょうもんぶんか》が広《ひろ》がっている理由《りゆう》としてブナやナラといった落葉広葉樹林帯《らくようこうようじゅりんたい》が広《ひろ》がっており、食料《しょくりょう》が豊富《ほうふ》であったことが挙《あ》げられます。中《なか》でも青森県《あおもりけん》の三内丸山遺跡《さんないまるやまいせき》は、縄文時代最大《じょうもんじだいさいだい》の集落《しゅうらく》として有名《ゆうめい》です。円筒土器文化《えんとうどきぶんか》や十腰内式土器《とこしないしきどき》文化《ぶんか》、亀ケ岡土器文化《かめがおかどきぶんか》など、津軽海峡《つがるかいきょう》をはさみながらも共通《きょうつう》の文化圏《ぶんかけん》として隆盛《りゅうせい》をみることができます。

▲岩手県《いわてけん》の御所野遺跡《ごしょのいせき》。東《ひがし》ムラの復元土屋根《ふくげんどやね》住居《じゅうきょ》

広大《こうだい》な土地《とち》に残《のこ》された縄文《じょうもん》の足跡《あしあと》

北海道《ほっかいどう》は道南《どうなん》から内浦湾《うちうらわん》に面《めん》した6遺跡《いせき》で構成《こうせい》されます。函館《はこだて》エリアで道南《どうなん》の大規模拠点《だいきぼきょてん》である「大船遺跡《おおふねいせき》」、17点《てん》もの足形付土版《あしがたつきどはん》が出土《しゅつど》した「垣ノ島遺跡《かきのしまいせき》」、関連資産《かんれんしさん》で道内最大級《どうないさいだいきゅう》の環状列石《かんじょうれっせき》を伴《ともな》う「鷲ノ木遺跡《わしのきいせき》」があります。

内浦湾《うちうらわん》を北上《ほくじょう》し、「入江貝塚《いりえかいづか》」では、約《やく》20ｍ幅《はば》の貝塚《かいづか》を剥《は》ぎ取《と》った断面《だんめん》を展示《てんじ》する「貝塚《かいづか》トンネル」が圧巻《あっかん》です。近《ちか》くの「高砂貝塚《たかさごかいづか》」は、貝塚《かいづか》を伴《ともな》う共同《きょうどう》墓地《ぼち》となっています。内浦湾《うちうらわん》を見下《みお》ろす丘《おか》の上《うえ》にある「北黄金貝塚《きたこがねかいづか》」は、大規模貝塚《だいきぼかいづか》を伴《ともな》う集落場所《しゅうらくばしょ》でした。「キウス周堤墓群《しゅうていぼぐん》」は、土《つち》を積《つ》み上《あ》げて築《きず》いた大規模《だいきぼ》な共同墓地《きょうどうぼち》です。最大《さいだい》のものは直径約《ちょっけいやく》75ｍ、高《たか》さ5ｍと巨大《きょだい》です。

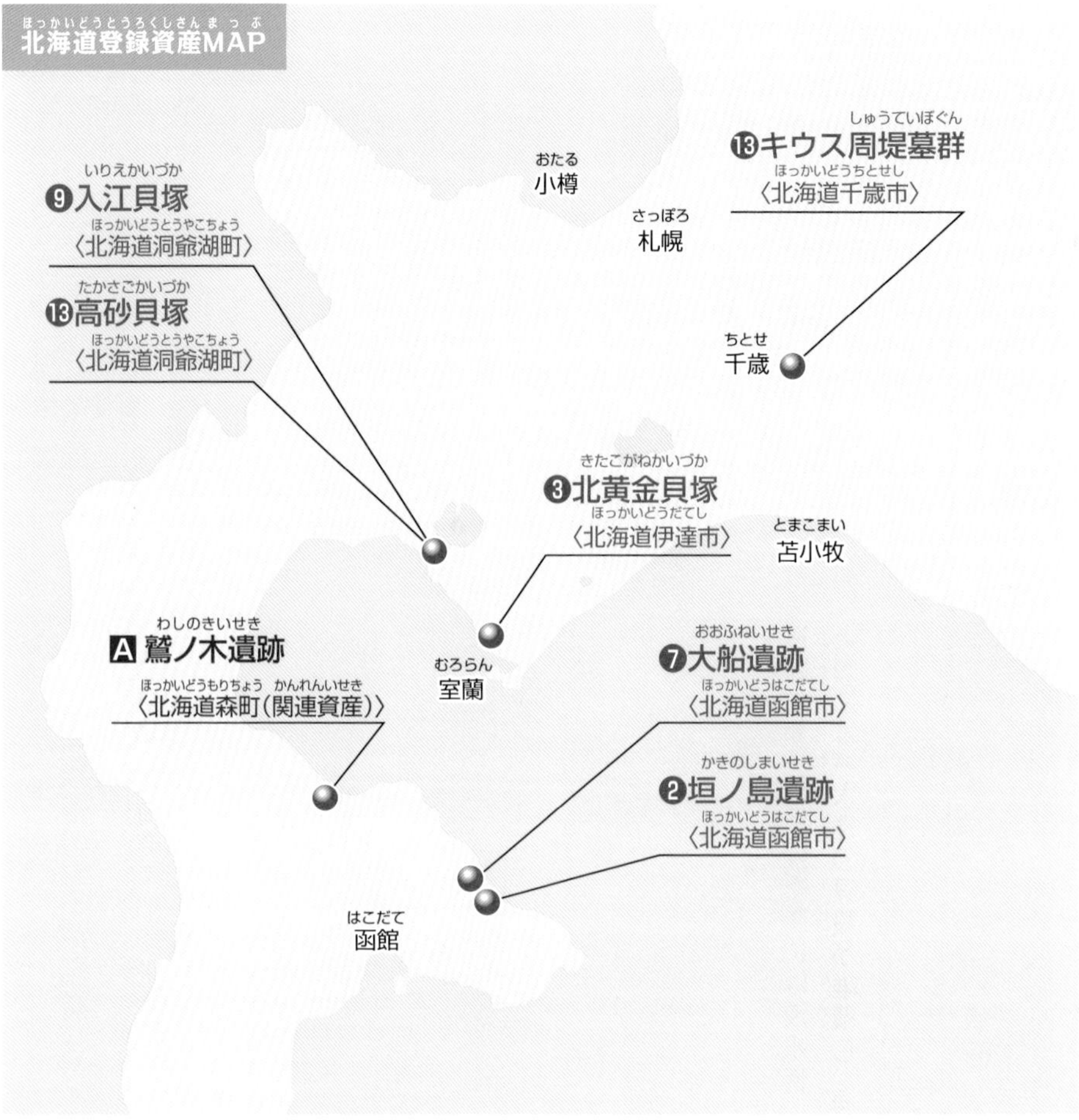

北東北登録資産《きたとうほくとうろくしさん》MAP《まっぷ》

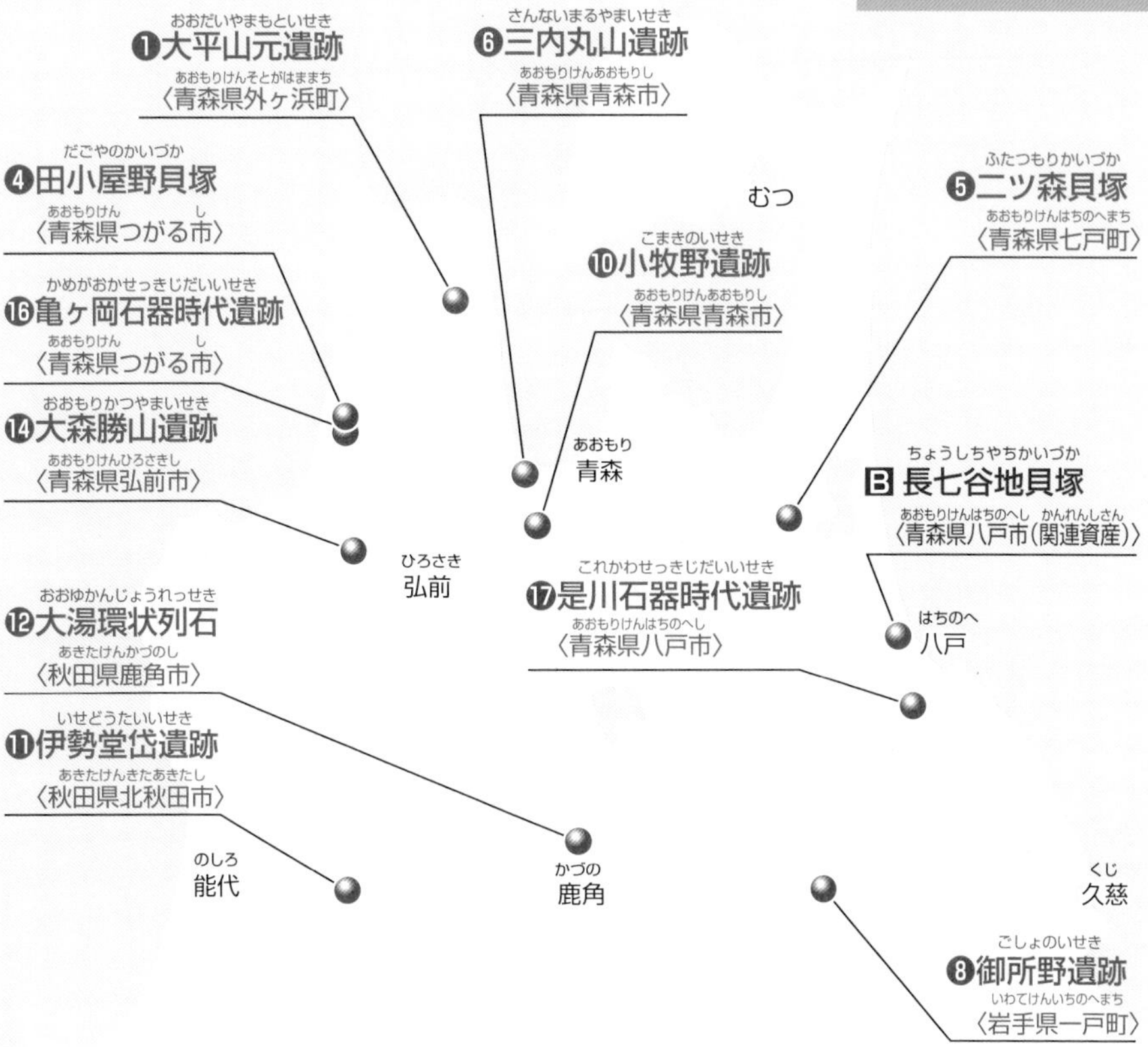

縄文文化《じょうもんぶんか》を物語《ものがた》る巨大集落《きょだいしゅうらく》の歴史《れきし》に触《ふ》れる

北東北《きたとうほく》・北海道南部《ほっかいどうなんぶ》で栄《さか》えた円筒《えんとう》土器文化《どきぶんか》は、縄文時代前期半《じょうもんじだいぜんきなか》ばから中期《ちゅうき》に半《なか》ばまで、地域《ちいき》の集落《しゅうらく》をまとめる大規模《だいきぼ》な拠点集落《きょてんしゅうらく》が増《ふ》えた時期《じき》です。「御所野遺跡《ごしょのいせき》」は馬淵川《まべちがわ》に近《ちか》く、土《ど》屋根《やね》の竪穴建物《たてあなたてもの》、掘立柱建物《ほったてばしらたてもの》などが点在《てんざい》する、墓域《ぼいき》と祭祀場《さいしじょう》を中心《ちゅうしん》とした拠点集落《きょてんしゅうらく》です。「三内丸山遺跡《さんないまるやまいせき》」は、居住域《きょじゅういき》、墓地《ぼち》、大型掘立柱建物《おおがたほったてばしらたてもの》など配置《はいち》された巨大《きょだい》な集落跡《しゅうらくあと》で、膨大《ぼうだい》な量《りょう》の土器《どき》や石器《せっき》、多種多様《たしゅたよう》な魚骨《ぎょこつ》や動物《どうぶつ》骨《こつ》などの堅果類《けんかるい》が出土《しゅつど》しています。「二ツ森貝塚《ふたつもりかいづか》」は、東北有数《とうほくゆうすう》の大規模《だいきぼ》遺跡《いせき》です。貝塚《かいづか》の下層《かそう》には海水性《かいすいせい》、上層《じょうそう》には汽水性《きすいせい》の貝殻《かいがら》が堆積《たいせき》し、海《かい》進《しん》・海退《かいたい》による環境《かんきょう》の変化《へんか》を明確《めいかく》に反映《はんえい》しています。

集落《しゅうらく》展開《てんかい》及《およ》び精神文化《せいしんぶんか》に関《かん》する6つのステージ

紀元前《きげんぜん》
1万《まん》3000年《ねん》

ステージⅠ　定住《ていじゅう》の開始《かいし》

ステージⅠa
居住地《きょじゅうち》の形成《けいせい》

●土器《どき》の使用《しよう》を開始《かいし》　❶

紀元前《きげんぜん》
7000年《ねん》

ステージⅠb
集落《しゅうらく》の成立《せいりつ》

●居住域《きょじゅういき》と墓域《ぼいき》の分離《ぶんり》
●独特《どくとく》な墓制《ぼせい》の成立《せいりつ》　❷

紀元前《きげんぜん》
5000年《ねん》

ステージⅡ　定住《ていじゅう》の発展《はってん》

ステージⅡa
集落施設《しゅうらくしせつ》の多様化《たようか》

●集落《しゅうらく》の施設《しせつ》の充実《じゅうじつ》
●祭祀場的《さいしじょうてき》な捨《す》て場《ば》が形成《けいせい》　❸❹❺

紀元前《きげんぜん》
3000年《ねん》

ステージⅡb
拠点集落《きょてんしゅうらく》の出現《しゅつげん》

●集落《しゅうらく》の祭祀場《さいしじょう》が多様《たよう》になる
●祭祀場的《さいしじょうてき》が顕著《けんちょ》となる　❻❼❽

紀元前《きげんぜん》
2000年《ねん》

ステージⅢ　定住《ていじゅう》の成熟《せいじゅく》

ステージⅢa
共同《きょうどう》の祭祀場《さいしじょう》と墓地《ぼち》の進出《しんしゅつ》

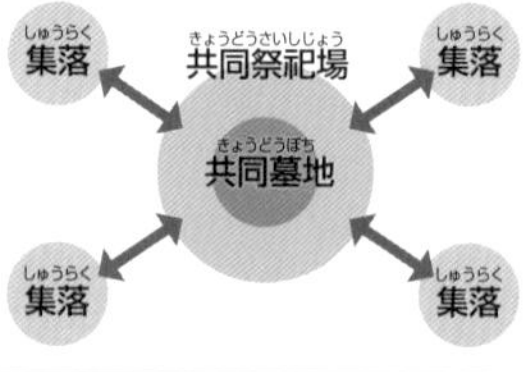

●集落《しゅうらく》は小規模《しょうきぼ》となり分離《ぶんり》
●集落外《しゅうらくがい》に共同《きょうどう》の祭祀場《さいしじょう》と墓域《ぼいき》を構築《こうちく》、維持《いじ》・管理《かんり》　❾❿⓫⓬

紀元前《きげんぜん》
1500年《ねん》

ステージⅢb
祭祀場《さいしじょう》と墓地《ぼち》の分離《ぶんり》

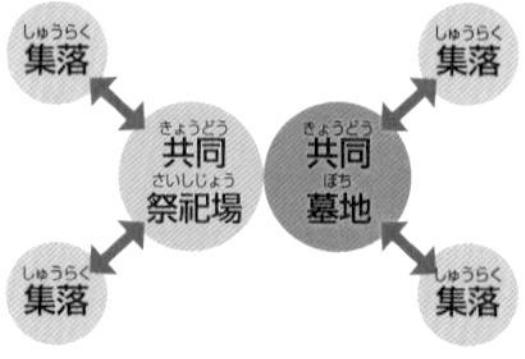

●祭祀《さいし》・儀礼《ぎれい》が充実《じゅうじつ》し、共同墓地《きょうどうぼち》・共同祭祀場《きょうどうさいしじょう》が顕著《けんちょ》となる　⓭⓮⓯⓰⓱

紀元前《きげんぜん》
400年《ねん》

出典《しゅってん》：北海道《ほっかいどう》・北東北《きたとうほく》の縄文遺跡群《じょうもんいせきぐん》ウェブサイト　https://jomon-japan.jp

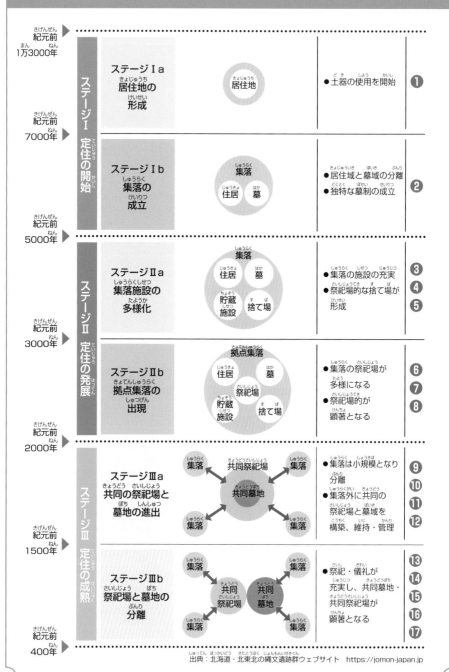

「北海道《ほっかいどう》・北東北《きたとうほく》の縄文遺跡群《じょうもんいせきぐん》」の構成資産《こうせいしさん》

出典：JOMON ARCHIVES（外ヶ浜町教育委員会所蔵《そとがはままちきょういくいいんかいしょぞう》）

❶大平山元遺跡《おおだいやまもといせき》（青森県外ヶ浜町《あおもりけんそとがはままち》）

遊動《ゆうどう》から定住《ていじゅう》へと生活《せいかつ》が変化《へんか》したことを示《しめ》す縄文《じょうもん》時代開始直後《じだいかいしちょくご》の遺跡《いせき》。旧石器時代《きゅうせっきじだい》の特徴《とくちょう》をもつ石器群《せっきぐん》とともに、土器《どき》と石鏃《せきぞく》が出土《しゅつど》しました。土器《どき》は1万《まん》5,000年以上前《ねんいじょうまえ》のもので、北東《ほくとう》アジア最古《さいこ》です。

出典：JOMON ARCHIVES（函館市教育委員会《はこだてしきょういくいいんかい》）

❷垣ノ島遺跡《かきのしまいせき》（北海道函館市《ほっかいどうはこだてし》）

紀元前《きげんぜん》5,000年頃《ねんごろ》の集落跡《しゅうらくあと》。竪穴建物《たてあなたてもの》による居住域《きょじゅういき》と墓域《ぼいき》が分離《ぶんり》したことを示《しめ》します。墓《はか》からは、この地域《ちいき》に特徴的《とくちょうてき》な幼児《ようじ》の足形《あしがた》を押《お》し付《つ》けた粘土版《ねんどばん》が副葬《ふくそう》される例《れい》があるなど、当時《とうじ》の葬制《そうせい》や精神性《せいしんせい》を示《しめ》します。

出典：JOMON ARCHIVES（伊達市教育委員会《だてしきょういくいいんかい》）

❸北黄金貝塚《きたこがねかいづか》（北海道伊達市《ほっかいどうだてし》）

内浦湾《うちうらわん》をのぞむ丘陵上《きゅうりょうじょう》に立地《りっち》する貝塚《かいづか》を伴《ともな》う集落跡《しゅうらくあと》。貝塚《かいづか》からは、貝殻《かいがら》・魚骨《ぎょこつ》・海獣骨《かいじゅうこつ》、動物《どうぶつ》の骨《ほね》や角《つの》でつくられた道具《どうぐ》が多数出土《たすうしゅつど》し、海《かい》進《しん》・海退《かいたい》などの環境変化《かんきょうへんか》に適応《てきおう》した漁労《ぎょろう》を中心《ちゅうしん》とした生業《なりわい》を示《しめ》します。

出典：JOMON ARCHIVES（つがる市教育委員会《しきょういくいいんかい》）

❹田小屋野貝塚《たごやのかいづか》（青森県《あおもりけん》つがる市《し》）

海進期《かいしんき》に形成《けいせい》された古十三湖《こじゅうさんこ》に面《めん》した貝塚《かいづか》を伴《とも》う集落跡《しゅうらくあと》。貝塚《かいづか》からは貝殻《かいがら》を中心《ちゅうしん》に、クジラ・イルカの骨《ほね》を加工《かこう》した骨角器《こっかくき》、ベンケイガイ製貝輪《せいかいわ》の未製品《みせいひん》も多数出土《たすうしゅつど》し、内湾地域《ないわんちいき》における生業《なりわい》の様子《ようす》を伝《つた》えます。

出典：JOMON ARCHIVES（七戸町教育委員会《しちのへまちきょういくいいんかい》）

❺二ツ森貝塚《ふたつもりかいづか》（青森県七戸町《あおもりけんしちのへまち》）

太平洋《たいへいよう》に続《つづ》く小川原湖《おがわらこ》に面《めん》した段丘上《だんきゅうじょう》に立地《りっち》する大規模《だいきぼ》な貝塚《かいづか》を伴《ともな》う集落跡《しゅうらくあと》。貝塚《かいづか》では下層《かそう》に海水性《かいすいせい》、上層《じょうそう》に汽水性《きすいせい》の貝殻《かいがら》が堆積《たいせき》することが確認《かくにん》され、海進《かいしん》・海退《かいたい》による環境変化《かんきょうへんか》に適応《てきおう》した暮《く》らしぶりを示《しめ》します。

出典：JOMON ARCHIVES（三内丸山遺跡《さんないまるやまいせき》センター）

❻三内丸山遺跡《さんないまるやまいせき》（青森県青森市《あおもりけんあおもりし》）

竪穴建物《たてあなたてもの》、掘立柱建物《ほったてばしらたてもの》、墓《はか》、貯蔵穴《ちょぞうけつ》、祭祀場《さいしじょう》である盛土《もりつち》や捨《す》て場《ば》などからなる巨大《きょだい》な集落跡《しゅうらくあと》。膨大《ぼうだい》な土器《どき》や石器《せっき》、日本最多《にほんさいた》の2,000点《てん》を超《こ》える土偶《どぐう》、動植物遺体《どうしょくぶついたい》などが出土《しゅつど》。当時《とうじ》の生業《なりわい》や祭祀《さいし》・儀礼《ぎれい》を具体的《ぐたいてき》に伝《つた》えます。

出典：JOMON ARCHIVES（函館市教育委員会《はこだてしきょういくいいんかい》）

⑦大船遺跡《おおふねいせき》（北海道函館市《ほっかいどうはこだてし》）

太平洋《たいへいよう》をのぞむ段丘上《だんきゅうじょう》に立地《りっち》する拠点集落《きょてんしゅうらく》。竪穴《たてあな》建物《たてもの》、貯蔵穴《ちょぞうけつ》、墓《はか》、盛土《もりど》などが配置《はいち》されています。祭祀場《さいしじょう》である大規模《だいきぼ》な盛土《もりど》には、大量《たいりょう》の土器《どき》・石器《せっき》などが累積《るいせき》し、祭祀《さいし》・儀礼《ぎれい》が継続《けいぞく》して行《おこな》われていたことを示《しめ》します。

出典：JOMON ARCHIVES（一戸町教育委員会《いちのへまちきょういくいいんかい》）

⑧御所野遺跡《ごしょのいせき》（岩手県一戸町《いわてけんいちのへまち》）

馬淵川沿《まぶちがわぞ》いの段丘上《だんきゅうじょう》に立地《りっち》する拠点集落《きょうてんしゅうらく》。台地《だいち》中央《ちゅうおう》に墓《はか》や祭祀場《さいしじょう》である盛土《もりど》があり、その周囲《しゅうい》に居住域《きょじゅういき》が広《ひろ》がります。遺跡《いせき》からは土器《どき》や石器《せっき》、土偶《どぐう》、動物骨《どうぶつこつ》、堅果類《けんかるい》などが出土《しゅつど》し、河川流域《かせんりゅういき》における生業《なりわい》と精神文化《せいしんぶんか》を伝《つた》えます。

出典：JOMON ARCHIVES（洞爺湖町教育委員会《とうやこちょうきょういくいいんかい》）

⑨入江貝塚《いりえかいづか》（北海道洞爺湖町《ほっかいどうとうやこちょう》）

内浦湾《うちうらわん》を望《のぞ》む段丘上《だんきゅうじょう》にある集落跡《しゅうらくあと》。竪穴建物《たてあなたてもの》による居住域《きょじゅういき》、墓域《ぼいき》、貝塚《かいづか》で構成《こうせい》されます。墓《はか》からは筋萎縮症《きんいしゅくしょう》に罹患《りかん》した成人人骨《せいじんじんこつ》も確認《かくにん》され、周囲《しゅうい》の手厚《てあつ》い介護《かいご》を受《う》けながら生《い》きながらえたことを伝《つた》えます。

出典：JOMON ARCHIVES（青青森市教育委員会《あおもりしきょういくいいんかい》）

⑩小牧野遺跡《こまきのいせき》（青森県青森市《あおもりけんあおもりし》）

八甲田山西麓《はっこうださんさいろく》に広《ひろ》がる台地上《だいちじょう》に立地《りっち》する環状列《かんじょうれっ》石《せき》を主体《しゅたい》とする祭祀遺跡《さいしいせき》。環状列石《かんじょうれっせき》は中央《ちゅうおう》 帯《たい》、内帯《ないたい》、外帯《がいたい》の三重《さんじゅう》で一部四重《いちぶよんじゅう》となり、全体《ぜんたい》で直径《ちょっけい》55mとなる。三角形岩版《さんかっけいがんばん》などの祭祀遺物《さいしいぶつ》が多数《たすう》出土《しゅつど》しています。

出典：JOMON ARCHIVES（北秋田市教育委員会《きたあきたしきょういくいいんかい》）

⑪伊勢堂岱遺跡《いせどうだいいせき》（秋田県北秋田市《あきたけんきたあきたし》）

米代川《よねしろがわ》近《ちか》くの段丘上《だんきゅうじょう》に立地《りっち》する環状列石《かんじょうれっせき》を主体《しゅたい》とする祭祀遺跡《さいしいせき》。見晴《みは》らしのよい段丘北西端《だんきゅうほくせいたん》に4つの環状列石《かんじょうれっせき》が隣接《りんせつ》して配置《はいち》され、それらの周囲《しゅうい》から土偶《どぐう》、動物形土製品《どうぶつけいどせいひん》、鐸形土製品《たくけいどせいひん》など祭祀遺物《さいしいぶつ》が多量《たりょう》に出土《しゅつど》しました。

出典：JOMON ARCHIVES（鹿角市教育委員会《かづのしきょういくいいんかい》）

⑫大湯環状列石《おおゆかんじょうれっせき》（秋田県鹿角市《あきたけんかづのし》）

大湯川沿《おおゆがわぞ》いの段丘上《だんきゅうじょう》に立地《りっち》する環状列石《かんじょうれっせき》を主体《しゅたい》とする祭祀遺跡《さいしいせき》。万座《まんざ》と野中堂《のなかどう》の2つの環状列石《かんじょうれっせき》があり、川原石《かわらいし》を組《く》み合わせた配石遺構《はいせきいこう》によって二重《にじゅう》の円環《えんかん》が形成《けいせい》されています。周囲《しゅうい》からは祭祀《さいし》遺物《いぶつ》が数多《かずおお》く出土《しゅつど》しました。

出典：JOMON ARCHIVES（つがる市教育委員会《しきょういくいいんかい》）

⑯亀ヶ岡石器時代遺跡《かめがおかせっきじだいいせき》（青森県《あおもりけん》つがる市《し》）

古十三湖《こじゅうさんこ》に面《めん》した大規模《だいきぼ》な共同墓地《きょうどうぼち》。台地上《だいちじょう》に多数《たすう》の墓《はか》が構築《こうちく》され、その周囲《しゅうい》の低湿地《ていしっち》からは芸術性豊《げいじゅつせいゆた》かな大型遮光器土偶《おおがたしゃこうきどぐう》をはじめ、漆塗《うるしぬ》り土器《どき》や漆器《しっき》などが多数出土《たすうしゅつど》し、精緻《せいち》で複雑《ふくざつ》な精神性《せいしんせい》を示《しめ》します。

出典：JOMON ARCHIVES（千歳市教育委員会《ちとせしきょういくいいんかい》）

⑬キウス周堤墓群《しゅうていぼぐん》（北海道千歳市《ほっかいどうちとせし》）

石狩低地帯《いしかりていちたい》をのぞむ緩《ゆる》やかな斜面《しゃめん》に立地《りっち》する高《たか》い土手《どて》を伴《ともな》う大規模《だいきぼ》な共同墓地《きょうどうぼち》。周堤墓《しゅうていぼ》は、円形《えんけい》の竪穴《たてあな》を掘《ほ》ってその外側《そとがわ》に周堤《しゅうてい》を造《つく》り、内側《うちがわ》に複数《ふくすう》の墓《はか》を配置《はいち》している。独特《どくとく》な墓制《ぼせい》で、当時《とうじ》の高《たか》い精神性《せいしんせい》を示《しめ》します。

出典：JOMON ARCHIVES（八戸市教育《はちのへしきょういく》委員）

⑰是川石器時代遺跡《これかわせっきじだいいせき》（青森県八戸市《あおもりけんはちのへし》）

中居《なかい》、一王寺《いちおうじ》、堀田《ほった》の３つの遺跡《いせき》からなります。中《なか》でも中居遺跡《なかいいせき》は多様《たよう》な施設《しせつ》を伴《ともな》う集落跡《しゅうらくせき》。土器《どき》・土偶《どぐう》、弓《ゆみ》やヤスなどの木製品《もくせいひん》、漆塗《うるしぬ》りの櫛《くし》などの漆製品《うるしせいひん》が出土《しゅつど》し、河川流域《かせんりゅういき》における生業《なりわい》や高度《こうど》な精神性《せいしんせい》を伝《つた》えます。

出典：JOMON ARCHIVES（弘前市教育委員会《ひろさきしきょういくいいんかい》）

⑭大森勝山遺跡《おおもりかつやまいせき》（青森県弘前市《あおもりけんひろさきし》）

岩木山麓《いわきさんろく》の丘陵上《きゅうりょうじょう》に立地《りっち》する大規模《だいきぼ》な環状列石《かんじょうれっせき》を伴《ともな》う祭祀遺跡《さいしいせき》。環状列石《かんじょうれっせき》は、盛土《もりど》した円丘《えんきゅう》の縁辺部《えんぺんぶ》に77基《き》の組石《そせき》を配置《はいち》して円環《えんかん》を築《きず》いています。環状列石及《かんじょうれっせきおよ》びその周辺《しゅうへん》からは円盤状石《えんばんじょうせき》製品《せいひん》が大量《たいりょう》に出土《しゅつど》しています。

出典：JOMON ARCHIVES（洞爺湖町教育委員会《とうやこちょうきょういくいいんかい》）

⑮高砂貝塚《たかさごかいづか》（北海道洞爺湖町《ほっかいどうとうやこちょう》）

内浦湾《うちうらわん》をのぞむ低地《ていち》に立地《りっち》する貝塚《かいづか》を伴《ともな》う共同《きょうどう》墓地《ぼち》。墓域《ぼいき》からは、抜歯《ばっし》の痕跡《こんせき》のある人骨《じんこつ》や胎児骨《たいじこつ》を伴《ともな》う妊産婦《にんさんぷ》の人骨《じんこつ》のほか、土偶《どぐう》や土《つち》製品《せいひん》などが出土《しゅつど》。貝塚《かいづか》からは鹿角製《かづのせい》の銛頭《もりがしら》などの漁具《ぎょぐ》も出土《しゅつど》しています。

関連資産《かんれんいさん》

A 長七谷地貝塚《ちょうしちやちかいづか》（青森県八戸市《あおもりけんはちのへし》）

縄文海進期《じょうもんかいしんき》に形成《けいせい》された貝塚《かいづか》を中心《ちゅうしん》とした集落《しゅうらく》遺跡《いせき》。貝塚《かいづか》からは多量《たりょう》の貝殻《かいがら》や魚骨《ぎょほね》、動物《どうぶつ》の角《つの》や骨《ほね》を加工《かこう》した釣針《つりばり》や銛頭《もりがしら》などが出土《しゅつど》し、活発《かっぱつ》に漁労《ぎょろう》が行《おこな》われていたことを伝《つた》えます。

B 鷲ノ木遺跡《わしのきいせき》（北海道森町《ほっかいどうもりちょう》）

北海道最大規模《ほっかいどうさいだいきぼ》の環状列石《かんじょうれっせき》を伴《ともな》う祭祀遺跡《さいしいせき》。楕円形《だえんけい》の配石《はいせき》を中心《ちゅうしん》とし、その外側《そとがわ》に円環状《えんかんじょう》の列石《れつせき》が二重《にじゅう》に巡《めぐ》り、直径約《ちょっけいやく》37mのほぼ円形《えんけい》。周辺《しゅうへん》に竪穴墓域《たてあなぼいき》などが見《み》られます。

文化《ぶんか》遺産《いさん》

百舌鳥《もず》・古市《ふるいち》古墳群《こふんぐん》――古代日本《こだいにほん》の墳墓群《ふんぼぐん》――

3世紀後半《せいきこうはん》～6世紀後半《せいきこうはん》にかけ、日本《にほん》では古墳時代《こふんじだい》と呼《よ》ばれる時代《じだい》に突入《とつにゅう》します。大阪府《おおさかふ》の中部《ちゅうぶ》に位置《いち》する堺市《さかいし》、羽曳野市《はびきのし》、藤井寺市《ふじいでらし》の3市《し》には同時代《どうじだい》、200基《き》を超《こ》える古墳《こふん》が造《つく》られ、現在《げんざい》でも80基《き》を超《こ》える古墳《こふん》が残《のこ》っています。世界《せかい》でも独特《どくとく》な鍵穴形《かぎあながた》の前方後円墳《ぜんぽうこうえんふん》という墳墓《ふんぼ》が密集《みっしゅう》しており、地理的《ちりてき》にも近《ちか》く、丘陵《きゅうりょう》や台地《だいち》に立地《りっち》していることから、一体性《いったいせい》と連続性《れんぞくせい》があるとされています。この一帯《いったい》は古代日本《こだいにほん》の政治《せいじ》文化《ぶんか》の中心地《ちゅうしんち》であり、交通《こうつう》の要所《ようしょ》でもあったそうです。

この3市《し》に分布《ぶんぷ》する「百舌鳥《もず》エリア」と「古市《ふるいち》エリア」。この二《ふた》つを合《あ》わせて百舌鳥《もず》・古市古墳群《ふるいちこふんぐん》と呼《よ》ばれており、日本古代《にほんこだい》の文化《ぶんか》を物語《ものがた》る貴重《きちょう》な遺産《いさん》として、2019年《ねん》に保存状態《ほぞんじょうたい》が良《よ》い45件《けん》49基《き》の古墳群《こふんぐん》が世界遺産《せかいいさん》に登録《とうろく》されました。

登録内容《とうろくないよう》

遺産種別《いさんしゅべつ》	文化遺産《ぶんかいさん》
登録年《とうろくねん》	2019（令和元《れいわがん》）年《ねん》
登録基準《とうろくきじゅん》	3、4
面積《めんせき》	［コアゾーン］166.66ha、［バッファゾーン］890.0ha
登録対象資産《とうろくたいしょうしさん》	45件《けん》49基《き》の古墳《こふん》（詳細《しょうさい》は後述《こうじゅつ》） 百舌鳥《もず》エリア（大阪府堺市《おおさかふさかいし》）：23基《き》（仁徳天皇陵古墳《にんとくてんのうりょうこふん》など） 古市《ふるいち》エリア（大阪府羽曳野市《おおさかふはびきのし》・藤井寺市《ふじいでらし》）：26基《き》（応神天皇陵古墳《おうじんてんのうりょうこふん》など）
行政区分《ぎょうせいくぶん》	大阪府堺市《おおさかふさかいし》、羽曳野市《はびきのし》、藤井寺市《ふじいでらし》

古墳《こふん》とは？

古墳《こふん》とは、古代《こだい》の権力者《けんりょくしゃ》を埋葬《まいそう》するために造《つく》られた墳墓《ふんぼ》（お墓《はか》）のことです。日本《にほん》では3世紀後半《せいきこうはん》から約《やく》400年《ねん》の間《あいだ》、土《つち》を高《たか》く盛《も》り上《あ》げた墳丘《ふんきゅう》のあるお墓《はか》が造《つく》られました。このお墓《はか》を「古墳《こふん》」といい、周《まわ》りに水《みず》をためた濠《ほり》があるものもあります。

古墳時代《こふんじだい》の前《まえ》にあたる弥生時代《やよいじだい》から人々《ひとびと》は稲作《いなさく》を始《はじ》め、水田《すいでん》を中心《ちゅうしん》とした村落《そんらく》・政治《せいじ》集団《しゅうだん》が形成《けいせい》されました。弥生時代《やよいじだい》の中期《ちゅうき》にはこの集団《しゅうだん》の長《おさ》の墳丘墓《ふんきゅうぼ》が造《つく》られるようになり、その後《ご》の古墳時代《こふんじだい》には国内《こくない》の広《ひろ》い範囲《はんい》で大型《おおがた》の古墳《こふん》が造《つく》られるようになりました。定説《ていせつ》では埋葬者《まいそうしゃ》の権力《けんりょく》の大《おお》きさが古墳《こふん》の規模《きぼ》に比例《ひれい》していると考《かんが》えられています。このように王《おう》や豪族《ごうぞく》などの力《ちから》を示《しめ》す象徴《しょうちょう》となったお墓《はか》は、世界各所《せかいかくしょ》に見《み》ることができます。

▲古墳《こふん》の大《おお》きさは10mのものから400mを超《こ》える巨大《きょだい》なものまで様々《さまざま》な種類《しゅるい》があります
写真提供《しゃしんていきょう》／百舌鳥《もず》・古市古墳群世界遺産保存活用会議《ふるいちこふんぐんせかいいさんほぞんかつようかいぎ》

古墳《こふん》はどう造《つく》られた？

古墳《こふん》は当時《とうじ》の土木技術《どぼくぎじゅつ》を活用《かつよう》し、全《すべ》て人《ひと》の力《ちから》で築造《ちくぞう》されました。百舌鳥《もず》エリアにある仁徳天皇陵《にんとくてんのうりょう》古墳《こふん》などの巨大《きょだい》な古墳《こふん》は、大規模《だいきぼ》な土木工事《どぼくこうじ》が必要《ひつよう》となりました。墳丘《ふんきゅう》は濠《ほり》を掘《ほ》った際《さい》の土《つち》をそのまま積《つ》み上《あ》げて造《つく》られ、2段《だん》、もしくは3段《だん》に築《きず》かれました。斜面《しゃめん》には装飾《そうしょく》や崩落防止《ほうらくぼうし》の意味《いみ》を込《こ》めて「葺石《ふきいし》」と呼《よ》ばれる大小《だいしょう》の石《いし》が敷《し》かれました。そして墳丘《ふんきゅう》が完成《かんせい》した後《あと》に、頂上部《ちょうじょうぶ》やテラス部《ぶ》などに埴輪《はにわ》が飾《かざ》り付《つ》けられました。

石棺《せっかん》に使《つか》う巨石《きょせき》は木製《もくせい》のソリの下《した》に丸太《まるた》を敷《し》き、墳丘《ふんきゅう》を人力《じんりき》で引《ひ》っ張《ぱ》ったといわれています。このような大規模《だいきぼ》な土製構造物《どせいこうぞうぶつ》を造《つく》るには、周到《しゅうとう》な設計《せっけい》と高度《こうど》な建築技術《けんちくぎじゅつ》、その一連《いちれん》の労働《ろうどう》を管理《かんり》する仕組《しく》みがあったと考《かんが》えられています。

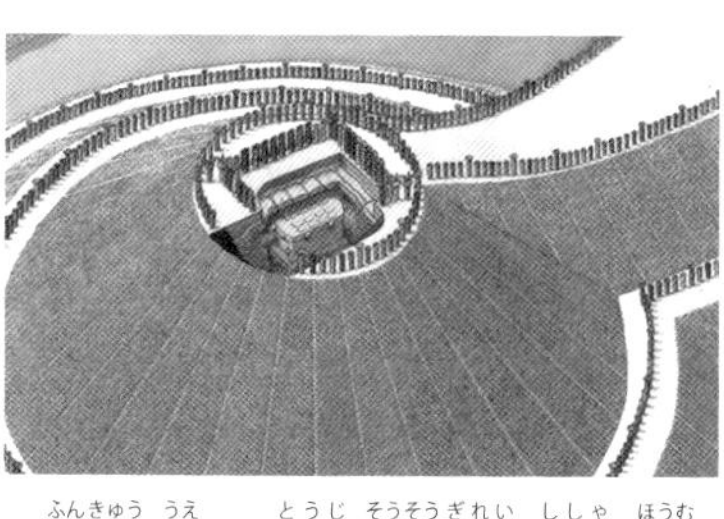

▲墳丘《ふんきゅう》の上《うえ》では当時《とうじ》、葬送儀礼《そうそうぎれい》（死者《ししゃ》を葬《ほうむ》る時《とき》の儀式《ぎしき》）が執《と》り行《おこな》われ、その儀式《ぎしき》の舞台《ぶたい》に相応《ふさわ》しいよう墳丘《ふんきゅう》が飾《かざ》られました
写真提供《しゃしんていきょう》／百舌鳥《もず》・古市古墳群世界遺産保存活用会議《ふるいちこふんぐんせかいいさんほぞんかつようかいぎ》

古墳《こふん》の構造《こうぞう》

古墳《こふん》が造《つく》られた目的《もくてき》として共通《きょうつう》しているのはお墓《はか》である、ということです。このため内部《ないぶ》には遺体《いたい》(被葬者《ひそうしゃ》)を納《おさ》めるための埋葬施設《まいそうしせつ》が作《つく》られます。この埋葬施設《まいそうしせつ》は墳丘《ふんきゅう》の上部《じょうぶ》に置《お》かれ、円墳《えんふん》や方墳《ほうふん》であれば真《ま》ん中《なか》、前方後円墳《ぜんぽうこうえんふん》であれば後円部《こうえんぶ》の真《ま》ん中《なか》にあります。

遺体《いたい》を納《おさ》めるのは木《き》で作《つく》られた「木棺《もっかん》」や、石《いし》で作《つく》られた「石棺《せっかん》」と呼《よ》ばれる棺《ひつぎ》です。これらのデザインには長持形《ながもちがた》や舟形《ふながた》、箱形《はこがた》といった様々《さまざま》な形《かたち》のものが作《つく》られています。棺《ひつぎ》はそのまま直接《ちょくせつ》地面《じめん》に埋《う》められることもありますが、大《おお》きな権力《けんりょく》を持《も》っていた人《ひと》は石《いし》で築《きず》かれた「石室《せきしつ》」と呼《よ》ばれる部屋《へや》のようなものが作《つく》られ、そこに納《おさ》められました。3世紀《せいき》から5世紀《せいき》にかけては墳丘《ふんきゅう》の上《うえ》から墓穴《ぼけつ》を掘《ほ》り、その中《なか》に棺《ひつぎ》を入《い》れる「竪穴式石室《たてあなしきせきしつ》」が主流《しゅりゅう》でした。この石室《せきしつ》は一度《いちど》棺《ひつぎ》を納《おさ》めて蓋《ふた》を塞《ふさ》ぐと二度《ふたど》と開《あ》けられることがなく、被葬者《ひそうしゃ》1人《ひとり》のためだけに作《つく》られたものでした。

また埋葬施設《まいそうしせつ》の内部《ないぶ》には遺体《いたい》や棺《ひつぎ》などのほか、剣《けん》や刀《かたな》、甲冑《かっちゅう》といった「副葬品《ふくそうひん》」と呼《よ》ばれる品物《しなもの》も同《おな》じく納《おさ》められることもあります。

▲石室《せきしつ》は上《うえ》から穴《あな》を掘《ほ》ってから棺《ひつぎ》を入《い》れる「竪穴式石室《たてあなしきせきしつ》」のほか、墳丘《ふんきゅう》の横《よこ》に入口《いりぐち》をつくって中心部《ちゅうしんぶ》に部屋《へや》を設《もう》けた「横穴式石室《よこあなしきせきしつ》」も造《つく》られました　写真提供《しゃしんていきょう》／百舌鳥《もず》・古市古墳群世界遺産保存活用会議《ふるいちこふんぐんせかいいさんほぞんかつようかいぎ》

ポイント解説《かいせつ》　副葬品《ふくそうひん》

古墳《こふん》の埋葬施設《まいそうしせつ》に一緒《いっしょ》に埋《う》められた副葬品《ふくそうひん》には多種多様《たしゅたよう》なものがあり、最《もっと》も多《おお》いのが鉄製《てっせい》の武具《ぶぐ》だといわれています。当時《とうじ》これらの鉄製品《てつせいひん》はとても珍《めずら》しく貴重《きちょう》なもので、これらが大量《たいりょう》に納《おさ》められていることは古墳《こふん》に葬《ほうむ》られている人《ひと》の力《ちから》を示《しめ》す証拠《しょうこ》でもあります。

このほか、葬《ほうむ》られている人《ひと》が身《み》に付《つ》けていた耳飾《みみかざ》りなどの装身具《そうしんぐ》や、祭祀《さいし》に用《もち》いたとされる「石製模造品《せきせいもぞうひん》」と呼《よ》ばれる道具《どうぐ》なども副葬《ふくそう》されていました。

▶石室《せきしつ》には花形飾《はながたかざ》りや三叉形垂《さんさがたた》れ飾《かざ》りなどの豪華《ごうか》な副葬品《ふくそうひん》が納《おさ》められていました　写真提供《しゃしんていきょう》／羽曳野市《はびきのし》教育委員会《きょういくいいんかい》

百舌鳥《もず》エリア

百舌鳥古墳群《もずこふんぐん》は、大阪府堺市《おおさかふさかいし》に分布《ぶんぷ》する古墳群《こふんぐん》です。「仁徳天皇陵古墳《にんとくてんのうりょうこふん》」や「履中天皇陵古墳《りちゅうてんのうりょうこふん》」など、大規模《だいきぼ》な前方後円墳《ぜんぽうこうえんふん》が点在《てんざい》しています。現在《げんざい》では埋《う》め立《た》てが進《すす》み海岸《かいがん》との距離《きょり》は離《はな》れていますが、これらの古墳群《こふんぐん》は当時《とうじ》、今《いま》よりも海岸線《かいがんせん》の近《ちか》くに造《つく》られていました。このため堺地区《さかいちく》は国内《こくない》をはじめ、大陸諸国《たいりくしょこく》との海《うみ》の玄関口《げんかんぐち》となっていました。ここに陵墓《りょうぼ》を築《きず》くことで王権《おうけん》の力《ちから》を示《しめ》すモニュメントとして利用《りよう》されたといわれています。この地域《ちいき》には44基《き》の古墳《こふん》が現存《げんそん》しており、そのうち23基《き》が世界遺産《せかいいさん》に登録《とうろく》されています。

▲空《そら》から見《み》た百舌鳥《もず》エリア　写真提供《しゃしんていきょう》／堺市世界遺産課《さかいしせかいいさんか》

▲百舌鳥《もず》エリアにある履中天皇陵古墳《りちゅうてんのうりょうこふん》は、日本《にほん》第三位《だいさんい》の長《なが》さを誇《ほこ》る墳墓《ふんぼ》です
写真提供《しゃしんていきょう》／堺市世界遺産課《さかいしせかいいさんか》

ポイント解説《かいせつ》

様々《さまざま》な形《かたち》の古墳《こふん》

日本《にほん》の古墳《こふん》といえば鍵穴形《かぎあながた》の前方後円墳《ぜんぽうこうえんふん》が有名《ゆうめい》です。しかし、その他《ほか》にも古墳《こふん》は様々《さまざま》な形《かたち》のものが造《つく》られています。その中《なか》でも高《たか》いランクに位置《いち》づけられていたのが前方後円墳《ぜんぽうこうえんふん》で、王《おう》やその一族《いちぞく》が埋葬《まいそう》されているといわれています。その他《ほか》、百舌鳥《もず》・古市古墳群《ふるいちこふんぐん》には帆立貝形古墳《ほたてがいがたこふん》、円墳《えんふん》、方墳《ほうふん》と4つの形《かたち》の古墳《こふん》が世界遺産《せかいいさん》に登録《とうろく》されています。

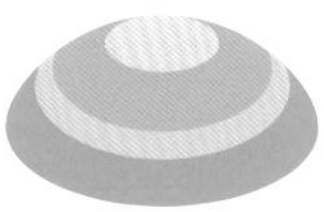

▲円墳《えんふん》

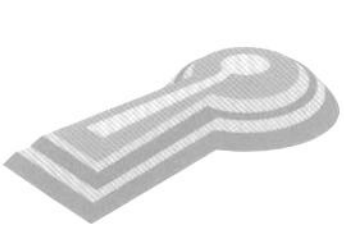

▲前方後円墳《ぜんぽうこうえんふん》

▲方墳《ほうふん》

▲帆立貝形古墳《ほたてがいがたこふん》

古市《ふるいち》エリア

古市古墳群《ふるいちこふんぐん》は、大阪府羽曳野市《おおさかふはびきのし》と藤井寺市《ふじいでらし》に分布《ぶんぷ》する古墳群《こふんぐん》です。国内《こくない》で2番目《ばんめ》の大《おお》きさを誇《ほこ》る「応神天皇陵古墳《おうじんてんのうりょうこふん》」や「仲哀天皇陵古墳《ちゅうあいてんのうりょうこふん》」など、百舌鳥古墳群《もずこふんぐん》に引《ひ》けをとらない規模《きぼ》の古墳群《こふんぐん》が点在《てんざい》しています。「仲哀天皇陵古墳《ちゅうあいてんのうりょうこふん》」は、室町時代《むろまちじだい》には城《しろ》として使《つか》われていたという歴史《れきし》もあります。この一帯《いったい》は、当時《とうじ》の奈良県《ならけん》にあったヤマト王権《おうけん》の中枢部《ちゅうすうぶ》にも近《ちか》く、古来《こらい》より「近《ちか》つ飛鳥《あすか》」と呼《よ》ばれた場所《ばしょ》に隣接《りんせつ》しています。この地域《ちいき》には45基《き》の古墳《こふん》が現存《げんそん》しており、そのうち26基《き》が世界《せかい》遺産《いさん》に登録《とうろく》されています。

▲空《そら》から見《み》た古市《ふるいち》エリア　写真提供《しゃしんていきょう》／羽曳野市世界遺産課《はびきのしせかいいさんか》

▲古市《ふるいち》エリアにある「仲哀天皇陵古墳《ちゅうあいてんのうりょうこふん》」。城《しろ》として使《つか》われた歴史《れきし》をもつため、墳丘《ふんきゅう》は改変《かいへん》されています　写真提供《しゃしんていきょう》／藤井寺市教育委員会《ふじいでらしきょういくいいんかい》

ポイント解説《かいせつ》

前方後円墳《ぜんぽうこうえんふん》

世界《せかい》でも類《るい》を見《み》ない日本独自《にほんどくじ》の形《かたち》をもつ前方後円墳《ぜんぽうこうえんふん》。円形部分《えんけいぶぶん》が前《まえ》であると思《おも》いがちですが、名前《なまえ》は「前方後円墳《ぜんぽうこうえんふん》」です。その由来《ゆらい》は、最初《さいしょ》に古墳《こふん》の研究《けんきゅう》を行《おこな》った学者《がくしゃ》が四角《しかく》い方《ほう》が前《まえ》で丸《まる》い方《ほう》が後《うし》ろであると考《かんが》え、その意味《いみ》を取《と》って古墳《こふん》が名付《なづ》けられたためという説《せつ》が有力《ゆうりょく》です。また5世紀《せいき》を中心《ちゅうしん》に巨大化《きょだいか》し、6世紀《せいき》あたりで小型化《こがたか》されていきました。奈良県《ならけん》にある「箸墓古墳《はしはかこふん》」は、日本列島《にほんれっとう》で最初《さいしょ》の巨大古墳《きょだいこふん》であるとされています。

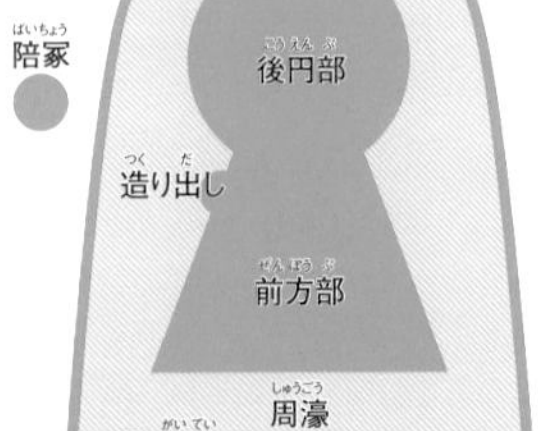

▶巨大古墳《きょだいこふん》には「陪冢《ばいちょう》」と呼《よ》ばれる付属墳《ふぞくふん》が造《つく》られることもあります

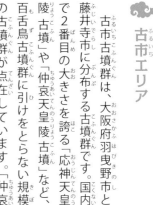

仁徳天皇陵古墳《にんとくてんのうりょうこふん》

百舌鳥《もず》エリアにある仁徳天皇 陵《にんとくてんのうりょう》古墳《こふん》は日本最大《にほんさいだい》の墳墓《ふんぼ》であり、墳丘《ふんきゅう》長《ちょう》４８６ｍ、高《たか》さ35ｍ、体積《たいせき》１４０万《まん》m^3と世界《せかい》でも最大級《さいだいきゅう》の大《おお》きさを誇《ほこ》ります。この古墳《こふん》が築造《ちくぞう》されたのは5世紀中《せいきなか》ごろで、埋葬《まいそう》されていたのが誰《だれ》かは明《あき》らかにされていませんが、宮内庁《くないちょう》により第《だい》16代《だい》仁徳天皇《にんとくてんのう》の陵墓《りょうぼ》に治定《じじょう》されています。３重《じゅう》の濠《ほり》と２重《じゅう》の堤《つつみ》があり、外側《そとがわ》の拝所《はいしょ》の手前《てまえ》まで立《た》ち入《い》ることができます。

▲日本最大《にほんさいだい》の墳墓《ふんぼ》である「仁徳天皇《にんとくてんのう》陵 古墳《りょうこふん》」。陵墓《りょうぼ》がある場所《ばしょ》は「だいせん」と呼《よ》ばれています
写真提供《しゃしんていきょう》／堺市世界遺産課《さかいしせかいいさんか》

応神天皇陵古墳《おうじんてんのうりょうこふん》

古市《ふるいち》エリアにある応神天皇陵古墳《おうじんてんのうりょうこふん》は、墳丘長《ふんきゅうちょう》４２５ｍ、高《たか》さ36ｍ、体積《たいせき》１４３万《まん》m^3と全国《ぜんこく》２番目《ばんめ》の規模《きぼ》を持《も》つ古墳《こふん》です。体積《たいせき》は仁徳天皇陵《にんとくてんのうりょう》を凌《しの》ぐともいわれ、周濠《しゅうごう》は２重《じゅう》ですが陪冢《ばいちょう》といわれる付属墳《ふぞくふん》は８基《き》が確認《かくにん》されています。この墳墓《ふんぼ》は仁徳天皇《にんとくてんのう》の父《ちち》である、応神天皇《おうじんてんのう》の墓《はか》に治定《じじょう》されています。かつては後円部《こうえんぶ》の頂上《ちょうじょう》に六角形《ろっかっけい》の宝塔《ほうとう》があったといいます。

▲第《だい》15代天皇《だいてんのう》である応神天皇《おうじんてんのう》の墓《はか》とされる「応神天皇陵古墳《おうじんてんのうりょうこふん》」。そばに誉田八幡宮《こんだはちまんぐう》が隣接《りんせつ》しています
写真提供《しゃしんていきょう》／藤井寺市教育委員会《ふじいでらしきょういくいいんかい》

ポイント解説《かいせつ》 埴輪《はにわ》（ハニワ）

埴輪《はにわ》とは、古墳《こふん》の上《うえ》に並《なら》べて置《お》かれた素焼《すや》きの焼《や》き物《もの》です。大《おお》まかに分類《ぶんるい》すると、筒状《つつじょう》に形成《けいせい》された円筒埴輪《えんとうはにわ》と、物《もの》や生《い》き物《もの》を模《も》した形象埴輪《けいしょうはにわ》の２種類《しゅるい》があります。形象埴輪《けいしょうはにわ》には、家形埴輪《いえがたはにわ》、器財埴輪《きざいはにわ》、人物埴輪《じんぶつはにわ》、動物埴輪《どうぶつはにわ》などがあり、当時《とうじ》の衣服《いふく》、髪型《かみがた》、農具《のうぐ》や建築様式《けんちくようしき》などを見《み》てとることができます。

圧倒的《あっとうてき》に多《おお》いのは円筒埴輪《えんとうはにわ》で、巨大《きょだい》な仁徳天皇 陵《にんとくてんのうりょう》古墳《こふん》や応神天皇 陵《おうじんてんのうりょう》古墳《こふん》の場合《ばあい》、円筒埴輪《えんとうはにわ》が２万本以上《まんぼんいじょう》置《お》かれ、墳丘《ふんきゅう》を豪華《ごうか》に飾《かざ》ったと考《かんが》えられています。

▲高槻市今城塚古墳《たかつきしいましろづかこふん》に再現展示《さいげんてんじ》されている形象埴輪《けいしょうはにわ》

■≪古市《ふるいち》エリア≫構成資産一覧《こうせいしさんいちらん》

<table>
<tr><th>NO</th><th colspan="2">構成資産《こうせいしさん》の名称《めいしょう》</th><th>所在地《しょざいち》</th></tr>
<tr><td>22</td><td colspan="2">津堂城山古墳《つどうしろやまこふん》</td><td rowspan="11">藤井寺市《ふじいでらし》</td></tr>
<tr><td>23</td><td colspan="2">仲哀天皇陵古墳《ちゅうあいてんのうりょうこふん》</td></tr>
<tr><td>24</td><td colspan="2">鉢塚古墳《はちづかこふん》</td></tr>
<tr><td>25</td><td colspan="2">允恭天皇陵古墳《いんぎょうてんのうりょうこふん》</td></tr>
<tr><td>26</td><td colspan="2">仲姫命陵古墳《なかつひめのみことりょうこふん》</td></tr>
<tr><td>27</td><td colspan="2">鍋塚古墳《なべづかこふん》</td></tr>
<tr><td>28</td><td colspan="2">助太山古墳《すけたやまこふん》</td></tr>
<tr><td>29</td><td colspan="2">中山塚古墳《なかやまづかこふん》</td></tr>
<tr><td>30</td><td colspan="2">八島塚古墳《やしまづかこふん》</td></tr>
<tr><td>31</td><td colspan="2">古室山古墳《こむろやまこふん》</td></tr>
<tr><td>32</td><td colspan="2">大鳥塚古墳《おおとりづかこふん》</td></tr>
<tr><td rowspan="4">33</td><td colspan="2">応神天皇陵古墳《おうじんてんのうりょうこふん》、誉田丸山《こんだまるやま》古墳《こふん》及《およ》び二ツ塚古墳《ふたつづかこふん》</td><td rowspan="6">羽曳野市《はびきのし》</td></tr>
<tr><td>33-1</td><td>応神天皇陵古墳《おうじんてんのうりょうこふん》</td></tr>
<tr><td>33-2</td><td>誉田丸山古墳《こんだまるやまこふん》</td></tr>
<tr><td>33-3</td><td>二ツ塚古墳《ふたつづかこふん》</td></tr>
<tr><td>34</td><td colspan="2">東馬塚古墳《ひがしうまづかこふん》</td></tr>
<tr><td>35</td><td colspan="2">栗塚古墳《くりづかこふん》</td></tr>
<tr><td>36</td><td colspan="2">東山古墳《ひがしやまこふん》</td><td rowspan="2">藤井寺市《ふじいでらし》</td></tr>
<tr><td>37</td><td colspan="2">はざみ山古墳《やまこふん》</td></tr>
<tr><td>38</td><td colspan="2">墓山古墳《はかやまこふん》</td><td>羽曳野市《はびきのし》、藤井寺市《ふじいでらし》</td></tr>
<tr><td>39</td><td colspan="2">野中古墳《のなかこふん》</td><td>藤井寺市《ふじいでらし》</td></tr>
<tr><td>40</td><td colspan="2">向墓山古墳《むこうはかやまこふん》</td><td rowspan="2">羽曳野市《はびきのし》</td></tr>
<tr><td>41</td><td colspan="2">西馬塚古墳《にしうまづかこふん》</td></tr>
<tr><td>42</td><td colspan="2">浄元寺山古墳《じょうがんじやまこふん》</td><td rowspan="2">藤井寺市《ふじいでらし》</td></tr>
<tr><td>43</td><td colspan="2">青山古墳《あおやまこふん》</td></tr>
<tr><td>44</td><td colspan="2">峯ヶ塚古墳《みねがづかこふん》</td><td rowspan="2">羽曳野市《はびきのし》</td></tr>
<tr><td>45</td><td colspan="2">白鳥陵古墳《はくちょうりょうこふん》</td></tr>
</table>

■≪百舌鳥《もず》エリア≫構成資産一覧《こうせいしさんいちらん》

<table>
<tr><th>NO</th><th colspan="2">構成資産《こうせいしさん》の名称《めいしょう》</th><th>所在地《しょざいち》</th></tr>
<tr><td>1</td><td colspan="2">反正天皇陵古墳《はんぜいてんのうりょうこふん》</td><td rowspan="24">堺市《さかいし》</td></tr>
<tr><td rowspan="4">2</td><td colspan="2">仁徳天皇陵古墳《にんとくてんのうりょうこふん》、茶山古墳《ちゃやまこふん》及《およ》び大安寺山古墳《だいあんじやまこふん》</td></tr>
<tr><td>2-1</td><td>仁徳天皇陵古墳《にんとくてんのうりょうこふん》</td></tr>
<tr><td>2-2</td><td>茶山古墳《ちゃやまこふん》</td></tr>
<tr><td>2-3</td><td>大安寺山古墳《だいあんじやまこふん》</td></tr>
<tr><td>3</td><td colspan="2">永山古墳《ながやまこふん》</td></tr>
<tr><td>4</td><td colspan="2">源右衛門山古墳《げんえもんやまこふん》</td></tr>
<tr><td>5</td><td colspan="2">塚廻古墳《つかまわりこふん》</td></tr>
<tr><td>6</td><td colspan="2">収塚古墳《おさめづかこふん》</td></tr>
<tr><td>7</td><td colspan="2">孫太夫山古墳《まごだゆうやまこふん》</td></tr>
<tr><td>8</td><td colspan="2">竜佐山古墳《たつさやまこふん》</td></tr>
<tr><td>9</td><td colspan="2">銅亀山古墳《どうがめやまこふん》</td></tr>
<tr><td>10</td><td colspan="2">菰山塚古墳《こもやまづかこふん》</td></tr>
<tr><td>11</td><td colspan="2">丸保山古墳《まるほやまこふん》</td></tr>
<tr><td>12</td><td colspan="2">長塚古墳《ながつかこふん》</td></tr>
<tr><td>13</td><td colspan="2">旗塚古墳《はたづかこふん》</td></tr>
<tr><td>14</td><td colspan="2">銭塚古墳《ぜにづかこふん》</td></tr>
<tr><td>15</td><td colspan="2">履中天皇陵古墳《りちゅうてんのうりょうこふん》</td></tr>
<tr><td>16</td><td colspan="2">寺山南山古墳《てらやまみなみやまこふん》</td></tr>
<tr><td>17</td><td colspan="2">七観音古墳《しちかんのんこふん》</td></tr>
<tr><td>18</td><td colspan="2">いたすけ古墳《こふん》</td></tr>
<tr><td>19</td><td colspan="2">善右ヱ門山古墳《ぜんえもんやまこふん》</td></tr>
<tr><td>20</td><td colspan="2">御廟山古墳《ごびょうやまこふん》</td></tr>
<tr><td>21</td><td colspan="2">ニサンザイ古墳《こふん》</td></tr>
</table>

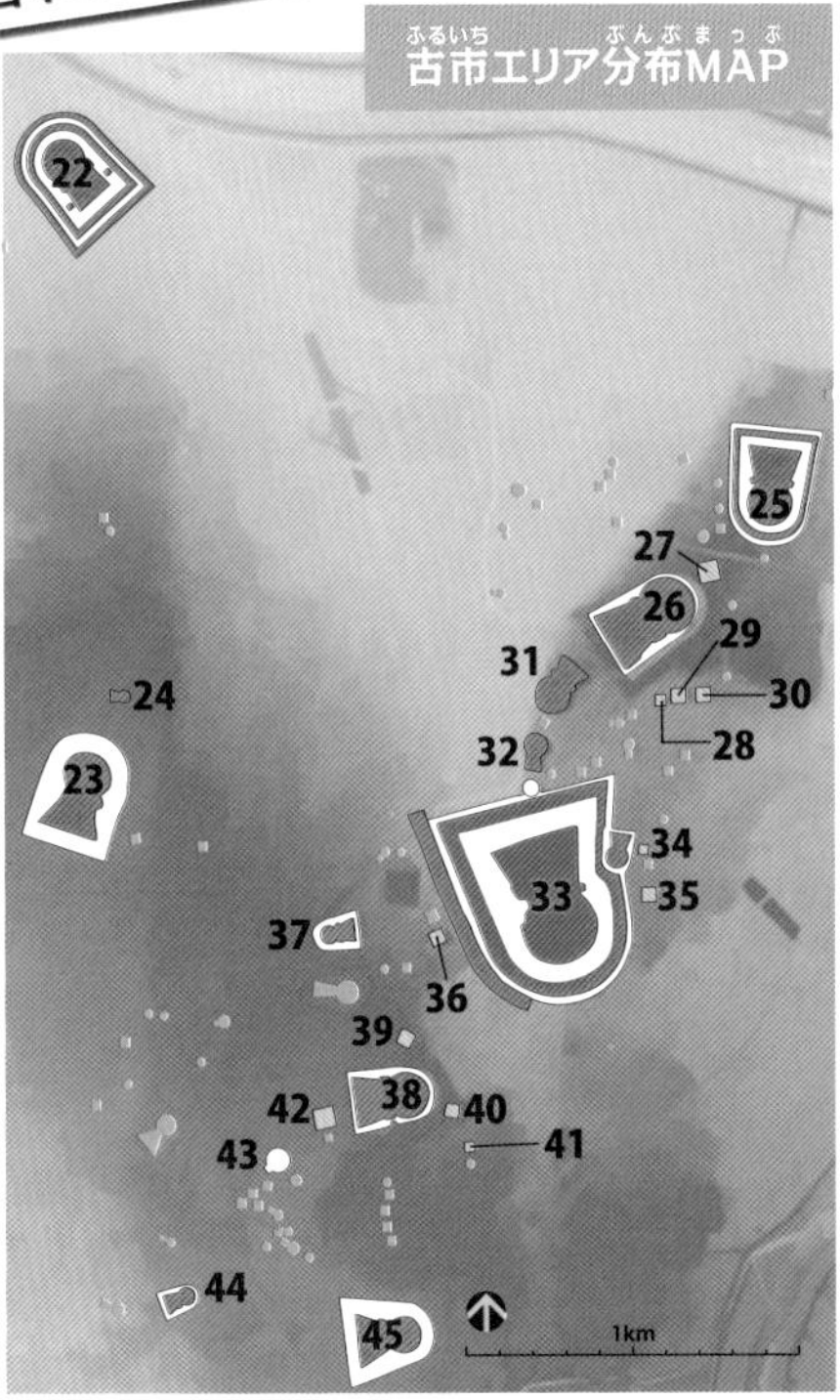

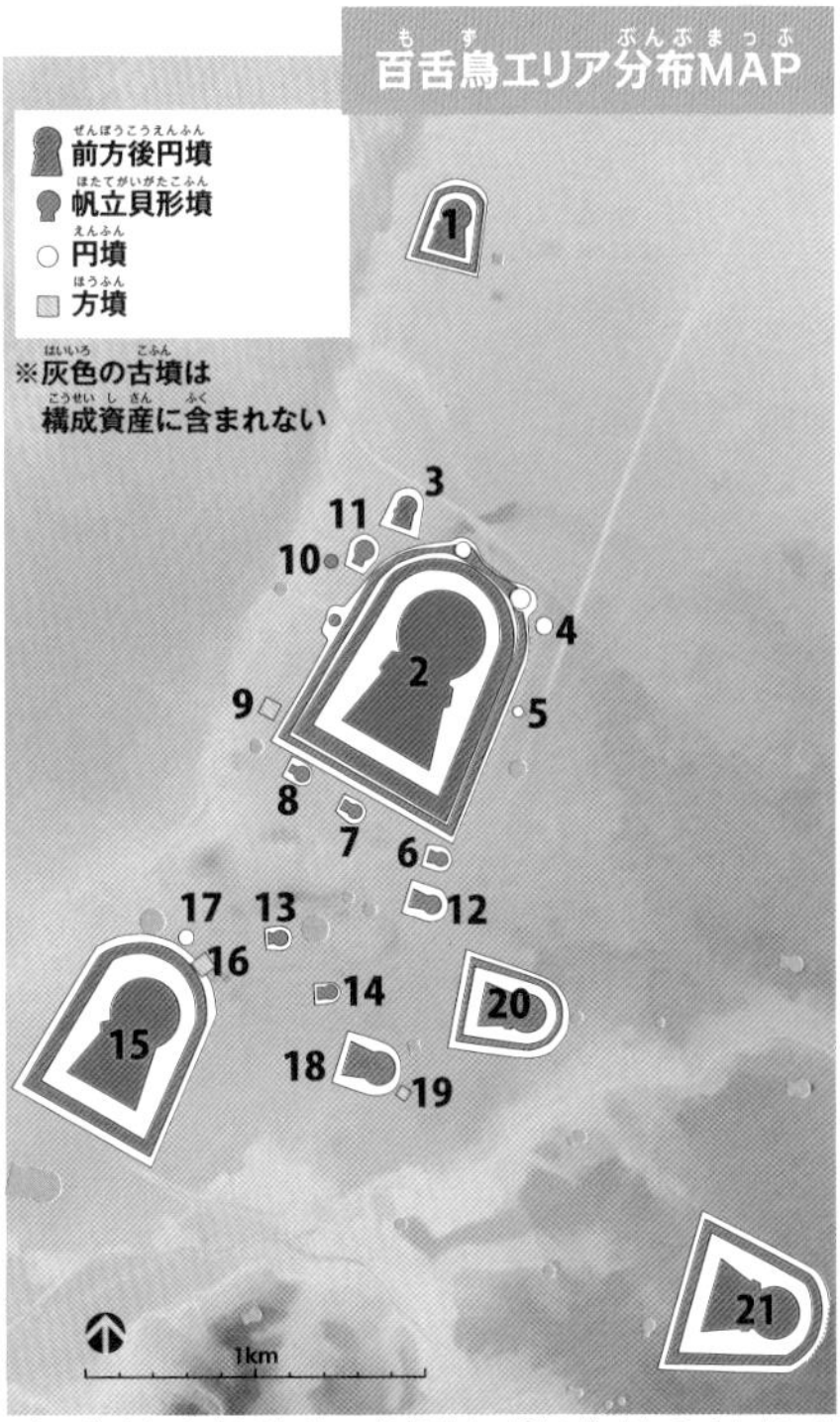

百舌鳥《もず》・古市古墳群世界遺産保存活用会議《ふるいちこふんぐんせかいいさんほぞんかつようかいぎ》の資料《しりょう》を元《もと》に改変《かいへん》

■世界《せかい》のお墓《はか》を見《み》てみよう

日本《にほん》で古墳《こふん》が造《つく》られたように、世界《せかい》でも驚《おどろ》くようなお墓《はか》が建造《けんぞう》されています。

ギザの3大《だい》ピラミッド≪エジプト≫

今《いま》から約《やく》4,500年前《ねんまえ》ころに造《つく》られたとされる3つの巨大墳墓《きょだいふんぼ》で、建設《けんせつ》した王《おう》の名前《なまえ》をとってクフ王《おう》、カフラー王《おう》、メンカウラー王《おう》のピラミッドと呼《よ》ばれています。人力《じんりき》だけで造《つく》り上《あ》げたといわれ、高《たか》さ139m、底辺《ていへん》は一辺《いっぺん》230mのほぼ正方形《せいほうけい》に造《つく》られています。この高《たか》さは、1889年《ねん》にフランスでエッフェル塔《とう》が建造《けんぞう》されるまで約《やく》4,400年《ねん》もの間《あいだ》、世界《せかい》で一番高《いちばんたか》い建造物《けんぞうぶつ》であったようです。

タージ・マハル≪インド≫

16世紀初《せいきはじ》めに北《きた》インドを統一《とういつ》したムガール帝国《ていこく》は、その後《ご》インド全域《ぜんいき》を支配化《しはいか》に置《お》くほど強大《きょうだい》な力《ちから》を持《も》っていました。タージ・マハルは５代皇帝《だいこうてい》シャー・ジャハーンが、亡《な》き王妃《おうひ》のために22年《ねん》の歳月《さいげつ》をかけて建造《けんぞう》したお墓《はか》です。王妃《おうひ》はムムターズ・マハルといい、普段《ふだん》はタージと呼《よ》ばれていました。このお墓《はか》の美《うつく》しい佇《たたず》まいはまるで宮殿《きゅうでん》のようで、世界一美《せかいいちうつく》しい霊廟《れいびょう》ともいわれています。

文化《ぶんか》遺産《いさん》

古都《こと》京都《きょうと》の文化財《ぶんかざい》

日本《にほん》ならではの神社仏閣《じんじゃぶっかく》が集中《しゅうちゅう》する京都《きょうと》。794（延暦《えんりゃく》13）年《ねん》、桓武天皇《かんむてんのう》によって生《う》まれた平安京《へいあんきょう》の時代《じだい》から都《みやこ》が置《お》かれていた京都《きょうと》には、世界遺産《せかいいさん》に登録《とうろく》された17の物件《ぶっけん》など日本《にほん》の歴史《れきし》を物語《ものがた》る文化財《ぶんかざい》が残《のこ》されています。

※神社《じんじゃ》…神道《しんとう》の神《かみ》をまつる所《ところ》
※仏閣《ぶっかく》…仏教《ぶっきょう》の仏《ほとけ》をまつる所《ところ》

登録内容《とうろくないよう》

遺産種別《いさんしゅべつ》	文化遺産《ぶんかいさん》
登録年《とうろくねん》	1994（平成《へいせい》6）年《ねん》
登録基準《とうろくきじゅん》	2、4
面積《めんせき》	［コアゾーン］1，056ha、［バッファゾーン］3，579ha
登録対象《とうろくたいしょう》資産《しさん》	賀茂別雷神社《かもわけいかづちじんじゃ》（上賀茂神社《かみがもじんじゃ》）、賀茂《かも》御祖神社《みおやじんじゃ》（下鴨神社《しもがもじんじゃ》）、教王護国寺《きょうおうごこくじ》（東寺《とうじ》）、清水寺《きよみずでら》、延暦寺《えんりゃくじ》、醍醐寺《だいごじ》、仁和寺《にんなじ》、平等院《びょうどういん》、宇治上神社《うじがみじんじゃ》、高山寺《こうざんじ》、西芳寺《さいほうじ》（苔寺《こけでら》）、天龍寺《てんりゅうじ》、鹿苑寺《ろくおんじ》（金閣寺《きんかくじ》）、慈照寺《じしょうじ》（銀閣寺《ぎんかくじ》）、龍安寺《りょうあんじ》、本願寺《ほんがんじ》（西本願寺《にしほんがんじ》）、二条城《にじょうじょう》
行政区分《ぎょうせいくぶん》	京都府《きょうとふ》：京都市《きょうとし》、宇治市《うじし》 滋賀県《しがけん》：大津市《おおつし》

平安《へいあん》から江戸《えど》まで、千年《せんねん》の歴史《れきし》を刻《きざ》んだ古都《こと》

794（延暦《えんりゃく》13）年《ねん》から1867（慶応《けいおう》3）年に大政奉還《たいせいほうかん》が行《おこな》われ、明治《めいじ》天皇《てんのう》が即位《そくい》するまでの千年以上《せんねんいじょう》にわたり日本《にほん》の都《みやこ》であった京都《きょうと》。ここには約《やく》3000社寺《しゃじ》、約《やく》2000件《けん》を超《こ》える文化財《ぶんかざい》があります。その中《なか》で世界遺産《せかいいさん》の資産《しさん》となった17は、各時代《かくじだい》を物語《ものがた》る代表的《だいひょうてき》な物件《ぶっけん》であり、遺産《いさん》そのものの保護《ほご》の状況《じょうきょう》にも優《すぐ》れていたということがあるようです。また、京都市内《きょうとしない》（中心《ちゅうしん》部分《ぶぶん》をさします）にある物件《ぶっけん》は、教王護《きょうおうご》国寺《こくじ》（東寺《とうじ》）、本願寺《ほんがんじ》（西本願寺《にしほんがんじ》）、二条城《にじょうじょう》の三《みっ》つで、その他《ほか》は周辺《しゅうへん》の自然《しぜん》と一体化《いったいか》した景観《けいかん》が魅力《みりょく》にもなっています。

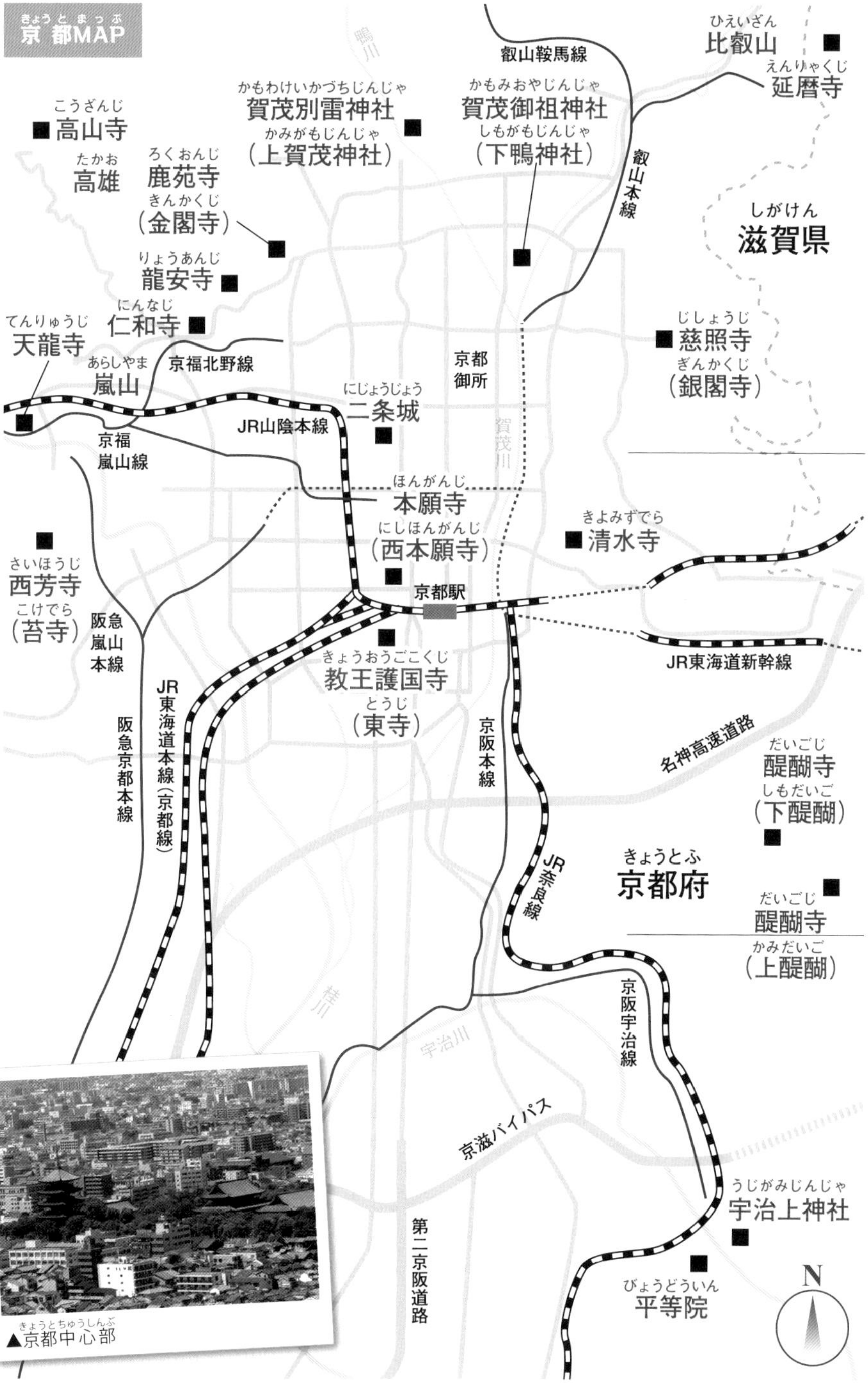

▲京都中心部《きょうとちゅうしんぶ》

賀茂別雷神社《かもわけいかずちじんじゃ》（上賀茂神社《かみがもじんじゃ》）

上賀茂神社《かみがもじんじゃ》の名《な》で親《した》しまれている、京都《きょうと》で最《もっと》も古《ふる》い神社《じんじゃ》のひとつといわれています。山城国《やましろくに》（京都《きょうと》）の豪族《ごうぞく》、加《か》茂氏《もし》が賀茂別雷命《かもわけいかづちのみこと》をまつり、天武天皇《てんむてんのう》の時代《じだい》、678（天武《てんむ》7）年《ねん》に現在《げんざい》の地《ち》に社殿《しゃでん》を造《つく》りました。794（延暦《えんりゃく》13）年《ねん》の平安遷都《へいあんせんと》が起《お》こる100年《ねん》以上前《いじょうまえ》のことになります。

平安遷都後《へいあんせんとご》は、国家鎮護《こっかちんご》の神社《じんじゃ》として崇拝《すうはい》されました。20年《ねん》ごとに社殿《しゃでん》をつくり替《か》える「式年造替《しきねんぞうたい》の制《せい》」をもち、平安時代《へいあんじだい》の様式《ようしき》を伝《つた》える流造《ながれづく》りの本社《ほんしゃ》と権殿《ごんでん》を構《かま》えています。なお、現在《げんざい》の本社《ほんしゃ》と権殿《ごんでん》は1863（文久《ぶんきゅう》3）年《ねん》に建《た》て替《か》えられたものです。

66万《まん》㎡の広大《こうだい》な敷地《しきち》には、国宝《こくほう》に指定《してい》されている本社《ほんしゃ》、権殿《ごんでん》のほかに多数《たすう》の重要文化財《じゅうようぶんかざい》があり、34棟《とう》の社殿《しゃでん》が立《た》ち並《なら》んでいます。

▲賀茂別雷神社《かもわけいかづちじんじゃ》の細殿《ほそどの》と立砂《たてすな》

細殿《ほそどの》の前《まえ》には砂《すな》でできた二《ふた》つの円錐形《えんすいけい》があります。これは「立砂《たてすな》」といい神山《かみやま》をかたどったものです。現代《げんだい》でも清《きよ》めの砂《すな》をまくことがあり、その起源《きげん》ともいわれています

賀茂御祖神社《かもみおやじんじゃ》（下鴨神社《しもがもじんじゃ》）

鴨川《かもがわ》の下流《かりゅう》にあることから下鴨神社《しもがもじんじゃ》の名《な》で親《した》しまれています。東殿《とうでん》には玉依媛命《たまよりひめのみこと》、西殿《さいでん》には賀茂建角身命《かもたけつぬみのみこと》がまつられています。玉依媛命《たまよりひめのみこと》は、賀茂別雷命《かもわけいかづちのみこと》の母《はは》とされています。

平安遷都後《へいあんせんとご》は、国家鎮護《こっかちんご》の神《かみ》として朝廷《ちょうてい》に崇拝《すうはい》され、そのため伊勢神宮《いせじんぐう》と同《おな》じく社殿《しゃでん》などをつくりかえる式年遷《しきねんせん》宮《ぐう》が21年《ねん》ごとに行《おこな》われています。流造《ながれづく》りの本殿《ほんでん》は1863（文久《ぶんきゅう》3）年《ねん》の建築《けんちく》です。また、広大《こうだい》な境内《けいだい》は「糺《ただす》の森《もり》」と呼《よ》ばれ、原野《げんや》の名残《なごり》をとどめる神域《しんいき》で、森《しん》閑《かん》とした雰囲気《ふんいき》を漂《ただよ》わせています。

清水寺《きよみずでら》

開山《かいざん》は778（宝亀《ほうき》9）年《ねん》、延鎮上人《えんちんしょうにん》が授《さず》かった霊木《れいぼく》で観音像《かんのんぞう》を彫《ほ》って草庵《そうあん》に安置《あんち》したのが始《はじ》まりといわれています。平安遷都後《へいあんせんとご》のまもない798（延暦《えんりゃく》17）年《ねん》に、坂上田村麻呂《さかのうえたむらまろ》が十一面観音《じゅういちめんかんのん》立像《りゅうぞう》を安置《あんち》するために創建《そうけん》しました。その後《ご》、京《きょう》を代表《だいひょう》する観音信仰《かんのんしんこう》の参詣《さんけい》の地《ち》になっています。

現在《げんざい》の本堂《ほんどう》は、1636（寛永《かんえい》10）年《ねん》に三代将軍徳川家光《さんだいしょうぐんとくがわいえみつ》によって再建《さいけん》されたものです。創建時《そうけんじ》の姿《すがた》を伝《つた》えるという本堂《ほんどう》の前《まえ》に設《もう》けられている「清水《きよみず》の

▲ 清水寺《きよみずでら》の本堂《ほんどう》と舞台《ぶたい》
本尊《ほんぞん》の十一面観音立像《じゅういちめんかんのんりゅうぞう》をまつり、熊野《くまの》の補陀洛山寺《ふだらくさんじ》に住《す》む観音《かんのん》にあやかって、山《やま》の中腹《ちゅうふく》に南向《みなみむ》きに建《た》てられています

舞台《ぶたい》」。ここは、巨大《きょだい》なケヤキの柱《はしら》をタテ、ヨコに組《く》み合《あ》わせて、クサビで止《と》める「懸造《かけづく》り」と呼《よ》ばれる造《つく》りになっています。

眼下《がんか》に京都市街《きょうとしがい》が見下《みお》ろせる断崖《だんがい》の上《うえ》に建《た》っており、「清水《きよみず》の舞台《ぶたい》から飛《と》び降《お》りたつもりで…」と勇気《ゆうき》を出《だ》して、思《おも》い切《き》ったことをするときのたとえにもよく使《つか》われます。

ポイント解説《かいせつ》

流造《ながれづく》り

屋根《やね》が反《そ》り、屋根《やね》が前《まえ》に曲線《きょくせん》形《けい》に長《なが》く伸《の》びて「ひさし」となったもので、全国《ぜんこく》で最《もっと》も多《おお》い神社《じんじゃ》建築《けんちく》です。上賀茂神社《かみかもじんじゃ》と下鴨《しもかも》神社《じんじゃ》は流造《ながれづく》りの代表的《だいひょうてき》な神社《じんじゃ》です。

正面入《しょうめんい》り口《ぐち》にあたる屋根《やね》の一方《いっぽう》(前流《まえなが》れ)が、長《なが》く伸《の》びた形《かたち》で、側面《そくめん》から見《み》ると、前後《ぜんご》は同《おな》じ形《かたち》をしていません。

正面《しょうめん》　側面《そくめん》

仁《にん》和《な》寺《じ》

888（仁和《にんな》4）年《ねん》、宇多天皇《うだてんのう》によって創建《そうけん》された門跡（もんぜきまたはもんせき）寺院《じいん》です。創建寺《そうけんじ》の仁和《にんな》をもとに名《な》づけられた寺《てら》ですが、応仁《おうにん》の乱《らん》（1467〜1477年《ねん》）でほとんどが焼失《しょうしつ》、江戸《えど》時代《じだい》になって再建《さいけん》されました。

宮殿建築《きゅうでんけんちく》と仏教建築《ぶっきょうけんちく》が融合《ゆうごう》した独《どく》特《とく》の様式《ようしき》の建造物《けんぞうぶつ》を見《み》ることができます。

ポイント解説《かいせつ》

門《もん》跡《ぜき》寺《じ》院《いん》

皇族《こうぞく》や摂家《せっけ》（大納言《だいなごん》・右大臣《うだいじん》・左大臣《さだいじん》・摂政《せっしょう》・関白《かんぱく》のこと）が出家《しゅっけ》する特定《とくてい》の位《くらい》の高《たか》い寺院《じいん》をいいます。仁和寺《にんなじ》が門《もん》跡寺院《ぜきじいん》の始《はじ》まりです。

平《びょう》等《どう》院《いん》

平等院《びょうどういん》の敷地《しきち》は、左大臣《さだいじん》　源《みなもとの》　融《とおる》の別荘地《べっそうち》でした。のちに、藤原道長《ふじわらみちなが》が手《て》に入《い》れ、さらにその子《こ》頼道《よりみち》が受《う》け継《つ》ぎました。1052（永承《えいしょう》7）年《ねん》、藤原《ふじわら》頼道《よりみち》によって仏寺《ぶつじ》に改《あらた》められ、「平等院《びょうどういん》」という名称《めいしょう》になりました。当時《とうじ》、貴族《きぞく》の間《あいだ》では末法思想《まっぽうしそう》（釈迦《しゃか》の教《おし》えが及《およ》ばなくなる世《よ》が来《く》るという一種《いっしゅ》の終末論《しゅうまつろん》）が広《ひろ》まり、これに対《たい》し極楽浄土《ごくらくじょうど》を想《おも》う、浄土思想《じょうどしそう》に基《もと》づいてつくられたのが平等院《びょうどういん》です。

鳳凰堂《ほうおうどう》に安置《あんち》されている阿弥陀如《あみだにょ》来座像《らいざぞう》は、仏師《ぶっし》　定朝《じょうちょう》の作《さく》で、現存《げんぞん》する唯一《ゆいいつ》のものです。目《め》の前《まえ》の阿字池《あじいけ》に影《かげ》を落《お》とす鳳凰堂《ほうおうどう》の美《うつく》しい姿《すがた》は、まさに極楽浄土《ごくらくじょうど》を思《おも》わせてくれます。

▲平等院《びょうどういん》・阿弥陀如来座像《あみだにょらいざぞう》

教王護国寺《きょうおうごこくじ》（東寺《とうじ》）

東寺真言宗《とうじしんごんしゅう》の総本山《そうほんざん》です。796年《ねん》に平安京羅城門《へいあんきょうらじょうもん》の東《ひがし》に建《た》てられたのが起源《きげん》。823年、空海《くうかい》が嵯峨天皇《さがてんのう》から賜《たまわ》り、定住僧《ていじゅうそう》50人《にん》を置《お》き真言宗《しんごんしゅう》の道場《どうじょう》としました。真言宗《しんごんしゅう》の密教《みっきょう》を東密《とうみつ》といい、比叡山《ひえいざん》の台密《だいみつ》とともに平安《へいあん》時代《じだい》に貴族《きぞく》の信仰《しんこう》を集《あつ》め、多《おお》くの寺領《じりょう》荘園《しょうえん》を持《も》ちました。また平安時代《へいあんじだい》の美術品《びじゅつひん》・文書《ぶんしょ》を多《おお》く保存《ほぞん》しています。

▲教王護国寺《きょうおうごこくじ》
「東寺《とうじ》」とも呼《よ》ばれます。五重塔《ごじゅうのとう》は徳川家光《とくがわいえみつ》が再建《さいけん》、高《たか》さ55mで日本最高《にほんさいこう》の塔《とう》です

天龍寺《てんりゅうじ》

1339（暦応《れきおう》2）年《ねん》に足利尊氏《あしかがたかうじ》が後醍醐天皇《ごだいごてんのう》を弔《とむら》うために、亀山殿《かめやまどの》を寺院《じいん》にしたのが、現在《げんざい》の天龍寺《てんりゅうじ》の始《はじ》まりになります。足利尊氏《あしかがたかうじ》や光厳上皇《こうごんじょうこう》の寄進《きしん》に加《くわ》え、天龍寺船《てんりゅうじぶね》による貿易《ぼうえき》により利益《りえき》を上《あ》げ、1345（康永《こうえい》4）年《ねん》に建立《けんりつ》しました。京都五山《きょうとござん》の第一位《だいいちい》に格付《かくづ》けされ、この位置《いち》づけは長《なが》く続《つづ》きました。その後《ご》、応仁《おうにん》の乱《らん》による焼失《しょうしつ》や崩壊《ほうかい》と再建《さいけん》を繰《く》り返《かえ》し、現在《げんざい》ある諸堂《しょどう》は、明治《めいじ》に再建《さいけん》されたものです。方丈《ほうじょう》にある釈迦《しゃか》如来坐像《にょらいざぞう》は、藤原時代《ふじわらじだい》のものが安置《あんち》されています。また、曹源池庭園《そうげんちていえん》は夢窓国師《むそうこくし》が作《つく》った庭《にわ》で池泉廻遊式《ちせんかいゆうしき》になっていて、当時《とうじ》の面影《おもかげ》をとどめています。

▲天龍寺《てんりゅうじ》
曹源池《そうげんち》を巡《めぐ》る池泉廻遊式庭園《ちせんかいゆうしきていえん》で嵐山《あらしやま》や亀山《かめやま》を借景《しゃっけい》として取《と》りこんでいます

慈照寺《じしょうじ》（銀閣寺《ぎんかくじ》）

足利義満《あしかがよしみつ》が築《きず》いた北山文化《きたやまぶんか》に対《たい》し、足利義政《あしかがよしまさ》が作《つく》り出《だ》した文化《ぶんか》を東山文化《ひがしやまぶんか》といいます。足利義政《あしかがよしまさ》が東山《ひがしやま》に山荘《さんそう》を造営《ぞうえい》しはじめたのは、1482（文明《ぶんめい》14）年《ねん》、8年《ねん》に及《およ》ぶ工事《こうじ》が行《おこな》われました。銀閣《ぎんかく》は、祖父《そふ》義満《よしみつ》がつくった華麗《かれい》な金閣《きんかく》とは対照的《たいしょうてき》に、〝わびさび〟に通《つう》じる東山文化《ひがしやまぶんか》を伝《つた》える楼閣建築《ろうかくけんちく》の傑作《けっさく》のひとつです。造《つく》りは二層《にそう》で、屋《や》根《ね》は宝形造《ほうぎょうづく》り、柿《こけら》葺《ぶ》き（最《もっと》も薄《うす》い板《いた》を使《つか》う、屋根《やね》葺《ぶ》き手法《しゅほう》のひとつ）です。

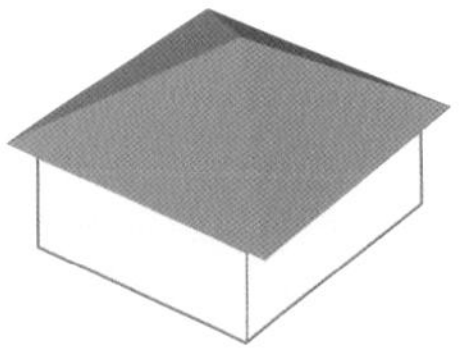

▲雨水《あまみず》を四方《しほう》に流《なが》す、宝形造《ほうぎょうづく》り

龍安寺《りょうあんじ》

世界的《せかいてき》に有名《ゆうめい》な枯山水《かれさんすい》の石庭《せきてい》がある、龍安寺《りょうあんじ》。1405（宝徳《ほうとく》2）年《ねん》、細川《ほそかわ》勝元《かつもと》が徳大寺家《とくだいじけ》の別荘《べっそう》を譲《ゆず》り受《う》け、義天玄承禅師《ぎてんげんしょうぜんし》を住職《じゅうしょく》として寺院《じいん》を建立《こんりゅう》したものです。石庭《せきてい》の作者《さくしゃ》や意図《いと》などはわかっていませんが、東西約《とうざいやく》25m、南《なん》北約《ぼくやく》15mの白砂《しろすな》と石《いし》だけで造《つく》られた枯《かれ》山水《さんすい》です。配置《はいち》された大小《だいしょう》15個《こ》の石《いし》が何《なに》を表《あらわ》すのか、見《み》る人《ひと》にさまざまなイメージをもたらしています。

▲龍安寺《りょうあんじ》・石庭《せきてい》

後方《こうほう》の塀《へい》は写真《しゃしん》の手前《てまえ》から奥《おく》にいくほど低《ひく》くなっていて、遠近法《えんきんほう》を用《もち》いて庭《にわ》を大《おお》きく見《み》せています

本願寺《ほんがんじ》（西本願寺《にしほんがんじ》）

京都駅《きょうとえき》のすぐそばにある西本願寺《にしほんがんじ》と東本願寺《ひがしほんがんじ》、どちらも親鸞《しんらん》が開《ひら》いた浄土真宗本願寺《じょうどしんしゅうほんがんじ》です。1272（文永《ぶんえい》9）年《ねん》、親鸞聖人《しんらんしょうにん》の娘《むすめ》、覚信尼《かくしんに》が聖人《せいじん》の廟《びょう》として京都東山《きょうとひがしやま》に建《た》てたのが起源《きげん》です。豊臣秀吉《とよとみひでよし》の時代《じだい》に現在地《げんざいち》に移転《いてん》します。

▲本願寺《ほんがんじ》・阿弥陀堂《あみだどう》（本堂《ほんどう》）

東西《とうざい》42m、南北《なんぼく》45m、高《たか》さ25m、中央《ちゅうおう》に阿弥陀如来《あみだにょらい》の木像《もくぞう》などが安置《あんち》されています

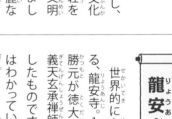

二条城《にじょうじょう》

徳川家康《とくがわいえやす》が1603（慶長《けいちょう》8）年《ねん》に、京都御所《きょうとごしょ》の警護《けいご》と将軍《しょうぐん》が上洛《じょうらく》した際《さい》の泊《と》まる所《ところ》として建《た》てたものです。現《げん》在《ざい》の規模《きぼ》になったのは三代将軍家光《さんだいしょうぐんいえみつ》のときで、1626（寛永《かんえい》3）年《ねん》に完成《かんせい》しています。

広《ひろ》さ3300㎡で、建物《たてもの》は6棟《とう》あり、L字型《じがた》に連《つら》ねた形《かたち》は雁行形式《がんこうけいしき》といわれています。中核《ちゅうかく》をなす二《に》の丸御殿《まるごてん》は、江戸時代初期《えどじだいしょき》の城郭書院造《じょうかくしょいんづく》りの典《てん》型《けい》です。

なお、1867（慶応《けいおう》3）年《ねん》、この城《しろ》で十五代将軍慶喜《じゅうごだいしょうぐんよしのぶ》が大政奉還《たいせいほうかん》を発表《はっぴょう》しています。

▲二条城《にじょうじょう》・二《に》の丸御殿《まるごてん》の車寄《くるまよ》せ
欄間《らんま》の彫刻《ちょうこく》は表《おもて》と裏《うら》のデザインを変《か》えています

▲二条城《にじょうじょう》・東南隅櫓《とうなんすみやぐら》
寛永期《かんえいき》に建《た》てられた隅櫓《すみやぐら》は四隅《よすみ》にありましたが、現在《げんざい》は西南隅櫓《せいなんすみやぐら》とここだけが残《のこ》っています

ポイント解説《かいせつ》1　枯山水《かれさんすい》

水《みず》のない庭《にわ》のことで、池《いけ》や遣水《やりみず》などの水《みず》を用《もち》いずに石《いし》や砂《すな》などにより山水《さんすい》の風景《ふうけい》を表現《ひょうげん》する庭園様式《ていえんようしき》です。例《たと》えば白《しろ》砂《すな》や小石《こいし》を敷《し》いて水面《すいめん》に見立《みた》てたり、石《いし》の表面《ひょうめん》の紋様《もんよう》で水《みず》の流《なが》れを表現《ひょうげん》したりします。

ポイント解説《かいせつ》2　書院造《しょいんづく》り

日本《にほん》の室町時代中期以降《むろまちじだいちゅうきいこう》に成立《せいりつ》した住宅《じゅうたく》の様式《ようしき》です。床《とこ》の間《ま》、違《ちが》い棚《だな》、付書院《つけしょいん》という座敷飾《ざしきかざ》りを備《そな》えたものです。

延暦寺《えんりゃくじ》

滋賀県《しがけん》から京都《きょうと》にまたがる比叡山《ひえいざん》。ここに「延暦寺《えんりゃくじ》」という建物《たてもの》はなく三塔《さんとう》（東塔《とうとう》、、横川《よかわ》）十六谷《じゅうろくこく》に点在《てんざい》する堂塔《どうとう》を総称《そうしょう》して延暦寺《えんりゃくじ》といいます。つまり比叡山《ひえいざん》そのものが延暦寺《えんりゃくじ》を表《あらわ》しています。

788（延暦《えんりゃく》7）年《ねん》、伝教大使最澄《でんきょうたいしさいちょう》によって、創建《そうけん》されました。平安遷都後《へいあんせんとご》は、都《みやこ》の鬼門《きもん》（不吉《ふきつ》な方角《ほうがく》、都《みやこ》の東北《とうほく》の方角《ほうがく》のこと）を守《まも》る寺《てら》とされました。室町時代以降《むろまちじだいいこう》は、僧兵《そうへい》による一大軍事《いちだいぐんじ》拠点《きょてん》となり、織田信長《おだのぶなが》によって焼《や》き討《う》ちにあい、ほとんどの堂塔《どうとう》を喪失《そうしつ》しました。復興《ふっこう》は豊臣秀吉《とよとみひでよし》や徳川家康《とくがわいえやす》の時代《じだい》になってからです。なお、天台宗《てんだいしゅう》の総本山《そうほんざん》として隆盛《りゅうせい》を極《きわ》めた延暦寺《えんりゃくじ》では、平安末期《へいあんまっき》から鎌倉時代《かまくらじだい》にかけ、法然《ほうねん》、親鸞《しんらん》、栄西《えいさい》、道元《どうげん》、など多《おお》くの開祖《かいそ》たちを輩出《はいしゅつ》しています。

三塔《さんとう》のうち東塔《とうとう》は、延暦寺《えんりゃくじ》発祥《はっしょう》の地《ち》で、本堂《ほんどう》にあたる根本中堂《こんぽんちゅうどう》を中心《ちゅうしん》にしています。現在《げんざい》の建物《たてもの》は、1642（寛永《かんえい》19）年《ねん》に徳川家康《とくがわいえやす》によって再建《さいけん》されたもので、薬師《やくし》如来立像《にょらいりつぞう》を安置《あんち》しています。

▲延暦寺《えんりゃくじ》・根本中堂《こんぽんちゅうどう》、回廊《かいろう》

▲延暦寺《えんりゃくじ》・根本中堂《こんぽんちゅうどう》、正面《しょうめん》

醍醐寺《だいごじ》

醍醐山全体《だいごさんぜんたい》に約《やく》80体《たい》の堂塔《どうとう》があり、醍醐寺《だいごじ》を構成《こうせい》しています。山上《やまがみ》が上醍醐《かみだいご》、西《にし》の麓《ふもと》が下醍醐《しもだいご》となっています。874（貞観《じょうがん》16）年建立《ねんこんりゅう》の五重塔《ごじゅうのとう》は、京都《きょうと》に現存《げんぞん》する最古《さいこ》の五重塔《ごじゅうのとう》です。

後世《こうせい》、豊臣秀吉《とよとみひでよし》の保護《ほご》を受《う》けた醍醐寺《だいごじ》。秀吉《ひでよし》が没《ぼっ》することになる1598（慶長《けいちょう》3）年《ねん》の春《はる》に開《ひら》いた「醍醐《だいご》の花見《はなみ》」は有名《ゆうめい》です。秀吉《ひでよし》自身《じしん》の設計《せっけい》ともいわれる三宝院《さんぼういん》の庭園《ていえん》。園游式庭園《えんゆうしきていえん》でありながら建《たて》物《もの》の中《なか》から鑑賞《かんしょう》する設計《せっけい》になっており、特別史跡《とくべつしせき》・名勝《めいしょう》に指定《してい》されています。

▲醍醐寺《だいごじ》・五重塔《ごじゅうのとう》

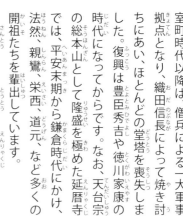

高山寺《こうざんじ》

高山寺《こうざんじ》のある栂尾《とがのお》は、高尾山《たかおさん》からさらに奥《おく》に入《はい》った山中《さんちゅう》にあり、古代《こだい》より山岳修行《さんがくしゅぎょう》の地《ち》とされていました。

▲ 高山寺《こうざんじ》　Photo by 663highland

774（宝亀《ほうき》5）年《ねん》に光仁天皇《こうにんてんのう》の勅願《ちょくがん》により建立《こんりゅう》されたという伝承《でんしょう》がありますが、明恵上人《みょうえしょうにん》が後鳥羽上皇《ごとばじょうこう》からこの地《ち》を与《あた》えられ、高山寺《こうざんじ》としたのは1206（建永元《けんえいがん》）年《ねん》のことです。

当時《とうじ》の高山寺《こうざんじ》には大門《おおもん》、金堂《こんどう》、三重塔《さんじゅうのとう》など数々《かずかず》の堂塔《どうとう》がありましたが、現在残《げんざいのこ》っているのは、石水院《せきすいいん》のみです。入母屋造《いりもやづく》りでひさしや細部《さいぶ》の趣向《しゅこう》に鎌倉時代《かまくらじだい》の建築様式《けんちくようしき》が残《のこ》っています。

西芳寺《さいほうじ》（苔寺《こけでら》）

奈良時代《ならじだい》の僧《そう》、行基《ぎょうき》が創建《そうけん》したといわれている西芳寺《さいほうじ》。その後《ご》、室町時代《むろまちじだい》の初期《しょき》1339（暦応《りゃくおう》2）年《ねん》、夢窓疎石《むそうそせき》によって禅《ぜん》の道場《どうじょう》として再興《さいこう》されました。夢窓疎石《むそうそせき》は庭園《ていえん》を上下二段《じょうげにだん》に分《わ》け、上段《じょうだん》は枯山水式《かれさんすいしき》、下段《かだん》は池泉回遊式《ちせんかいゆうしき》にしています。下段《かだん》は黄金地《おうごんち》を中心《ちゅうしん》に100種類以上《しゅるいいじょう》の苔《こけ》で覆《おお》われており、「苔寺《こけでら》」と呼《よ》ばれる由来《ゆらい》になっています。

▲ 西芳寺《さいほうじ》
「苔寺《こけでら》」と呼《よ》ばれる庭園《ていえん》の美《うつく》しさは神秘的《しんぴてき》でもあります

文化《ぶんか》遺産《いさん》

長崎《ながさき》と天草地方《あまくさちほう》の潜伏《せんぷく》キリシタン関連遺産《かんれんいさん》

16世紀後半《せいきこうはん》、海外《かいがい》と交流《こうりゅう》のあった長崎《ながさき》と天草地方《あまくさちほう》にキリスト教《きょう》の宣教師《せんきょうし》たちが定住《ていじゅう》し、布教活動《ふきょうかつどう》を行《おこな》いました。これにより長崎《ながさき》と天草《あまくさ》地方《ちほう》では、他《ほか》の地域《ちいき》に比《くら》べて強《つよ》い信仰組織《しんこうそしき》が生《う》まれましたが、外国《がいこく》の影響《えいきょう》を嫌《きら》った江戸幕府《えどばくふ》によりキリスト教《きょう》の信仰《しんこう》は禁《きん》じられました。また「島原《しまばら》・天草一揆《あまくさいっき》」に多《おお》くのキリスト教徒《きょうと》が参加《さんか》したことで取《と》り締《し》まりはさらに厳《きび》しくなり、1644(正保元《しょうほうがん》)年《ねん》には日本国内《にほんこくない》で最後《さいご》の宣教師《せんきょうし》が殉教《じゅんきょう》してしまいました。

宣教師不在《せんきょうしふざい》の中《なか》、教徒《きょうと》たちは「潜伏《せんぷく》キリシタン」として生活《せいかつ》し、禁教《きんきょう》が解《と》かれるまで密《ひそ》かに信仰《しんこう》を続《つづ》けました。これらの伝統《でんとう》と歴史《れきし》を今《いま》に物語《ものがた》る証拠《しょうこ》として、教会《きょうかい》と集落《しゅうらく》を含《ふく》めた12の資産《しさん》が評価《ひょうか》され2018年《ねん》に世界遺産《せかいいさん》に登録《とうろく》されました。

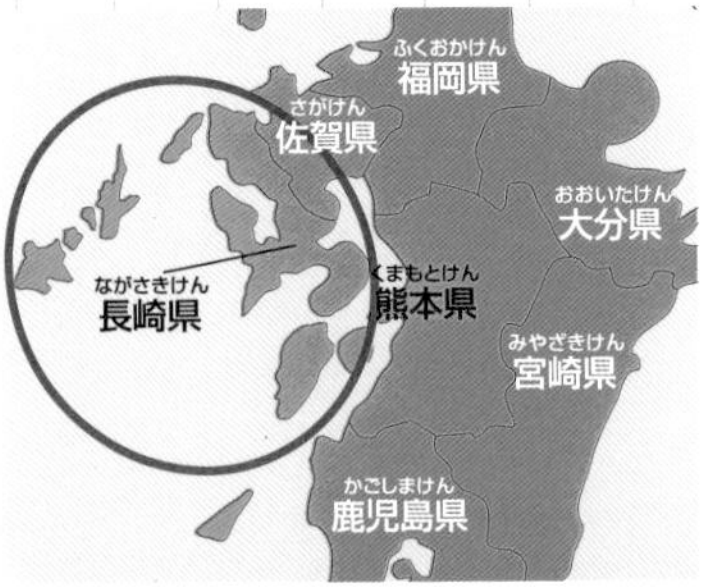

登録内容《とうろくないよう》

遺産種別《いさんしゅべつ》	文化遺産《ぶんかいさん》
登録年《とうろくねん》	2018(平成《へいせい》30)年《ねん》
登録基準《とうろくきじゅん》	3
面積《めんせき》	[コアゾーン]5,566.55ha、[バッファゾーン]12,252.52ha
登録対象資産《とうろくたいしょうしさん》	原城跡《はらじょうあと》、平戸《ひらど》の聖地《せいち》と集落《しゅうらく》(春日集落《かすがしゅうらく》と安満岳《やすまんだけ》)、平戸《ひらど》の聖地《せいち》と集落《しゅうらく》(中江ノ島《なかえのしま》)、天草《あまくさ》の﨑津集落《さきつしゅうらく》、外海《そとめ》の出津集落《しつしゅうらく》、外海《そとめ》の大野集落《おおのしゅうらく》、黒島《くろしま》の集落《しゅうらく》、野崎島《のざきじま》の集落跡《しゅうらくあと》、頭ヶ島《かしらがしま》の集落《しゅうらく》、久賀島《ひさかじま》の集落《しゅうらく》、奈留島《なるしま》の江上《えがみ》集落《しゅうらく》(江上天主堂《えがみてんしゅどう》とその周辺《しゅうへん》)、大浦天主堂《おおうらてんしゅどう》
行政区分《ぎょうせいくぶん》	長崎県《ながさきけん》:南島原市《みなみしまばらし》、平戸市《ひらどし》、長崎市《ながさきし》、佐世保市《させぼし》、小値賀町《おぢかちょう》、新上五島町《しんかみごとうちょう》、五島市《ごとうし》 熊本県《くまもとけん》:天草市《あまくさし》

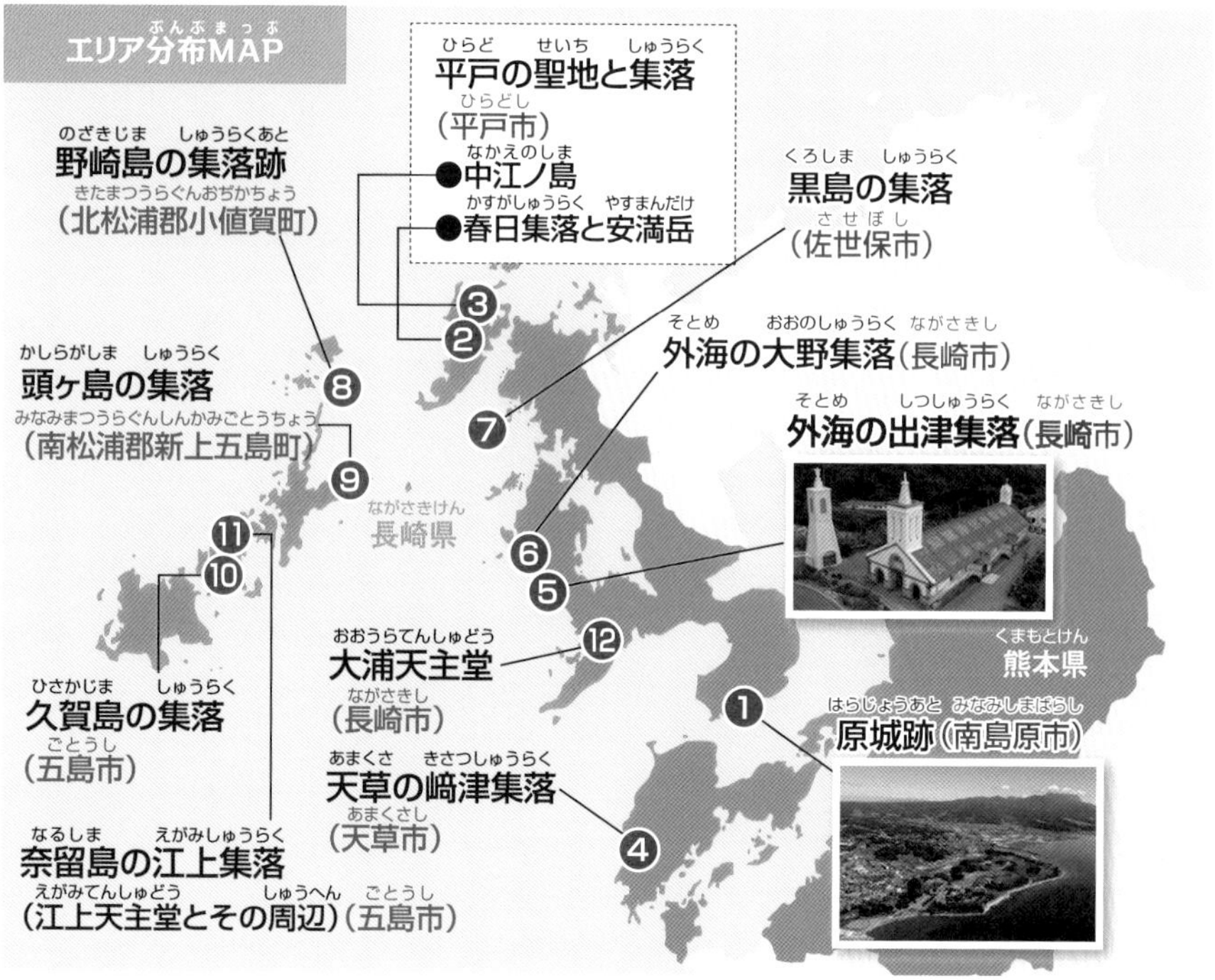

① 原城跡《はらじょうあと》
「島原《しまばら》・天草一揆《あまくさいっき》」の主戦場跡《しゅせんじょうあと》であり、キリシタンが潜伏《せんぷく》し独自《どくじ》の信仰《しんこう》を続《つづ》けるきっかけとなった場所《ばしょ》。

② 平戸《ひらど》の聖地《せいち》と集落《しゅうらく》(春日集落《かすがしゅうらく》と安満岳《やすまんだけ》)
古《ふる》くから自然崇拝《しぜんすうはい》や山岳信仰《さんがくしんこう》の対象《たいしょう》とされた安満岳《やすまんだけ》を、自《みずか》らの信仰《しんこう》と重《かさ》ねて崇拝《すうはい》した集落《しゅうらく》。

③ 平戸《ひらど》の聖地《せいち》と集落《しゅうらく》(中江ノ島《なかえのしま》)
キリシタンが処刑《しょけい》された中江ノ島《なかえのしま》を殉教地《じゅんきょうち》として崇敬《すうけい》。湧水《わきみず》を聖水《せいすい》として汲《く》む「お水取《みずと》り」が行《おこな》われた。

④ 天草《あまくさ》の﨑津集落《さきつしゅうらく》
構成資産《こうせいしさん》のうち唯一熊本県《ゆいいつくまもとけん》に位置《いち》し、身近《みぢか》なものを信心具《しんじんぐ》として代用《だいよう》しながら信仰《しんこう》を継続《けいぞく》した集落《しゅうらく》。

⑤ 外海《そとめ》の出津《しつ》集落《しゅうらく》
キリスト教由来《きょうゆらい》の聖画像《せいがぞう》をひそかに拝《おが》み、また教理書《きょうりしょ》や教会暦《きょうかいれき》などをよりどころに信仰《しんこう》を続《つづ》けた集落《しゅうらく》。

⑥ 外海《そとめ》の大野集落《おおのしゅうらく》
神社崇拝《じんじゃすうはい》に信仰対象《しんこうたいしょう》を重《かさ》ねて信仰《しんこう》を続《つづ》けた集落《しゅうらく》。解禁後《かいきんご》は集落《しゅうらく》の中心《ちゅうしん》に教会堂《きょうかいどう》が建《た》てられた。

⑦ 黒島《くろしま》の集落《しゅうらく》
平戸藩《ひらどはん》の牧場跡《まきばあと》の再開発地《さいかいはつち》に移住《いじゅう》し、仏教寺院《ぶっきょうじいん》で仏教徒《ぶっきょうと》を装《よそお》いながら共同体《きょうどうたい》を維持《いじ》した集落《しゅうらく》。

⑧ 野崎島《のざきじま》の集落跡《しゅうらくあと》
神道《しんとう》の聖地《せいち》であった島《しま》に移住《いじゅう》し、神社《じんじゃ》の氏子《うじこ》となって表向《おもてむ》きは神道《しんとう》を装《よそお》い共同体《きょうどうたい》を維持《いじ》した集落《しゅうらく》。

⑨ 頭ヶ島《かしらがしま》の集落《しゅうらく》
病人《びょうにん》の療養地《りょうようち》として人《ひと》が近《ちか》づかなかった頭ヶ島《かしらがしま》に移住《いじゅう》し、開拓《かいたく》しながら共同体《きょうどうたい》を維持《いじ》した集落《しゅうらく》。

⑩ 久賀島《ひさかじま》の集落《しゅうらく》
五島藩《ごとうはん》の政策《せいさく》に従《したが》って未開地《みかいち》に移住《いじゅう》し、漁業《ぎょぎょう》や農業《のうぎょう》で島民《とうみん》と協力《きょうりょく》しながら共同体《きょうどうたい》を維持《いじ》した集落《しゅうらく》。

⑪ 奈留島《なるしま》の江上集落《えがみしゅうらく》(江上天主堂《えがみてんしゅどう》とその周辺《しゅうへん》)
人里離《ひとざとはな》れた谷間《たにま》に移住《いじゅう》し、信仰《しんこう》を継続《けいぞく》。解禁後《かいきんご》はカトリックに復帰《ふっき》して教会堂《きょうかいどう》を建《た》てた。

⑫ 大浦天主堂《おおうらてんしゅどう》
現存《げんそん》する教会《きょうかい》の中《なか》で日本最古《にほんさいこ》の教会建築《きょうかいけんちく》。開国《かいこく》により来日《らいにち》した宣教師《せんきょうし》と潜伏《せんぷく》キリシタンが出会《であ》い、転機《てんき》が訪《おとず》れる「信徒発見《しんとはっけん》」の舞台《ぶたい》。

原城跡《はらじょうあと》

島原半島南部《しまばらはんとうなんぶ》に位置《いち》する原城跡《はらじょうあと》は、キリシタンが「潜伏《せんぷく》」を始《はじ》めるきっかけとなった場所《ばしょ》です。17世紀《せいき》、キリシタン大名《だいみょう》である有馬晴信《ありまはるのぶ》が原城《はらじょう》を建築《けんちく》し、島原半島一帯《しまばらはんとういったい》にキリスト教《きょう》を布教《ふきょう》していました。しかし領主《りょうしゅ》が松倉《まつくら》重政《しげまさ》に代《か》わると、一転《いってん》してキリシタンの弾圧《だんあつ》と重税《じゅうぜい》などの厳《きび》しい統治《とうち》が始《はじ》まり、領民《りょうみん》は苦《くる》しめられました。

　これに対《たい》し天草《あまくさ》（益田《ますだ》）四郎《しろう》を筆頭《ひっとう》に領民《りょうみん》が反乱《はんらん》、多《おお》くのキリシタンも参《さん》加《か》して幕府《ばくふ》と戦《たたか》いました（島原《しまばら》・天草《あまくさ》一揆《いっき》）。4ヵ月《げつ》にわたる戦《たたか》いの末《すえ》、キリシタンを含《ふく》む一揆勢《いっきぜい》はほぼ全員《ぜんいん》が殺《ころ》され敗北《はいぼく》し、幕府軍《ばくふぐん》が完全《かんぜん》に勝利《しょうり》を収《おさ》めました。

　この一揆《いっき》を受《う》け幕府《ばくふ》は宣《せん》教師《きょうし》が潜入《せんにゅう》している可能性《かのうせい》のあるポルトガル船《せん》の来航《らいこう》を禁止《きんし》するなど、海禁体制《かいきんたいせい》（鎖国《さこく》）を確立《かくりつ》。国内《こくない》に宣教師《せんきょうし》も不在《ふざい》となり、これによりキリシタンが「潜伏《せんぷく》」し、密《ひそ》かに独自《どくじ》の信仰《しんこう》を続《つづ》け、移住先《いじゅうさき》を選択《せんたく》する等《など》の試《こころ》みを行《おこな》っていくことになりました。

▲天草諸島《あまくさしょとう》を望《のぞ》む景勝地《けいしょうち》としても知《し》られる「原城跡《はらじょうあと》」
写真提供《しゃしんていきょう》／長崎県《ながさきけん》

ポイント解説《かいせつ》　島原《しまばら》・天草一揆《あまくさいっき》

島原藩主《しまばらはんしゅ》・松倉氏《まつくらし》は領民《りょうみん》に対《たい》し高《たか》い年貢《ねんぐ》の取《と》り立《た》てを行《おこな》い、またキリシタン弾圧《だんあつ》において厳《きび》しい処罰《しょばつ》を加《くわ》えるなどの悪政《あくせい》を強《し》いていました。さらに1637（寛永《かんえい》14）年《ねん》に起《お》こった飢饉《ききん》（人々《ひとびと》が飢《う》え苦《くる》しむこと）も重《かさ》なり、島原《しまばら》半島《はんとう》と天草地方《あまくさちほう》では領民《りょうみん》が蜂起《ほうき》を始《はじ》めました。

　この一揆《いっき》では、天草《あまくさ》（益田《ますだ》）四郎《しろう》を総《そう》大将《だいしょう》として、廃城《はいじょう》となっていた原城《はらじょう》に約《やく》2万数千人《まんすうせんにん》が立《た》て籠《こも》りました。対《たい》する幕府軍《ばくふぐん》は12万人《まんにん》の軍勢《ぐんぜい》で対抗《たいこう》し、長期《ちょうき》の籠城戦《ろうじょうせん》の末《すえ》に兵糧攻《ひょうろうぜ》めによって疲弊《ひへい》した一揆勢《いっきぜい》は敗《やぶ》れ、城《しろ》も原型《げんけい》が無《な》くなるほど破壊《はかい》されました。

▲若干《じゃっかん》16歳《さい》で一揆軍《いっきぐん》の総大将《そうだいしょう》を担《にな》った天草四郎《あまくさしろう》

平戸《ひらど》の聖地《せいち》と集落《しゅうらく》

春日集落《かすがしゅうらく》は平戸島《ひらどじま》の北西《ほくせい》に形成《けいせい》された潜伏《せんぷく》キリシタン集落《しゅうらく》です。宣教師《せんきょうし》であるフランシスコ・ザビエルが平戸《ひらど》を訪《おとず》れてキリスト教《きょう》の布教《ふきょう》に励《はげ》んだことで春日集落《かすがしゅうらく》にキリスト教《きょう》が広《ひろ》まりました。

禁教期《きんきょうき》に入《はい》ると春日集落《かすがしゅうらく》の人々《ひとびと》は、表面上《ひょうめんじょう》は仏教《ぶっきょう》を信仰《しんこう》しながら信心具《しんじんぐ》を家《いえ》に隠《かく》したり、古《ふる》くから山岳信仰《さんがくしんこう》の対象《たいしょう》とされてきた安満岳《やすまんだけ》に祈《いの》りを捧《ささ》げていました。

▲美《うつく》しい棚田《たなだ》が広《ひろ》がる春日集落《かすがしゅうらく》の風景《ふうけい》
写真提供《しゃしんていきょう》／(一社《いちしゃ》)長崎県観光連盟《ながさきけんかんこうれんめい》

平戸島《ひらどじま》から沖合《おきあい》約《やく》2㎞に位置《いち》する無人島《むじんとう》・中江《なかえ》ノ島《しま》は、禁教初期《きんきょうしょき》に多《おお》くのキリシタンたちが処刑《しょけい》された場所《ばしょ》です。春日集落《かすがしゅうらく》などの潜伏《せんぷく》キリシタンたちは中江《なかえ》ノ島《しま》を殉教地《じゅんきょうち》として拝《おが》み、信仰《しんこう》の対象《たいしょう》としました。また島《しま》の岩《いわ》からしみ出《だ》すわき水《みず》を聖水《せいすい》として汲《く》みに訪《おとず》れる「お水取《みずと》り」という儀式《ぎしき》を行《おこな》う聖地《せいち》ともされました。

外海《そとめ》の出津集落《しつしゅうらく》

長崎市《ながさきし》の北西部《ほくせいぶ》に位置《いち》する外海《そとめ》地区《ちく》では、1571（元亀《げんき》2）年《ねん》に宣教師《せんきょうし》がキリスト教《きょう》の布教活動《ふきょうかつどう》を行《おこな》い、多《おお》くの領民《りょうみん》がキリスト教徒《きょうと》となりました。しかし、禁教令《きんきょうれい》の発布後《はっぷご》に潜伏《せんぷく》キリシタンが多数発見《たすうはっけん》され、徹底《てってい》した禁教《きんきょう》の統制《とうせい》が敷《し》かれました。

こうした中《なか》、出津集落《しつしゅうらく》の潜伏《せんぷく》キリシタンたちは聖画像《せいがぞう》をひそかに拝《おが》み、教理書《きょうりしょ》や教会暦《きょうかいれき》を拠《よ》りどころに信仰《しんこう》を続《つづ》けました。またこの地域《ちいき》からは多《おお》くの潜伏《せんぷく》キリシタンが五島列島《ごとうれっとう》などへ移住《いじゅう》し、各所《かくしょ》で祈《いの》りをつなげていきました。

▲1882(明治《めいじ》15)年《ねん》にフランス人《じん》のド・ロ神父《しんぷ》により集落《しゅうらく》の中心《ちゅうしん》に建《た》てられた出津教会堂《しつきょうかいどう》
写真提供《しゃしんていきょう》／(一社《いちしゃ》)長崎県観光連盟《ながさきけんかんこうれんめい》
※写真掲載《しゃしんけいさい》については長崎大司教区《ながさきだいしきょうく》の許可《きょか》を取得済《しゅとくず》み

頭ヶ島《かしらがしま》の集落《しゅうらく》

頭ヶ島《かしらがしま》は五島列島北部《ごとうれっとうほくぶ》にある、周囲《しゅうい》約《やく》8㎞の小《ちい》さな島《しま》です。この島《しま》は当時《とうじ》、病人《びょうにん》の療養地《りょうようち》にされており、外海地区《そとめちく》などの潜伏《せんぷく》キリシタンの一部《いちぶ》は人《ひと》が近《ちか》づかなかったこの頭ヶ島《かしらがしま》を移住先《いじゅうさき》として選《えら》びました。彼《かれ》らは耕作地《こうさくち》を開拓《かいたく》しイモ作《さく》を主体《しゅたい》とする農業《のうぎょう》を営《いとな》みつつ、表向《おもてむ》きは仏教徒《ぶっきょうと》に力モフラージュしながら信仰《しんこう》をつないでいきました。

1873(明治《めいじ》6)年《ねん》、キリスト教《きょう》が解禁《かいきん》されると島民《とうみん》たちによって木造《もくぞう》の教会《きょうかい》が建《た》てられ、1919(大正《たいしょう》8)年《ねん》には現在《げんざい》の頭ヶ島天主堂《かしらがしまてんしゅどう》が完成《かんせい》しました。

久賀島《ひさかじま》の集落《しゅうらく》

五島列島《ごとうれっとう》の南部《なんぶ》に位置《いち》する久賀島《ひさかじま》は、18世紀後半《せいきこうはん》に五島藩《ごとうはん》が積極的《せっきょくてき》に移民《いみん》を受《う》け入《い》れる政策《せいさく》を行《おこな》いました。この多《おお》くは外海《そとめ》の潜伏《せんぷく》キリシタンで、仏教徒《ぶっきょうと》である島民《とうみん》と協力関係《きょうりょくかんけい》を築《きず》きながら生活《せいかつ》を営《いとな》みました。また一方《いっぽう》で、中国製《ちゅうごくせい》の白磁《はくじ》の観音像《かんのんぞう》を聖母《せいぼ》マリアに見立《みた》てた「マリア観音《かんのん》」にひそかに祈《いの》りを捧《ささ》げるなど、信仰《しんこう》を続《つづ》けました。

▲ 教会《きょうかい》があり現在《げんざい》は観光客《かんこうきゃく》も多《おお》く訪《おとず》れる白浜集落《しらはましゅうらく》
写真提供《しゃしんていきょう》／(一社)《いちしゃ》長崎県観光連盟《ながさきけんかんこうれんめい》

▲ 教会建築《きょうかいけんちく》としては大浦天主堂《おおうらてんしゅどう》に次《つ》いで古《ふる》い歴史《れきし》をもつ旧五輪教会堂《きゅうごりんきょうかいどう》
写真提供《しゃしんていきょう》／五島市教育委員会《ごとうしきょういくいいんかい》

ポイント解説《かいせつ》

信心具《しんじんぐ》

熊本県天草市《くまもとけんあまくさし》に位置《いち》する天草《あまくさ》の﨑津集落《さきつしゅうらく》では、漁業《ぎょぎょう》が盛《さか》んに行《おこな》われており、漁村特有《ぎょそんとくゆう》の信仰形態《しんこうけいたい》が生《う》まれました。白蝶貝《しろちょうがい》からメダイを作《つく》り、アワビやタイラギの貝殻内側《かいがらうちがわ》の模様《もよう》を聖母《せいぼ》マリアに見立《みた》てて崇敬《すうけい》するなど、貝殻《かいがら》を用《もち》いて信心具《しんじんぐ》を作《つく》っていました。

◀ 祈《いの》りを捧《ささ》げるため使《つか》われた白蝶貝製《しろちょうがいせい》メダイ
写真提供《しゃしんていきょう》／天草市《あまくさし》(﨑津教会蔵《さきつきょうかいぞう》)

奈留島《なるしま》の江上集落《えがみしゅうらく》（江上天主堂《えがみてんしゅどう》とその周辺《しゅうへん》）

奈留島《なるしま》は五島列島《ごとうれっとう》の真《ま》ん中《なか》にあり、禁教令《きんきょうれい》によりいったん信仰《しんこう》の歴史《れきし》は途切《とぎ》れますが、久賀島《ひさかじま》と同《おな》じく外海《そとめ》の移民《いみん》を受《う》け入《い》れたことで潜伏《せんぷく》キリシタンの祈《いの》りが持《も》ち込《こ》まれました。ここでは人々《ひとびと》はキビナゴ漁《りょう》で生計《せいけい》を立《た》て、集落《しゅうらく》を形成《けいせい》していきました。

禁教令《きんきょうれい》廃止後《はいしご》、潜伏《せんぷく》キリシタンたちはカトリックへ復帰《ふっき》し、漁《りょう》で得《え》た資金《しきん》を持《も》ち寄《よ》り1918（大正《たいしょう》7）年《ねん》に奈留島《なるしま》の風土《ふうど》に適応《てきおう》するよう、高床《たかゆか》や通風口《つうふうこう》といった工夫《くふう》が施《ほどこ》された江上《えがみ》天主堂《てんしゅどう》を建《た》てました。

▲湿気対策《しっきたいさく》が施《ほどこ》された木造《もくぞう》教会《きょうかい》の江上天主堂《えがみてんしゅどう》
写真提供《しゃしんていきょう》／(一社《いちしゃ》)長崎県《ながさきけん》観光連盟《かんこうれんめい》
※写真掲載《しゃしんけいさい》については長崎《ながさき》大司教区《だいしきょうく》の許可《きょか》を取得済《しゅとくず》み

大浦天主堂《おおうらてんしゅどう》

長崎地方《ながさきちほう》の南部《なんぶ》の長崎港《ながさきこう》に面《めん》した高台《たかだい》にある大浦天主堂《おおうらてんしゅどう》。「明治日本《めいじにほん》の産業革命遺産《さんぎょうかくめいいさん》」として世界遺産《せかいいさん》に登録《とうろく》された旧《きゅう》グラバー住宅《じゅうたく》のある「グラバー園《えん》」のとなりにそびえています。

1854（寛永《かんえい》7）年《ねん》、日本《にほん》はアメリカの要求《ようきゅう》により開国《かいこく》し、函館《はこだて》、神奈川《かながわ》、長崎《ながさき》の港《みなと》が開《ひら》かれたことで、長崎《ながさき》には外国人居留地《がいこくじんきょりゅうち》が広《ひろ》がっていきました。

▶ゴシック様式《ようしき》の建築《けんちく》でひと際存在感《きわそんざいかん》のある大浦天主堂《おおうらてんしゅどう》

▲天主堂《てんしゅどう》の内部《ないぶ》は明《あか》るく、美《うつく》しいステンドグラスなどがはめ込《こ》まれています

大浦天主堂《おおうらてんしゅどう》はこの居留地《きょりゅうち》に暮《く》らす外国人《がいこくじん》のために建《た》てられました。この教会《きょうかい》に潜伏《せんぷく》キリシタンが訪《おとず》れ、宣教師《せんきょうし》に密《ひそ》かに祈《いの》りを継承《けいしょう》していたことを告白《こくはく》した史実《しじつ》が「信徒発見《しんとはっけん》」です。

この宣教師《せんきょうし》と潜伏《せんぷく》キリシタンの接触《せっしょく》は、キリシタン集落《しゅうらく》の新《あら》たな信仰《しんこう》の転機《てんき》となりました。1873（明治《めいじ》6）年《ねん》、欧米諸国《おうべいしょこく》による非難《ひなん》を受《う》け、ついに明治政府《めいじせいふ》が禁教《きんきょう》を廃止《はいし》し、キリスト教《きょう》を公認《こうにん》することになったのです。

大浦天主堂《おおうらてんしゅどう》の写真提供《しゃしんていきょう》／©2020 長崎《ながさき》の教会群情報《きょうかいぐんじょうほう》センター

信徒発見《しんとはっけん》

日本《にほん》に現存《げんそん》する最古《さいこ》の教会建築《きょうかいけんちく》であり、国宝《こくほう》にも指定《してい》されている大浦《おおうら》天主堂《てんしゅどう》。1865(元治元《げんじがん》)年《ねん》、この教会《きょうかい》に浦上村《うらかみむら》の潜伏《せんぷく》キリシタンが訪《おとず》れプティジャン神父《しんぷ》に「ワレラノムネアナタノムネトオナジ」と信仰《しんこう》を告白《こくはく》しました。この宣教師《せんきょうし》と潜伏《せんぷく》キリシタンの接触《せっしょく》は『信徒発見《しんとはっけん》』と呼《よ》ばれ、日本《にほん》に信徒《しんと》が居《い》なくなったと考《かんが》えていたヨーロッパの人々《ひとびと》に衝撃《しょうげき》を与《あた》えることとなりました。

それに続《つづ》くように、五島列島《ごとうれっとう》などで信仰《しんこう》をつないできた人々《ひとびと》が大浦天主堂《おおうらてんしゅどう》を訪《おとず》れ、公然《こうぜん》と信仰《しんこう》を表明《ひょうめい》するようになりました。しかし禁教令《きんきょうれい》は解《と》かれてはいなかったため、江戸幕府《えどばくふ》と政権《せいけん》を引《ひ》き継《つ》いだ明治政府《めいじせいふ》により長崎《ながさき》では大規模《だいきぼ》な弾圧《だんあつ》が行《おこな》われ、3000人《にん》以上《いじょう》もの潜伏《せんぷく》キリシタンが捕《と》らわれ配流《はいる》され、拷問《ごうもん》や牢《ろう》への投獄《とうごく》により多《おお》くの死者《ししゃ》を出《だ》す結果《けっか》となりました。

明治政府《めいじせいふ》により禁教令《きんきょうれい》が廃止《はいし》されると、各地《かくち》の潜伏《せんぷく》キリシタンたちはカトリックへと復帰《ふっき》する人《ひと》、禁教期《きんきょうき》の信仰形態《しんこうけいたい》を続《つづ》ける人《ひと》、神道《しんとう》や仏教《ぶっきょう》に改宗《かいしゅう》する人《ひと》と、それぞれの道《みち》を歩《あゆ》んでいくことになります。

▲ 大浦天主堂《おおうらてんしゅどう》の境内《けいだい》には信徒発見《しんとはっけん》の様子《ようす》をレリーフにした記念碑《きねんひ》があります
写真提供《しゃしんていきょう》／(一社《いちしゃ》)長崎県観光連盟《ながさきけんかんこうれんめい》

ポイント解説《かいせつ》

宣教師《せんきょうし》

日本《にほん》に初《はじ》めてキリスト教《きょう》を伝《つた》えた宣《せん》教師《きょうし》といえば、イエズス会《かい》の宣教師《せんきょうし》であるフランシスコ・ザビエルです。ザビエルが東洋布教《とうようふきょう》を行《おこな》ったのは、16世紀《せいき》のヨーロッパでカトリックに対《たい》して宗教《しゅうきょう》改革《かいかく》が起《お》こり、カトリックがヨーロッパ以外《いがい》にキリスト教《きょう》を広《ひろ》めようと動《うご》いたからです。こうしてザビエルはアフリカ、インド、マレー半島《はんとう》を経《へ》て(1549年《ねん》)日本《にほん》に辿《たど》り着《つ》き、国内《こくない》で急速《きゅうそく》にキリスト教《きょう》が広《ひろ》まることになりました。

▶日本《にほん》での信者獲得《しんじゃかくとく》を目指《めざ》し来日《らいにち》したフランシスコ・ザビエル

■長崎《ながさき》と天草地方《あまくさちほう》のキリスト教《きょう》と潜伏《せんぷく》キリシタンの主《おも》な歴史《れきし》

1550年《ねん》

ザビエルが平戸《ひらど》で布教《ふきょう》する

宣教師《せんきょうし》が大名《だいみょう》などの権力《けんりょく》を持《も》った人物《じんぶつ》に接近《せっきん》し、領民《りょうみん》にキリスト教《きょう》を広《ひろ》める。その後《ご》、宣教者《せんきょうしゃ》に代《か》わって指導者《しどうしゃ》が中心《ちゅうしん》となり、信仰《しんこう》を強化《きょうか》・維持《いじ》するため民衆《みんしゅう》の間《あいだ》に共同体《きょうどうたい》が形成《けいせい》された。

1614年《ねん》

江戸幕府《えどばくふ》が全国《ぜんこく》にキリスト教禁教令《きょうきんきょうれい》を発布《はっぷ》する

キリシタン大名《だいみょう》などの権力者《けんりょくしゃ》の多《おお》くは棄教《ききょう》し、宣教師《せんきょうし》は国外《こくがい》へ追放《ついほう》、教会《きょうかい》は破壊《はかい》される。だが、一部《いちぶ》の宣教師《せんきょうし》は日本《にほん》にとどまり潜伏《せんぷく》しながら、信仰《しんこう》を続《つづ》ける民衆《みんしゅう》を指導《しどう》した。

1637年《ねん》

島原《しまばら》・天草一揆《あまくさいっき》が起《お》こる

江戸幕府《えどばくふ》は宣教師《せんきょうし》が潜入《せんにゅう》している可能性《かのうせい》のあるポルトガル船《せん》の来航《らいこう》を禁止《きんし》するなど、「海禁体制《かいきんたいせい》」を確立《かくりつ》。キリシタン探索《たんさく》が強化《きょうか》される中《なか》、民衆《みんしゅう》は共同体《きょうどうたい》の指導者《しどうしゃ》を中心《ちゅうしん》に信仰《しんこう》をつづけた。

1797年《ねん》

大村藩《おおむらはん》と五島藩《ごとうはん》の間《あいだ》に、百姓《ひゃくしょう》の協定《きょうてい》が成立《せいりつ》する

外海《そとめ》の潜伏《せんぷく》キリシタンは信仰《しんこう》を続《つづ》けるため、移住先《いじゅうさき》の社会《しゃかい》や宗教《しゅうきょう》との折《お》り合《あ》いの付《つ》け方《かた》を考《かんが》えながら移住先《いじゅうさき》を選《えら》んだ。以降《いこう》、久賀島《ひさかじま》や野崎島《のざきじま》、頭ヶ島《かしらがしま》、黒島《くろしま》といった離島《りとう》に約《やく》3,000人《にん》が移住《いじゅう》した。

1865年《ねん》

浦上村《うらかみむら》の潜伏《せんぷく》キリシタンが大浦天主堂《おおうらてんしゅどう》で宣教師《せんきょうし》に信仰《しんこう》を告白《こくはく》する

日仏修好通商条約《にちふつしゅうこうつうしょうじょうやく》が締結《ていけつ》され、長崎《ながさき》にフランス人《ひと》が居住《きょじゅう》し、大浦《おおうら》天主堂《てんしゅどう》が建立《こんりゅう》された。浦上村《うらかみむら》の潜伏《せんぷく》キリシタンが訪《おとず》れてプティジャン神父《しんぷ》に信仰《しんこう》を告白《こくはく》。「信徒発見《しんとはっけん》」があった。

1889年《ねん》

信仰《しんこう》の自由《じゆう》を明記《めいき》する大日本帝国憲法《だいにっぽんていこくけんぽう》が成立《せいりつ》

キリスト教《きょう》の解禁後《かいきんご》、それぞれの潜伏《せんぷく》キリシタンの集落《しゅうらく》では、禁教期《きんきょうき》の伝統《でんとう》が変容《へんよう》する。カトリックに復帰《ふっき》した者《もの》、禁教期《きんきょうき》の信仰形態《しんこうけいたい》を継続《けいぞく》した者《しゃ》、神道《しんとう》や仏教《ぶっきょう》に改宗《かいしゅう》する者《もの》もいた。

文化《ぶんか》遺産《いさん》

「神宿《かみやど》る島《しま》」宗像《むなかた》・沖ノ島《おきのしま》と関連遺産群《かんれんいさんぐん》

九州本土《きゅうしゅうほんど》から遠《とお》く、日本《にほん》と朝鮮半島《ちょうせんはんとう》の中間地点《ちゅうかんちてん》に浮《う》かぶ孤島《ことう》・沖ノ島《おきのしま》。古代《こだい》より「神宿《かみやど》る島《しま》」として島《しま》そのものが信仰《しんこう》の対象《たいしょう》となり、一般人《いっぱんじん》の出入《でい》りは禁《きん》じられ、古《ふる》くから続《つづ》く厳《きび》しい禁忌《きんき》を守《まも》ることにより手《て》つかずの状態《じょうたい》を保《たも》ちました。沖ノ島《おきのしま》をはじめ大島《おおしま》、九州本土《きゅうしゅうほんど》の信仰《しんこう》の場《ば》、古代《こだい》の沖ノ島祭祀《おきのしまさいし》を担《にな》った宗像氏《むなかたし》の墳墓《ふんぼ》である新原《しんばる》・奴山古墳群《ぬやまこふんぐん》の5カ所《しょ》が資産《しさん》登《とう》録《ろく》されています。

登録内容《とうろくないよう》

遺産種別《いさんしゅべつ》	文化遺産《ぶんかいさん》
登録年《とうろくねん》	2017（平成《へいせい》29）年《ねん》
登録基準《とうろくきじゅん》	2、3
面積《めんせき》	［コアゾーン］98,93ha、［バッファゾーン］79,363.48ha
登録対象資産《とうろくたいしょうしさん》	宗像大社沖津宮《むなかたたいしゃおきつみや》（沖ノ島《おきのしま》、小屋島《こやじま》、御門柱《みかどばしら》、天狗岩《てんぐいわ》）宗像大社沖津宮遙拝所《むなかたたいしゃおきつみやようはいしょ》、宗像大社中津宮《むなかたたいしゃなかつみや》、宗像大社《むなかたたいしゃ》辺津宮《へつみや》、新原《しんばる》・奴山古墳群《ぬやまこふんぐん》
行政区分《ぎょうせいくぶん》	福岡県《ふくおかけん》：宗像市《むなかたし》、福津市《ふくつし》

大陸交流《たいりくこうりゅう》の道《みち》しるべである沖ノ島《おきのしま》とその信仰《しんこう》

4〜9世紀《せいき》、日本《にほん》の古墳時代《こふんじだい》から平安時代頃《へいあんじだいごろ》まで、古代《こだい》シルクロードを結《むす》ぶ東《ひがし》アジアとの外交《がいこう》や交流《こうりゅう》が盛《さか》んに行《おこな》われました。日本列島《にほんれっとう》と朝鮮半島《ちょうせんはんとう》の間《あいだ》に位置《いち》する沖ノ島《おきのしま》は、玄界灘《げんかいなだ》の中央《ちゅうおう》に浮《う》かび、大陸《たいりく》へ向《む》かう航海《こうかい》の目印《めじるし》でした。このことから航海《こうかい》の安全《あんぜん》を見守《みまも》る神《かみ》として、宗像三女神《むなかたさんじょしん》と呼《よ》ばれる三姉妹《さんしまい》の神様《かみさま》への信仰《しんこう》が始《はじ》まりました。8世紀初《せいきはじ》めに完成《かんせい》した日本最古《にほんさいこ》の歴史書《れきししょ》である「古事記《こじき》」や「日本書紀《にほんしょき》」にも、宗像氏《むなかたし》が3カ所《しょ》で三女神《さんじょしん》を祀《まつ》っていると記《しる》されています。

文化遺産《ぶんかいさん》

「神宿《かみやど》る島《しま》」宗像《むなかた》・沖ノ島《おきのしま》と関連遺産群《かんれんいさんぐん》

継承《けいしょう》・発展《はってん》してきた祭祀《さいし》

沖ノ島《おきのしま》は、「神宿《かみやど》る島《しま》」を崇拝《すうはい》する文化的伝統《ぶんかてきでんとう》が、古代《こだい》から現在《げんざい》まで発展《はってん》・継承《けいしょう》されてきた希少《きしょう》な例《れい》です。考古学的《こうこがくてき》な遺跡《いせき》はほぼ手付《てつ》かずで、そこで行《おこな》われてきた祭祀《さいし》が約《やく》500年間《ねんかん》、中国大陸《ちゅうごくたいりく》、朝鮮半島《ちょうせんはんとう》、日本列島《にほんれっとう》との関《かか》わりの中《なか》で、どのように変化《へんか》が起《お》きたのかを知《し》るための手《て》がかりとしても非常《ひじょう》に重要《じゅうよう》な役割《やくわり》を担《にな》っています。

▲遺産《いさん》の全景《ぜんけい》。手前《てまえ》が九州本土《きゅうしゅうほんど》で、大島《おおしま》、沖ノ島《おきのしま》と続《つづ》きます

ポイント解説《かいせつ》

道《みち》の神《かみ》・宗像三女神《むなかたさんじょしん》

宗像三女神《むなかたさんじょしん》は、沖津宮《おきつみや》の「田心姫神《たごりひめのかみ》」、中津宮《なかつみや》の「湍津姫神《たぎつひめのかみ》」、辺津宮《へつみや》の「市杵島姫神《いちきしまひめのかみ》」の三柱《みはしら》で、天照大神《あまてらすおおみかみ》と素戔嗚尊《すさのおのみこと》のうけい＝契約《けいやく》によって誕生《たんじょう》した女神《めがみ》です。「田心姫神《たごりひめのかみ》」の「タゴリ（タキリ）」は霧《きり》に、「湍津姫神《たぎつひめのかみ》」の「タギツ」は潮流《ちょうりゅう》が渦巻《うずま》く様子《ようす》に、「市杵島姫神《いちきしまひめのかみ》」の「イチキ（イツキ）シマ」は神《かみ》を祀《まつ》る島《しま》、もしくは神《かみ》がいる島《しま》に由来《ゆらい》し、三女神《さんじょしん》の起源《きげん》が沖ノ島《おきのしま》の航海《こうかい》の安全《あんぜん》を願《ねが》った信仰《しんこう》であることを物語《ものがた》っています。また、宗像三女神《むなかたさんじょしん》は、別名《べつめい》「道主貴《みちぬしのむち》」と呼《よ》ばれています。貴《むち》とつけられた日本《にほん》の神《かみ》は、伊勢神宮《いせじんぐう》に祀《まつ》られている「大日靈貴《おおひるめのむち》」＝「天照大神《あまてらすおおみかみ》」と出雲大社《いずもたいしゃ》に祀《まつ》られている「大己貴《おおなむち》」＝「大国主命《おおくにぬしのみこと》」だけであり、宗像三女神《むなかたさんじょしん》と沖ノ島《おきのしま》がいかに重要《じゅうよう》だったかを表《あらわ》しています。

自然遺産《しぜんいさん》

宗像大社沖津宮《むなかたたいしゃおきつみや》

玄界灘《げんかいなだ》に浮《う》かぶ沖ノ島《おきのしま》は、島全体《しまぜんたい》が宗像大社沖津宮《むなかたたいしゃおきつみや》の境内《けいだい》で、4世紀《せいき》から9世紀《せいき》にかけて航海《こうかい》の安全《あんぜん》を願《ねが》う自然崇拝《しぜんすうはい》に基《もと》づいた祭祀《さいし》が行《おこな》われました。

島《しま》の中腹《ちゅうふく》にある巨岩群《きょがんぐん》の周辺《しゅうへん》には、古代《こだい》の祭祀遺跡群《さいしいせきぐん》があります。海《うみ》を越《こ》えた活発《かっぱつ》な交流《こうりゅう》を背景《はいけい》に、遺跡《いせき》の位置《いち》は約《やく》500年《ねん》の間《あいだ》に4段階《だんかい》に変化《へんか》し、古代《こだい》の人々《ひとびと》がどのように航海《こうかい》の安全《あんぜん》を祈《いの》ったのかを物語《ものがた》る貴重《きちょう》な遺跡群《いせきぐん》です。古代祭祀遺跡《こだいさいしいせき》は、信仰《しんこう》による禁忌《きんき》の影響《えいきょう》もあり、ほぼ手付《てつ》かずの状態《じょうたい》で現代《げんだい》に守《まも》り伝《つた》えられました。調査《ちょうさ》で見《み》つかった約《やく》8万点《まんてん》の奉献品《ほうけんひん》は、すべて国宝《こくほう》に指定《してい》されています。遺物《いぶつ》は、鏡《かがみ》や玉類《ぎょくるい》、武器《ぶき》、馬具《ばぐ》などがあり、中国《ちゅうごく》や朝鮮半島《ちょうせんはんとう》はもちろん、シルクロードの西《にし》、ペルシア（現《げん》イラン）

▲玄界灘《げんかいなだ》に浮《う》かぶ。田心姫神《たごりひめのかみ》を祀《まつ》っています

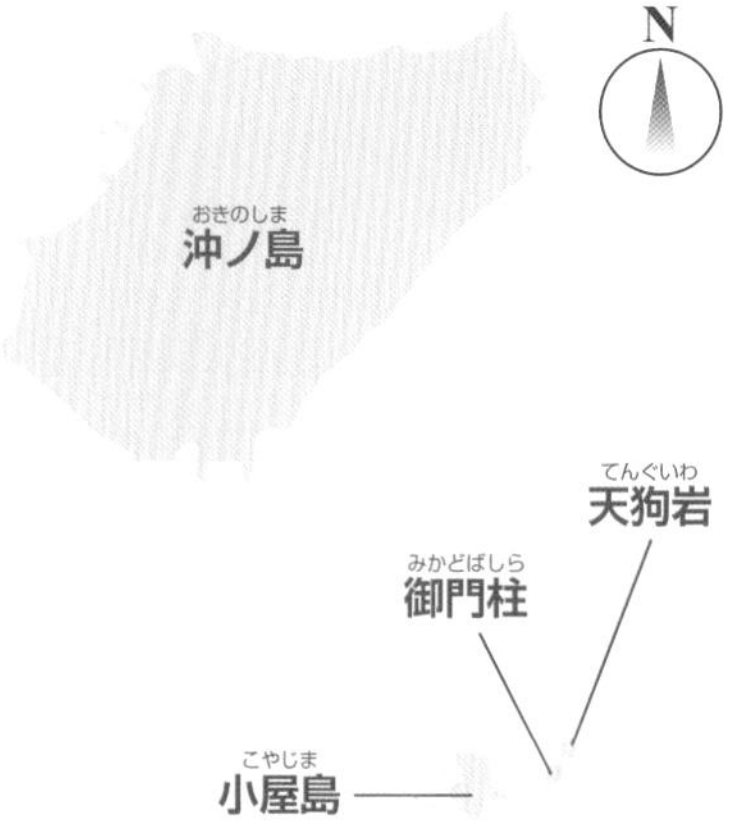

沖ノ島祭祀《おきのしまさいし》の変遷《へんせん》

西暦《せいれき》　400　500

岩上祭祀遺跡《いわかみさいしいせき》

岩上祭祀《がんじょうさいし》

鏡《かがみ》、装身具《そうしんぐ》、武器《ぶき》、工具《こうぐ》などの奉献品《ほうけんひん》が巨岩《きょがん》の上《うえ》の岩《いわ》と岩《いわ》とが重《かさ》なったすき間《ま》に納《おさ》められていました。当時《とうじ》の日本《にほん》の古墳《こふん》に副葬《ふくそう》された品々《しなじな》と共通《きょうつう》するのも特徴《とくちょう》です。

▲三角縁神獣鏡《さんかくぶちしんじゅうきょう》（※）。占《うらな》いなどの祭祀《さいし》に使《つか》われていました

岩陰祭祀遺跡《いわかげさいしいせき》

岩陰祭祀《いわかげさいし》

ひさし状《じょう》になっている巨岩《きょがん》の陰《かげ》で行《おこな》われていた祭祀《さいし》。鉄製《せいてつ》武器《ぶき》や刀子《とうす》、斧《おの》などのミニチュア製品《せいひん》、朝鮮半島《ちょうせんはんとう》からもたらされ

◀朝鮮半島《ちょうせんはんとう》の新羅《しんら》の王陵《おうりょう》から出土《しゅつど》されたものとよく似《に》ている金製指輪《きんせいゆびわ》（※）

の製品《せいひん》も見《み》つかりました。このことから、沖ノ島《おきのしま》を奈良《なら》の東大寺《とうだいじ》の正倉院《しょうそういん》になぞらえて、「海《うみ》の正倉院《しょうそういん》」と呼《よ》ばれることもあります。

沖津宮《おきつみや》の社殿《しゃでん》は、17世紀半《せいきなか》ばごろまでに建立《こんりゅう》されたもので、何度《なんど》か改築《かいちく》・修復《しゅうふく》されて現在《げんざい》に至《いた》っています。

◀宗像大社沖津《むなかたたいしゃおきつ》宮《みや》の社殿《しゃでん》。現在《げんざい》は12日交替《にちこうたい》で神職《しんしょく》が管理《かんり》しています

▲5~7世紀《せいき》に行《おこな》われていた岩陰祭祀《いわかげさいし》の場《ば》

ポイント解説《かいせつ》

沖ノ島《おきのしま》の禁忌《きんき》(タブー)

●「不言様《おいわずさま》」
沖ノ島《おきのしま》で見《み》たり聞《き》いたりしたものは、一切《いっさい》口外《こうがい》してはならない。

●**「一木一草一石《いちもくいっそういっせき》たりとも持《も》ち出《だ》してはならない」**
沖ノ島《おきのしま》から一切何《いっさいなに》も持《も》ち出《だ》してはならない。

●**「上陸前《じょうりくまえ》の禊《みそぎ》」**
入島前《にゅうとうまえ》に着《き》ている衣服《いふく》を全《すべ》て脱《ぬ》いで海《うみ》に浸《つ》かり心身《しんしん》を清《きよ》めて島《しま》に入《はい》らなければならない。

※**女人禁制《にょにんきんせい》**　古来《こらい》、女性《じょせい》の入島《にゅうとう》が禁止《きんし》されていました。理由《りゆう》としては玄界灘《げんかいなだ》から沖ノ島《おきのしま》へ向《む》かう航路《こうろ》は難所《なんしょ》であるためなど、諸説《しょせつ》あります。男性《だんせい》に関《かん》しては毎年《まいとし》5月《がつ》27日《にち》の大祭《たいさい》に限《かぎ》って抽選《ちゅうせん》で選《えら》ばれた人《ひと》が入《はい》ることができましたが、沖ノ島《おきのしま》が世界遺産《せかいいさん》に認定《にんてい》された際《さい》に、男性《だんせい》・女性《じょせい》を問《と》わず一般人《いっぱんじん》の立《た》ち入《い》りが禁止《きんし》されることになりました。

900　800　700

露天祭祀遺跡《ろてんさいしいせき》　半岩陰《はんいわかげ》・半露天《はんろてん》

た金銅製《こんどうせい》の馬具《ばぐ》などのほか、イラン製《せい》のカットグラスなども発見《はっけん》されています。

半岩陰《はんいわかげ》・半露天祭祀《はんろてんさいし》
岩陰《いわかげ》と露天《ろてん》にまたがって行《おこな》われていた祭祀《さいし》。奉献品《ほうけんひん》は金銅製《こんどうせい》の紡織具《ぼうしょくぐ》や人形《ひとがた》、琴《こと》、祭祀用《さいしよう》の土器《どき》など、古墳《こふん》の副葬品《ふくそうひん》と共通《きょうつう》しないものになります。

露天祭祀《ろてんさいし》
巨岩群《きょがんぐん》から離《はな》れた平坦地《へいたんち》で行《おこな》われていた祭祀《さいし》。祭壇《さいだん》のような遺構《いこう》の周辺《しゅうへん》からは、多種多様《たしゅたよう》な土器《どき》や須恵器《すえき》、人形《ひとがた》・馬形《うまがた》・舟形《ふながた》といった滑石製《かっせきせい》の形代《かたしろ》など大量《たいりょう》の奉献品《ほうけんひん》が発見《はっけん》されています。

▲祭祀《さいし》のためだけに作《つく》られた側面《そくめん》が空《あ》いた土器《どき》(※)

(※)宗像大社神宝館所蔵《むなかたたいしゃしんぽうかんしょぞう》

宗像大社沖津宮遙拝所《むなかたたいしゃおきつみやようはいしょ》

沖ノ島《おきのしま》は一般人《いっぱんじん》の立《た》ち入《い》りが禁止《きんし》されているため、沖ノ島《おきのしま》をご神体《しんたい》として遠《とお》くから拝《おが》む（＝遙拝《ようはい》）信仰《しんこう》の場所《ばしょ》として設《もう》けられたのが、沖ノ島《おきのしま》から約《やく》48㎞離《はな》れた大島《おおしま》の北端《ほくたん》に設《もう》けられた「沖津宮遙拝所《おきつみやようはいしょ》」です。

いつ頃《ごろ》から存在《そんざい》するのか、正確《せいかく》な記録《きろく》は残《のこ》ってはいませんが、少《すく》なくとも18世紀初《せいきはじ》めまでには現在《げんざい》の地《ち》に遙拝所《ようはいしょ》が設《もう》けられました。安全《あんぜん》な航海《こうかい》が保証《ほしょう》されていない時代《じだい》に沖ノ島《おきのしま》まで行《い》くことは困難《こんなん》なこともあり、江戸時代《えどじだい》には通常《つうじょう》ここで沖津宮《おきつみや》の神事《しんじ》が執《と》り行《おこな》われていました。

1905（明治《めいじ》38）年に日本帝国海軍《にほんていこくかいぐん》がロシア帝国《ていこく》海軍《かいぐん》に勝利《しょうり》した日本海沖《にほんかいおき》海戦《かいせん》を記念《きねん》して行《おこな》われていた沖津宮現地大祭《おきつみやげんちたいさい》は、世界遺産認定《せかいいさんにんてい》を機会《きかい》に中止《ちゅうし》されました。しかし、春《はる》と秋《あき》に開催《かいさい》される沖津宮大祭《おきつみやたいさい》は現在《げんざい》も毎年《まいとし》ここで行《おこな》われ、普段《ふだん》は閉《し》め切《き》られている社殿《しゃでん》の扉《とびら》と窓《まど》を開《ひら》いて、沖ノ島《おきのしま》を遙拝《ようはい》します。

また、以前《いぜん》から大島《おおしま》の漁師《りょうし》の妻《つま》は、遙拝所《ようはいしょ》から沖ノ島周辺《おきのしましゅうへん》で漁《りょう》を行《おこな》う夫《おっと》の無事《ぶじ》を願《ねが》って祈《いの》りをささげていたといわれています。

▲空気《くうき》の澄《す》んだ日《ひ》には、はっきりと沖ノ島《おきのしま》が見《み》えるという宗像大社沖津宮遙拝所《むなかたたいしゃおきつみやようはいしょ》

大島《おおしま》MAP《まっぷ》

宗像大社中津宮《むなかたたいしゃなかつみや》

宗像三女神《むなかたさんじょしん》の一柱《ひとはしら》「湍津姫神《たぎつひめのかみ》」を祀《まつ》り、大島《おおしま》の宗像三女神信仰《むなかたさんじょしんしんこう》の拠点《きょてん》が「宗像大社中津宮《むなかたたいしゃなかつみや》」です。標高《ひょうこう》224mの御嶽山山頂《みたけさんさんちょう》の御嶽山祭祀遺跡《みたけさんさいしいせき》を起源《きげん》とし、麓《ふもと》の海《うみ》に面《めん》した高台《たかだい》に本殿《ほんでん》が造営《ぞうえい》されています。16世紀《せいき》の文献《ぶんけん》によると、その頃《ころ》からすでに山頂《さんちょう》の御嶽《みたけ》神社《じんじゃ》を上宮《じょうぐう》、麓《ふもと》の中津宮《なかつみや》を本社《ほんしゃ》としていたようです。中津宮《なかつみや》の資産範囲《しさんはんい》も御嶽山《みたけさん》の山頂《さんちょう》から参道《さんどう》、麓《ふもと》の本殿《ほんでん》周辺《しゅうへん》の中津宮《なかつみや》の境内《けいだい》としています。

御嶽山山頂《みたけさんさんちょう》からは沖ノ島《おきのしま》のほか、壱岐島《いきしま》、対馬《つしま》など、玄界灘《げんかいなだ》に点在《てんざい》する島々《しまじま》や九州本土《きゅうしゅうほんど》も一望《いちぼう》することができ、沖ノ島同様《おきのしまどうよう》、大島《おおしま》が古代《こだい》から海上《かいじょう》交通《こうつう》の上《うえ》で重要《じゅうよう》な位置《いち》にあったことを実感《じっかん》することができます。

▲17世紀《せいき》ごろに再建《さいけん》され、現在福岡県《げんざいふくおかけん》の有形文化財《ゆうけいぶんかざい》に指定《してい》されている中津宮本殿《なかつみやほんでん》

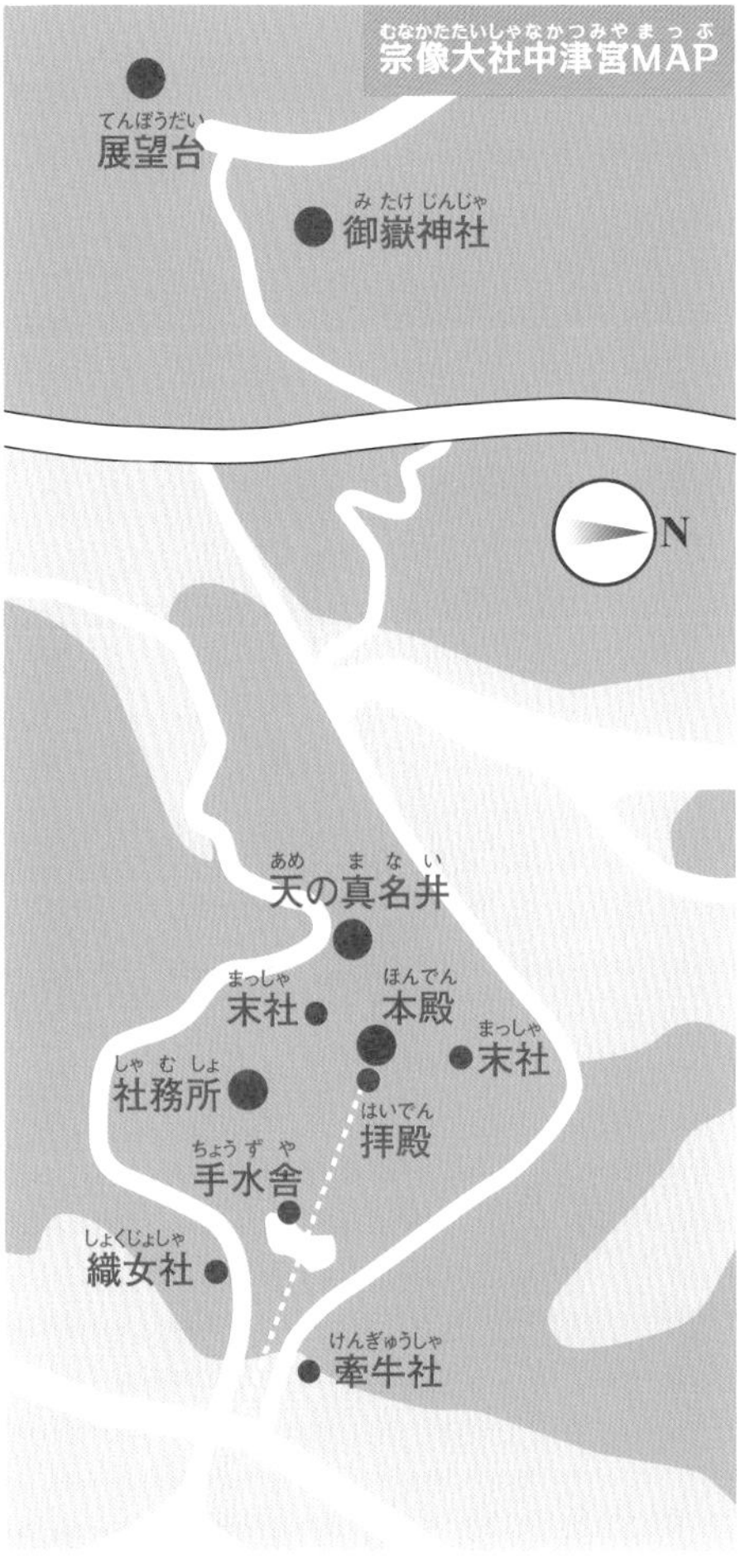

▲沖ノ島《おきのしま》と共通《きょうつう》する露天祭祀《ろてんさいし》が行《おこな》われていた御嶽山祭祀遺跡《みたけさんさいしいせき》の場《ば》に建《た》てられた御嶽《みたけ》神社《じんじゃ》

宗像《むなかた》大社《たいしゃ》辺津宮《へつみや》

ご神体《しんたい》である「沖津宮《おきつみや》」、大島《おおしま》の信仰《しんこう》の場《ば》である「中津宮《なかつみや》」に対《たい》し、九州《きゅうしゅう》本土《ほんど》の宗像三女神信仰《むなかたさんじょしんしんこう》の拠点《きょてん》が「宗像《むなかた》大社辺津宮《たいしゃへつみや》」です。宗像氏《むなかたし》の子孫《しそん》で、対《たい》外交易《がいこうえき》によって栄《さか》えた宗像大宮司家《むなかただいぐうじけ》が信仰《しんこう》を司《つかさど》った中世《ちゅうせい》の「辺津宮《へつみや》」の境内《けいだい》には、三女神《さんじょしん》をそれぞれ祀《まつ》る第一宮《ていいちぐう》(現在《げんざい》の本殿《ほんでん》)、第二宮《ていにぐう》、第三宮《ていさんぐう》をはじめとした社殿《しゃでん》が立《た》ち並《なら》び、現在《げんざい》まで引《ひ》き継《つ》がれています。現在《げんざい》の本殿《ほんでん》は、最後《さいご》の大宮司《だいぐうじ》となった宗像氏貞《むなかたうじさだ》によって、拝殿《はいでん》は、その後《ご》この地《ち》を統治《とうち》した小早川隆景《こばやかわたかかげ》によって16世紀末《せいきまつ》に再建《さいけん》されたものです。

「辺津宮《へつみや》」敷地内《しきちない》にある「宗像大社《むなかたたいしゃ》神宝館《しんぽうかん》」では、沖ノ島《おきのしま》で発見《はっけん》された国宝《こくほう》の奉献品約《ほうけんひんやく》8万点《まんてん》のほか、宗像《むなかた》大社《たいしゃ》に伝《つた》わる古文書《こもんじょ》などを見学《けんがく》することができます。

また、本殿《ほんでん》の後方《こうほう》には沖ノ島《おきのしま》と共通《きょうつう》する露天祭祀《ろてんさいし》が行《おこな》われていた下高宮《しもたかみや》祭祀遺跡《さいしいせき》があり、遺跡《いせき》の一部《いちぶ》は「高宮《たかみや》祭場《さいじょう》」として整備《せいび》され、社殿《しゃでん》を用《もち》いない神事《しんじ》が行《おこな》われています。

▲現在《げんざい》の本殿《ほんでん》・拝殿《はいでん》。国《くに》の重要文化財《じゅうようぶんかざい》にも指定《してい》されています

▲高宮祭場《たかみやさいじょう》

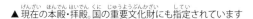

新原《しんばる》・奴山古墳群《ぬやまこふんぐん》

沖ノ島《おきのしま》の祭祀《さいし》を担《にな》い、沖ノ島《おきのしま》に宿《やど》る神《かみ》に対《たい》する信仰《しんこう》を宗像三女神信仰《むなかたさんじょしんしんこう》へと発展《はってん》させた古代豪族《こだいごうぞく》宗像氏《むなかたし》の墳墓《ふんぼ》群《ぐん》が「新原《しんばる》・奴山古墳群《ぬやまこふんぐん》」です。5世紀《せいき》から6世紀《せいき》にかけて大島《おおしま》や玄界灘《げんかいなだ》を見渡《みわた》せる当時《とうじ》の入海《いりうみ》に面《めん》した台地上《だいちじょう》に作《つく》られました。今《いま》では前方後円墳《ぜんほうこうえんふん》5基《き》、円墳《えんふん》35基《き》、方墳《ほうふん》1基《き》の計《けい》41基《き》が現存《げんぞん》しています。特《とく》に台地《だいち》の中心部《ちゅうしんぶ》に作《つく》られた前方後円墳《ぜんほうこうえんふん》は、ヤマト政権《せいけん》とつながりの強《つよ》い有力者《ゆうりょくしゃ》の墓《はか》であることを示《しめ》しています。これは、ヤマト王権《おうけん》のもとで航海《こうかい》や沖ノ島《おきのしま》での祭祀《さいし》を担《にな》うことにより九州北部《きゅうしゅうほくぶ》で勢力《せいりょく》を伸《の》ばした、古代豪族宗像氏《こだいごうぞくむなかたし》の特徴《とくちょう》をよく表《あらわ》しています。

▲今《いま》は田園風景《でんえんふうけい》となっている新原《しんばる》・奴山古墳群《ぬやまこふんぐん》

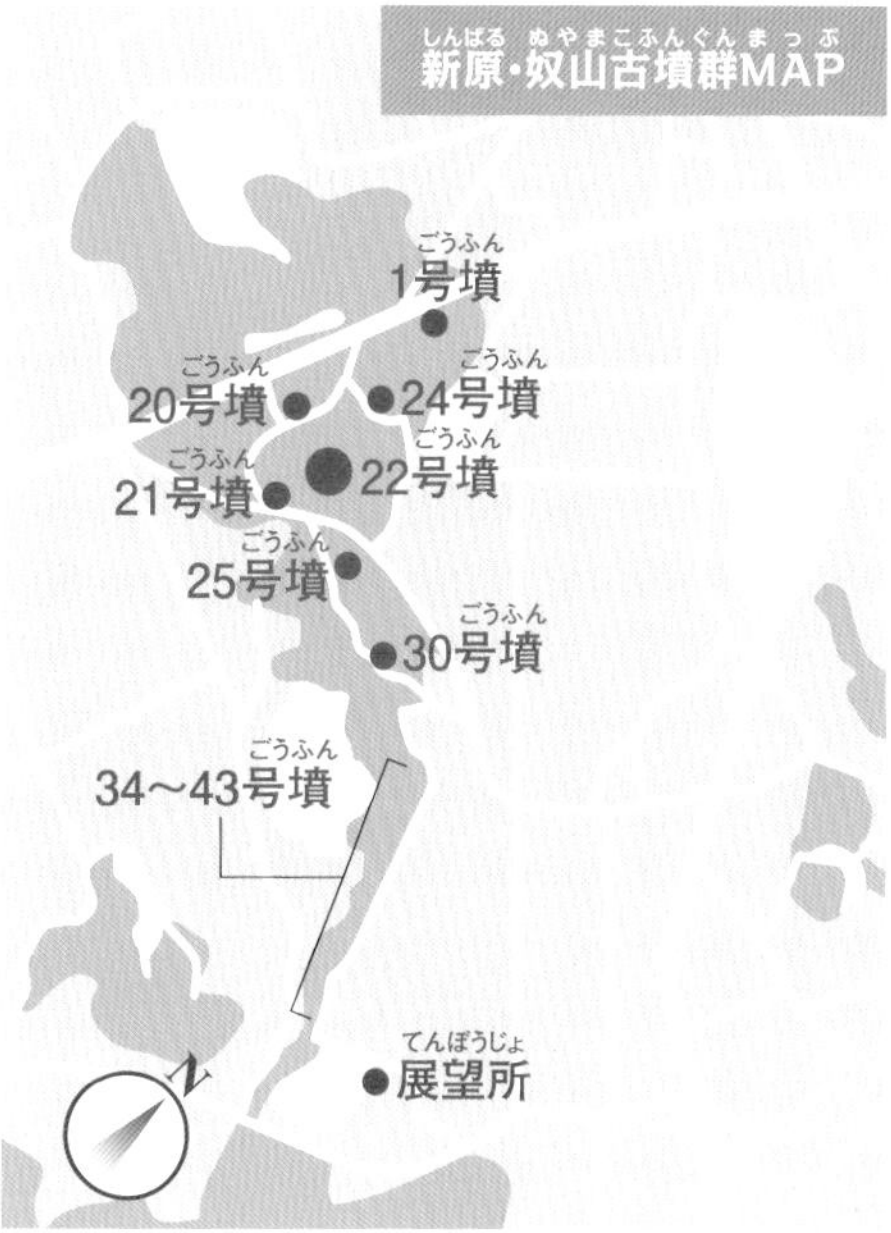

ポイント解説《かいせつ》 古代豪族宗像氏《こだいごうぞくむなかたし》

海洋豪族《かいようごうぞく》（海人族《かいじんぞく》）として、宗像地方《むなかたちほう》と響灘《ひびきなだ》西部《せいぶ》から玄界灘全域《げんかいなだぜんいき》に至《いた》る広大《こうだい》な海域《かいいき》を支配《しはい》したとされる豪族《ごうぞく》が宗像氏《むなかたし》です。宗像三女神《むなかたさんじょしん》が成立《せいりつ》する以前《いぜん》の自然崇拝《しぜんすうはい》の頃《ころ》から、地域《ちいき》の中心的《ちゅうしんてき》な役割《やくわり》を担《にな》っていたと考《かんが》えられる宗像氏《むなかたし》は、ヤマト王権《おうけん》との繋《つな》がりの中《なか》でより力《ちから》を強《つよ》めていきました。ヤマト王権《おうけん》が朝鮮半島《ちょうせんはんとう》に出兵《しゅっぺい》する際《さい》も宗像氏《むなかたし》の助《たす》けがあったことが日本書紀《にほんしょき》からうかがわれます。

9世紀《せいき》ごろには沖ノ島《おきのしま》の祭祀《さいし》が終《お》わりを迎《むか》えますが、九州北部《きゅうしゅうほくぶ》における宗像氏《むなかたし》の影響力《えいきょうりょく》は宗像大社大宮司職《むなかたたいしゃだいぐうじしき》と大社《たいしゃ》の領地《りょうち》という形《かたち》で維持《いじ》されました。しかし、1586（天正《てんしょう》12）年《ねん》に最後《さいご》の大宮司《だいぐうじ》である宗像氏貞《むなかたうじさだ》が死去《しきょ》したことで大宮司《だいぐうじ》の直系《ちょっけい》が絶《た》え、大社《たいしゃ》の領地《りょうち》も豊臣秀吉《とよとみひでよし》が没収《ぼっしゅう》。以降《いこう》は以前《いぜん》のような力《ちから》を取《と》り戻《もど》すことができませんでした。

文化遺産《ぶんかいさん》

白川郷《しらかわごう》・五箇山《ごかやま》の合掌造《がっしょうづく》り集落《しゅうらく》

現在《げんざい》も人《ひと》が住《す》んでいる合掌造《がっしょうづく》りの民家《みんか》の集落《しゅうらく》が、白川郷《しらかわごう》と五箇山《ごかやま》と呼《よ》ばれる地域《ちいき》にあります。その集落《しゅうらく》や家屋《かおく》は、岐阜県《ぎふけん》と富山県《とやまけん》にまたがる「庄川《しょうがわ》」沿《ぞ》いに点在《てんざい》します。その中《なか》でも昔《むかし》ながらの山村《さんそん》の風景《ふうけい》ともいわれる、合掌造《がっしょうづく》りの家々《いえいえ》が並《なら》ぶ3つの集落《しゅうらく》が世界遺産《せかいいさん》になっています。この3集落《しゅうらく》は、かつての集落景観《しゅうらくけいかん》を今《いま》も保《たも》っています。

登録内容《とうろくないよう》

遺産種別《いさんしゅべつ》	文化遺産《ぶんかいさん》
登録年《とうろくねん》	1995（平成《へいせい》7）年《ねん》
登録基準《とうろくきじゅん》	4、5
面積《めんせき》	[コアゾーン]68.0ha、[バッファゾーン]バッファゾーン第Ⅰ種面積《だいいっしゅめんせき》4,335.1ha、バッファゾーン第Ⅱ種面積《だいにしゅめんせき》54,538ha
登録対象資産《とうろくたいしょうしさん》	荻町集落《おぎまちしゅうらく》、菅沼集落《すがぬましゅうらく》、相倉集落《あいのくらしゅうらく》の3集落群《しゅうらくぐん》
行政区分《ぎょうせいくぶん》	岐阜県《ぎふけん》：白川村荻町《しらかわむらおぎまち》、富山県《とやまけん》：南砺市相倉《なんとしあいのくら》、南砺市菅沼《なんとしすがぬま》

江戸時代《えどじだい》から続《つづ》く合掌造《がっしょうづく》りの家々《いえいえ》

この地方《ちほう》は日本有数《にほんゆうすう》の豪雪地帯《ごうせつちたい》で、外界《がいかい》との行《い》き来《き》にたいへん苦労《くろう》するところでした。昭和《しょうわ》20年代《ねんだい》になって、やっと電気《でんき》や道路《どうろ》が整備《せいび》される地域《ちいき》もあるほどでした。そのため独自《どくじ》の生活《せいかつ》、文化《ぶんか》が形《かたち》づくられていました。たとえば、各集落《かくしゅうらく》にはそれぞれ江戸時代《えどじだい》から続《つづ》く「組《くみ》」というお互《たが》いを助《たす》けるための組織《そしき》があり、現在《げんざい》でも活動《かつどう》しています。

▲茅葺《かやぶ》き屋根《やね》の葺《ふ》き替《か》え

この地方独特《ちほうどくとく》の合掌造《がっしょうづく》りの家《いえ》は、一般《いっぱん》の日本家屋《にほんかおく》に比《くら》べて規模《きぼ》が大《おお》きく、屋根裏《やねうら》にあたる部分《ぶぶん》にいくつもの層《そう》を設《もう》けて、カイコを育《そだ》てたり荷物《にもつ》を置《お》く場所《ばしょ》にしています。人《ひと》は1階《かい》と中《ちゅう》2階《かい》に住《す》みます。地域《ちいき》によっては、ここに20人《にん》から30人《にん》の世代《せだい》のまたがる家族《かぞく》が住《す》みます。

3つの集落《しゅうらく》は、日本《にほん》を代表《だいひょう》する歴史的遺産《れきしてきいさん》です

1945（昭和《しょうわ》20）年《ねん》には300棟《とう》あったという合掌造《がっしょうづく》りの家《いえ》。現在《げんざい》、白川村《しらかわむら》の荻町《おぎまち》と五箇山《ごかやま》の菅沼《すがぬま》、相倉《あいのくら》の三《みっ》つの集落《しゅうらく》に、それぞれ59棟《とう》（合掌造《がっしょうづく》りの家屋《かおく》の数《かず》なら114棟《とう》）、9棟《とう》、20棟《とう》ほどがまとまって残《のこ》っています。

「合掌造《がっしょうづく》り」といわれるようになった理由《りゆう》は、両方《りょうほう》の手《て》を合《あ》わせたような屋根《やね》の形《かたち》からきています。

その茅葺《かやぶ》き屋根《やね》の勾配《こうばい》は60度近《どちか》くもあり、たくさんの雪《ゆき》に耐《た》えられるようにつくられています。

▶荻町《おぎまち》
ライトアップされた雪《ゆき》の中《なか》の合掌造《がっしょうづく》りの家《いえ》

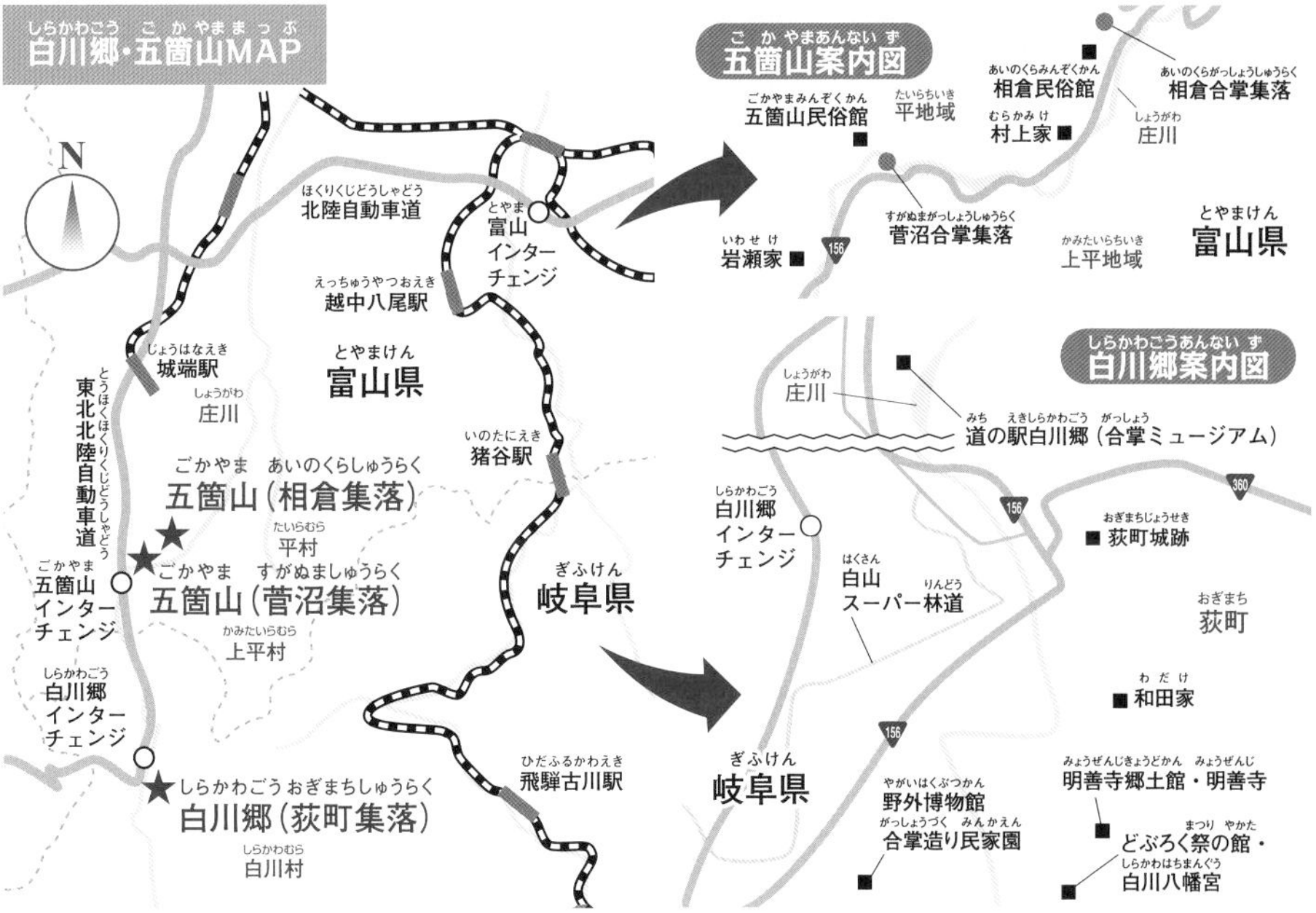

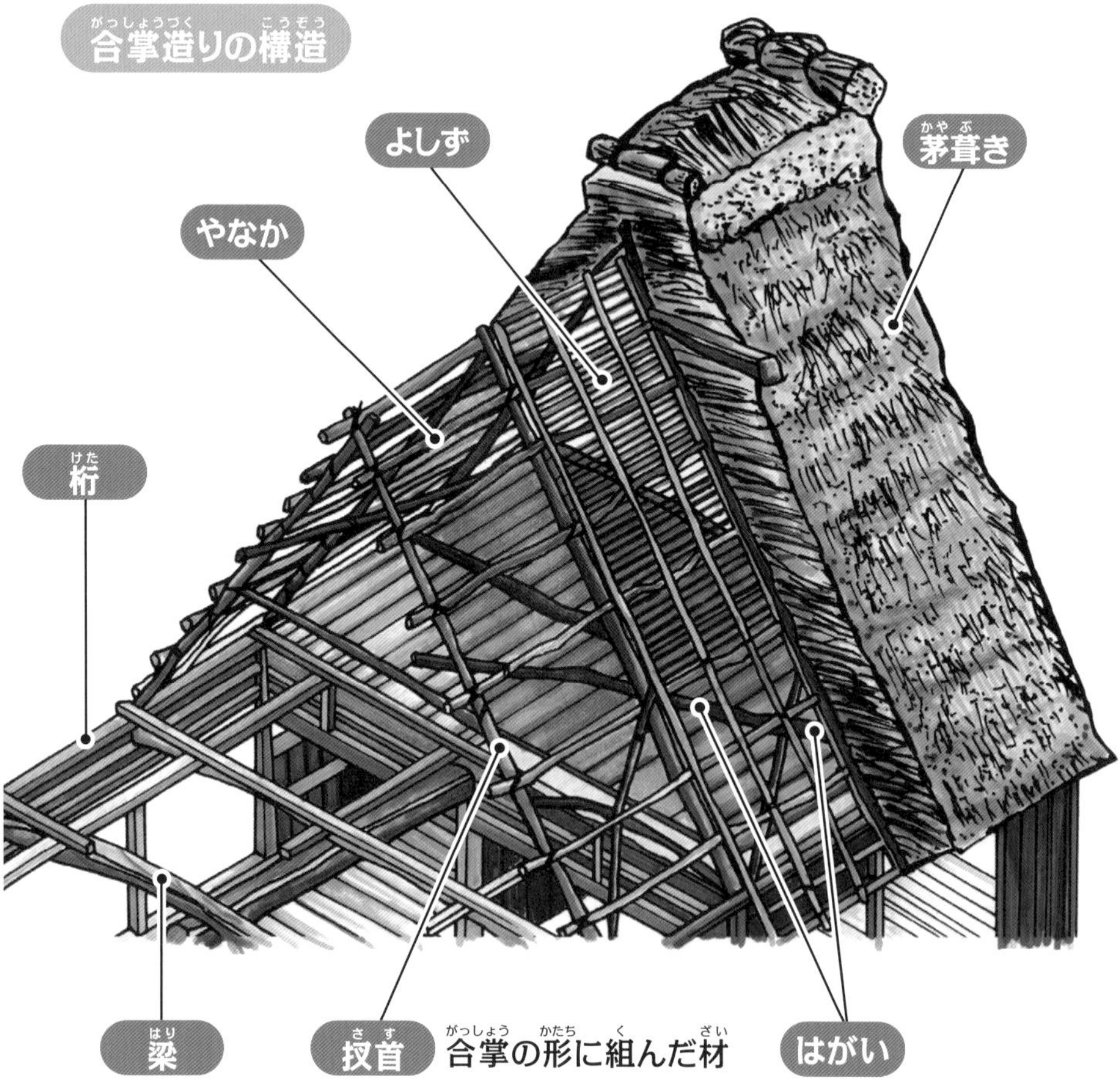

クギなどは使《つか》わない、茅葺《かやぶ》き合掌造《がっしょうづく》りの家《いえ》の構造《こうぞう》

「合掌造《がっしょうづく》り」とは、2本《ほん》の材木《ざいもく》を合掌《がっしょう》の形《かたち》に組《く》んだ（逆《ぎゃく》Vの字《じ》）扠首《さす》構《こう》造《ぞう》で、切妻造《きりづまづく》り屋根《やね》、茅葺《かやぶ》きの家屋《かおく》をいいます。

合掌造《がっしょうづく》りは1階《かい》の上《うえ》はすべて屋根《やね》です。梁《はり》にくぼみをつけ、そこに扠首《さす》をはめ込《こ》んでいきます。屋根《やね》の形《かたち》に並《なら》んだ扠首《さす》に、「やなか」という横木《よこぎ》を結《むす》びつけていきます。さらに、「はがい」という斜《なな》めに渡《わた》す木《き》を使《つか》い、頑丈《がんじょう》な造《つく》りにします。

合掌造《がっしょうづく》りでは、クギやカスガイなどの金属《きんぞく》の材料《ざいりょう》は使《つか》わず、縄《なわ》と粘《ねば》りのあるネソ（マンサクの若木《わかぎ》）ですべて縛《しば》り結《むす》びつけて造《つく》っていきます。

合掌造《がっしょうづく》りに重要《じゅうよう》な囲炉裏（いろり）の存在《そんざい》

合掌造《がっしょうづく》りの家《いえ》の1階《かい》（大広間《おおひろま》）には必《かなら》ず囲炉裏《いろり》があります。囲炉裏《いろり》はほとんど季節《きせつ》を問《と》わず火《ひ》が焚《た》かれます。その煙《けむり》で、梁《はり》などの木《き》はもちろん、縄《なわ》や屋根内部《やねないぶ》の茅《かや》まで家全体《いえぜんたい》に煤《すす》がつき、真《ま》っ黒《くろ》になります。これによって、虫除《むしよ》けになり、腐敗《ふはい》を防《ふせ》ぎ、家《いえ》を数十年《すうじゅうねん》に渡《わた》って保《たも》つことができます。逆《ぎゃく》に、人《ひと》が住《す》まない囲炉裏《いろり》を使《つか》わない家《いえ》は、すぐに朽《く》ちてしまうそうです。ここで生活《せいかつ》している人《ひと》がいるからこそ、守《まも》られている世界遺産《せかいいさん》なのです。

▲五箇山《ごかやま》
合掌造《がっしょうづく》りの屋根裏《やねうら》

▲ネソで木《き》と木《き》を結《むす》びつけ、縄《なわ》でも縛《しば》ります

ポイント解説《かいせつ》1 切妻《きりづま》と寄棟造《よせむねづく》りの屋根《やね》

切妻《きりづま》は、屋根《やね》の最頂部《さいちょうぶ》の棟《とう》から地上《ちじょう》に向《む》かって、二《ふた》つの傾斜面《けいしゃめん》が本《ほん》をふせたような山形《やまがた》をした屋根《やね》です。2面《めん》だけで屋根《やね》が構成《こうせい》されています。これに対《たい》し寄棟造《よせむねづく》りは、4方向《ほうこう》に傾斜《けいしゃ》する屋根面《やねめん》を持《も》っています。東大寺《とうだいじ》の大仏殿《だいぶつでん》などが寄棟造《よせむねづく》りです。

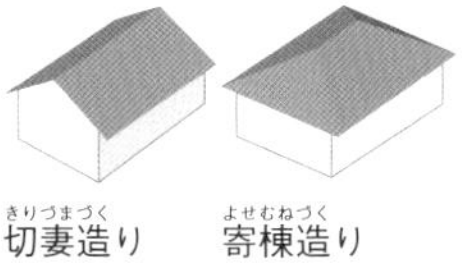

寄棟造《よせむねづく》り　切妻造《きりづまづく》り

ポイント解説《かいせつ》2 茅葺《かやぶ》き屋根《やね》

茅葺《かやぶ》きは、ススキなどを材料《ざいりょう》にして葺《ふ》く家屋《かおく》の屋根《やね》の構造《こうぞう》のひとつで、通気性《つうきせい》や断熱性《だんねつせい》にすぐれています。茅葺《かやぶ》きに使《つか》われるススキには、そのためだけに生産《せいさん》されている場合《ばあい》もあります。一般的《いっぱんてき》には、秋《あき》から冬《ふゆ》に枯《か》れてから集《あつ》め、春《はる》になるまで十分《じゅうぶん》に乾燥《かんそう》させてから使《つか》います。

五《ご》箇《か》山《やま》

五《ご》箇《か》山《やま》には菅沼《すがぬま》、相倉《あいのくら》という2つの集落《しゅうらく》があり、合《あ》わせて29棟《とう》ほどの合掌造《がっしょうづく》りの家《いえ》が残《のこ》っています。公開施設《こうかいしせつ》には、築後《ちくご》400年《ねん》の歴史《れきし》を持《も》つ「村上家《むらかみけ》」(上梨地区《かみなしちく》)をはじめ、「岩瀬家《いわせけ》」(西赤尾町地区《にしあかおまちちく》)などがあります。(どちらも国《くに》の重要文化財《じゅうようぶんかざい》で入館《にゅうかん》は有料《ゆうりょう》)さらに、五箇山民族館《ごかやまみんぞくかん》や相倉民族館《あいのくらみんぞくかん》もあります。これらの施設《しせつ》では、実際《じっさい》に合掌造《がっしょうづく》りの内部《ないぶ》に入《はい》って、建築《けんちく》の詳細《しょうさい》などを見学《けんがく》することができます。

▲山《やま》の上《うえ》の方《ほう》から見《み》た、相倉集落《あいのくらしゅうらく》の一部《いちぶ》

▲秋《あき》の菅沼集落《すがぬましゅうらく》

▲冬《ふゆ》の菅沼集落《すがぬましゅうらく》の全景《ぜんけい》

▲村上家《むらかみけ》の内部《ないぶ》、広間《ひろま》の真《ま》ん中《なか》に「囲炉裏《いろり》」があります

白川郷《しらかわごう》

多《おお》くの合掌造《がっしょうづく》りの家々《いえいえ》が残《のこ》っている白川郷《しらかわごう》。ほとんどの家《いえ》が屋根《やね》の妻《つま》(屋根側面《やねそくめん》の三角形《さんかくけい》の壁面《へきめん》)面《めん》で風《かぜ》を受《う》けるように建《た》っています。これは白山《はくさん》から吹《ふ》き下《お》ろす強《つよ》い風《かぜ》を受《う》け流《なが》し、屋根《やね》が長《なが》く日照《にっしょう》を受《う》けるようにして、茅《かや》がよく乾《かわ》くようにするためです。積雪《せきせつ》が多《おお》く、雨《あめ》も多《おお》い自然環境《しぜんかんきょう》に対《たい》する工夫《くふう》でもあります。また10月《がつ》には700年前《ねんまえ》から続《つづ》いている「どぶろく祭《まつり》」が開《ひら》かれ、収穫《しゅうかく》への感謝《かんしゃ》と来年《らいねん》の豊作《ほうさく》を祈《いの》ります。

▲霧雨《きりさめ》の中《なか》の荻町合掌集落《おぎまちがっしょうしゅうらく》の全景《ぜんけい》

▲合掌造《がっしょうづく》りの家《いえ》と稲《いね》のはざ掛《か》け

◀築後《ちくご》400年余《ねんあまり》の歴史《れきし》をもつ、合掌造《がっしょうづく》りの民家《みんか》・和田家《わだけ》。屋根《やね》の裏《うら》にあたる部分《ぶぶん》は2層《そう》から4層《そう》ほどになっています。ここでは昔《むかし》「蚕《かいこ》」が飼《か》われていました

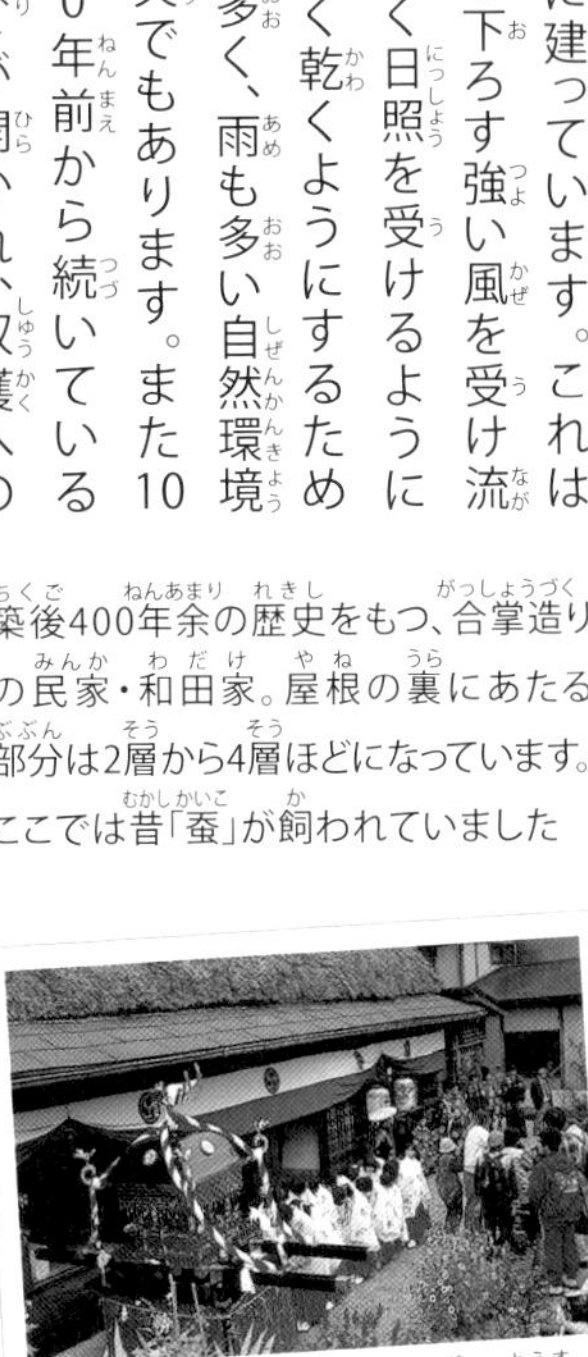
▲どぶろく祭《まつり》、御神幸《ごしんこう》という儀《ぎ》の様子《ようす》

総出《そうで》で行《おこな》う、茅葺《かやぶ》き屋根《やね》の葺《ふ》き替《か》え

屋根《やね》の葺《ふ》き替《か》えは、30～40年《ねん》に一度《いちど》の割合《わりあい》で行《おこな》われます。白川郷《しらかわごう》では毎年《まいとし》1～2棟《とう》の葺《ふ》き替《か》えが必要《ひつよう》になります。屋根片面《やねかためん》を一日《いちにち》、両面《りょうめん》を二日間《ふつかかん》で葺《ふ》くためには、相当《そうとう》の人手《ひとで》がいります。「結《ゆい》」という互助組織《ごじょそしき》や、村人総出《むらびとそうで》で屋根葺《やねふ》きをしたり、地域《ちいき》によっては森林組合《しんりんくみあい》にゆだねたり、ボランティアを集《あつ》めて作業《さぎょう》を行《おこな》う場合《ばあい》もあります。屋根葺《やねふ》きに必要《ひつよう》な「茅《かや》」は、屋根《やね》の大《おお》きさによって変《か》わりますが、およそ4トントラック20台分《だいぶん》の量《りょう》が使《つか》われるそうです。

▲①古《ふる》い茅《かや》はすべて取《と》り除《のぞ》きます

▲②屋根《やね》の面《めん》に葦簀《よしず》を敷《し》きます

▲③屋根葺《やねふ》きは、軒《のき》の部分《ぶぶん》から始《はじ》めます

▲④「平葺《ひらぶ》き」と呼《よ》ばれる作業《さぎょう》で、大《おお》きな屋根《やね》全体《ぜんたい》に茅《かや》を葺《ふ》いていきます

▲⑤ほぼ完成《かんせい》した状態《じょうたい》の茅葺《かやぶ》き屋根《やね》

※写真《しゃしん》は白川郷《しらかわごう》です

▲白川郷・荻町合掌集落の夜景《しらかわごうおぎまちがっしょうしゅうらくやけい》

■合掌造《がっしょうづく》りの集落《しゅうらく》をもっと知《し》るためのガイドについて

明善寺郷土館《みょうぜんじきょうどかん》

茅葺《かやぶ》き寺院本堂《じいんほんどう》をもつ明善寺《みょうぜんじ》。その庫裡《こり》（寺務《じむ》所《しょ》であったり、法事《ほうじ》の控《ひか》え室《しつ》などさまざまな使《つか》い方《かた》をする場所《ばしょ》）が郷土資料館《きょうどしりょうかん》になっています。

［所在地《しょざいち》］大字《おおあざ》679番地《ばんち》
［TEL］05769-6-1009　［入館《にゅうかん》］400円《えん》
［開館時間《かいかんじかん》］8:30～17:00（12～3月《がつ》は9:00～16:00）［休館日《きゅうかんび》］不定休《ふていきゅう》

道《みち》の駅白川郷《えきしらかわごう》

道《みち》の駅《えき》としての機能《きのう》を備《そな》えながら、「合掌《がっしょう》ミュージアム」という展示館《てんじかん》があります。ここでは本物《ほんもの》の合掌造《がっしょうづく》りを移築《いちく》し、合掌造《がっしょうづく》りの仕組《しく》みをわかりやすく説明《せつめい》しています。

［所在地《しょざいち》］白川村飯島《しらかわむらいいじま》411
［TEL］05769-6-1310

五箇山民俗館《ごかやまみんぞくかん》

菅沼合掌造《すがぬまがっしょうづく》り集落《しゅうらく》の中《なか》の1棟《とう》で内部《ないぶ》を見学《けんがく》できる施設《しせつ》です。山村生活《さんそんせいかつ》の用具《ようぐ》など200点《てん》が収集《しゅうしゅう》・展示《てんじ》されています。

［所在地《しょざいち》］南砺市菅沼《なんとしすがぬま》436番地《ばんち》
［TEL］0763-67-3652　［入館《にゅうかん》］300円《えん》
［開館時間《かいかんじかん》］9:00～16:00　［休館日《きゅうかんび》］無休《むきゅう》

岩瀬家《いわせけ》

五箇山最大《ごかやまさいだい》の民家《みんか》で、間口《まぐち》14間半《けんはん》、奥行《おくゆ》き7間《けん》の5階建《かいだ》て。国《くに》の重要文化財《じょうようぶんかざい》に指定《してい》されています。

［所在地《しょざいち》］南砺市西赤尾町《なんとしにしあかおまち》857-1
［TEL］0763-67-3338　［入館《にゅうかん》］300円《えん》
［開館時間《かいかんじかん》］9:00～17:00　［休館日《きゅうかんび》］無休《むきゅう》

文化《ぶんか》遺産《いさん》

法隆寺地域《ほうりゅうじちいき》の仏教建造物《ぶっきょうけんぞうぶつ》

文化遺産《ぶんかいさん》・法隆寺地域《ほうりゅうじちいき》の仏教建造物《ぶっきょうけんぞうぶつ》は斑鳩町《いかるがちょう》にあり、法隆寺《ほうりゅうじ》、法起寺《ほうきじ》からなります。創建以来《そうけんいらい》1400年余《ねんあまり》という長《なが》い歴史《れきし》を刻《きざ》んだ法隆寺《ほうりゅうじ》には、世界最古《せかいさいこ》の木造建築物《もくぞうけんちくぶつ》の中門《なかもん》、金堂《こんどう》、日本《にほん》の塔《とう》の中《なか》で最古《さいこ》の五重塔《ごじゅうのとう》があります。また、三重塔《さんじゅうのとう》ではやはり日本最古《にほんさいこ》の塔《とう》がある法起寺《ほうきじ》。ひとつの地域《ちいき》に仏教文化《ぶっきょうぶんか》の宝庫《ほうこ》ともいえる、建造物《けんぞうぶつ》や仏像《ぶつぞう》などが集中《しゅうちゅう》し、よく保存《ほぞん》されているところは、ほかに例《れい》がないと高《たか》く評価《ひょうか》されています。

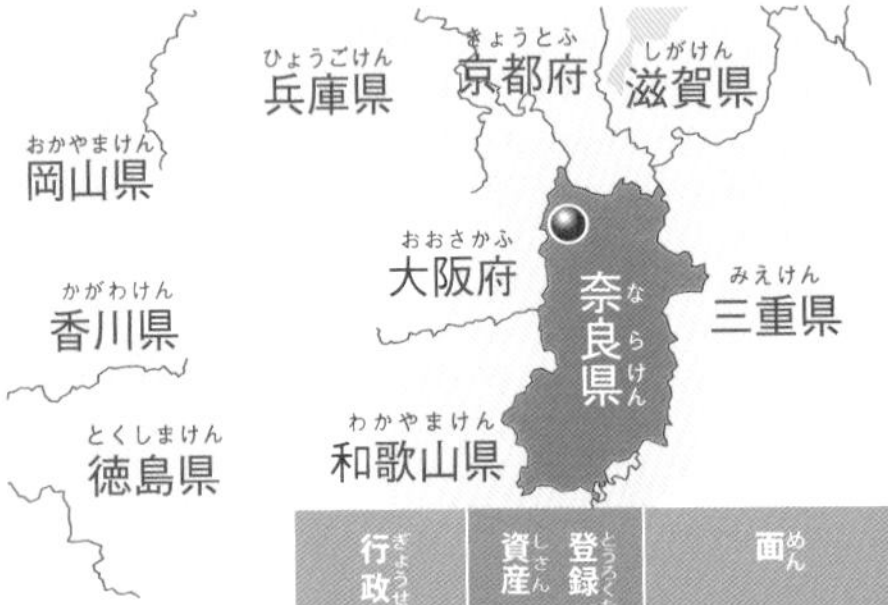

登録内容《とうろくないよう》

遺産種別《いさんしゅべつ》	登録年《とうろくねん》	登録基準《とうろくきじゅん》	面積《めんせき》	登録対象資産《とうろくたいしょうしさん》	行政区分《ぎょうせいくぶん》
文化遺産《ぶんかいさん》	1993(平成《へいせい》5)年《ねん》	1、2、4、6	[コアゾーン]15.3ha、[バッファゾーン]570.7ha	法隆寺《ほうりゅうじ》、法起寺《ほうきじ》	奈良県《ならけん》:生駒郡《いこまぐん》斑鳩町《いかるがちょう》

「世界最古《せかいさいこ》」という財産《ざいさん》を持《も》つ、法隆寺《ほうりゅうじ》

奈良市街《ならしがい》の南西《なんせい》にある斑鳩《いかるが》の地《ち》、ここは聖徳太子《しょうとくたいし》ゆかりの地《ち》であり、6世紀中頃《せいきなかごろ》に伝来《でんらい》した仏教文化《ぶっきょうぶんか》が開《ひら》いた場所《ばしょ》でもあります。法隆寺《ほうりゅうじ》の名《な》も、創建当時《そうけんとうじ》は「斑鳩寺《いかるがでら》」でありました。

広大《こうだい》な敷地《しきち》を持《も》つ法隆寺《ほうりゅうじ》は、西院伽藍《さいいんがらん》と東院伽藍《とういんがらん》に分《わ》けることができます。金堂《こんどう》や五重塔《ごじゅうのとう》がある西院伽藍《さいいんがらん》は、607(推古天皇《すいこてんのう》15)年《ねん》に推古天皇《すいこてんのう》と聖徳太子《しょうとくたいし》によって創建《そうけん》されたとされています。この伽藍《がらん》は「若草伽藍《わかくさがらん》」と呼《よ》ばれており、現在《げんざい》の伽藍《がらん》ではありません。夢殿《ゆめどの》を中心《ちゅうしん》とした東院伽藍《とういんがらん》は、奈《な》良《ら》時代《じだい》の739(天平《てんぴょう》11)年《ねん》に行《ぎょう》信僧都《しんそうず》によって建立《こんりゅう》されました。

なお、法隆寺《ほうりゅうじ》は創建《そうけん》から64年後《ねんご》の670（天智《てんち》9）年《ねん》に焼失《しょうしつ》、7世紀《せいき》から8世紀初頭《せいきしょとう》にかけて再建《さいけん》されたといわれていますが、創建《そうけん》や再建《さいけん》に関《かん》しては解明《かいめい》されていない部分《ぶぶん》も多《おお》くあります。たとえば、2001年《ねん》に行《おこな》われた五重塔《ごじゅうのとう》の心柱《しんばしら》のX線撮影《せんさつえい》による年輪年代《ねんりんねんだい》法《ほう》によって、用材《ようざい》の伐採《ばっさい》は594年《ねん》と判定《はんてい》されています。これが正《ただ》しければ、五重塔《ごじゅうのとう》は焼失《しょうしつ》せずに創建《そうけん》当時《とうじ》のままであるという可能性《かのうせい》もあることになりますが、謎《なぞ》は深《ふか》まっています。

いずれにしても、1400年《ねん》の歳月《さいげつ》を経《へ》て今《いま》も活《い》きている木《き》（木造建造物《もくぞうけんぞうぶつ》）があることは驚異《きょうい》です。

▲五重塔《ごじゅうのとう》

ストゥーパは、日本語《にほんご》で塔《とう》と呼《よ》ばれ釈迦《しゃか》の遺骨《いこつ》を安置《あんち》するものであり、仏教寺《ぶっきょうじ》院《いん》では最《もっと》も重要《じゅうよう》な建物《たてもの》とされています。法隆寺《ほうりゅうじ》の五重塔《ごじゅうのとう》は高《たか》さ31.5m、わが国最古《くにさいこ》の五重塔《ごじゅうのとう》です

▶斑鳩《いかるが》の里《さと》には弥勒菩薩半跏像《みろくぼさつはんかぞう》のある「中宮寺《ちゅうぐうじ》」、聖徳太子《しょうとくたいし》と縁《ゆかり》のある「法輪寺《ほうりんじ》」などがあります

法隆寺《ほうりゅうじ》にある代表的《だいひょうてき》な建築物《けんちくぶつ》、金堂《こんどう》

国宝《こくほう》に指定《してい》されている二重仏堂《にじゅうぶつどう》です。かつては、壁画《へきが》が貴重《きちょう》な仏教絵画《ぶっきょうかいが》として扱《あつか》われてきましたが、修復《しゅうふく》作業《さぎょう》の一環《いっかん》として模写《もしゃ》を行《おこ》なっている最中《さいちゅう》に火災《かさい》になってしまい、黒焦《くろこ》げになってしまいました。この火災《かさい》が「文化財保護法《ぶんかざいほごほう》」が制定《せいてい》されるきっかけになったとされています。

▲金堂《こんどう》(手前《てまえ》)
photo by 663highland

◀法隆寺金堂壁画《ほうりゅうじこんどうへきが》　阿弥陀浄土図《あみだじょうどず》(上部《じょうぶ》、焼損前《しょうそんまえ》)
壁面《へきめん》(土漆喰《つちしっくい》など)に顔料《がんりょう》で描《か》かれた壁画《へきが》　七世紀末《ななせいきすえ》(推定《すいてい》) 1949年《ねん》の火災前《かさいまえ》の状態

中門《ちゅうもん》

両側《りょうがわ》に金剛力士像《こんごうりきしぞう》を安置《あんち》する巨大《きょだい》な門《もん》です。これも国宝《こくほう》に指定《してい》されており、また仁王像《におうぞう》は「日本最古《にほんさいこ》の仁王像《におうぞう》」としても知《し》られています。なお現在《げんざい》、出入口《でいりぐち》の門《もん》としては使用《しよう》されていません。

▲中門《ちゅうもん》の両側《りょうがわ》に仁王像《におうぞう》

法隆寺式《ほうりゅうじしき》の伽藍配置《がらんはいち》

伽藍配置《がらんはいち》は時代《じだい》や宗派《しゅうは》によって変《か》わってきます。法隆寺《ほうりゅうじ》では、中門《ちゅうもん》を背《せ》にして大講堂《だいこうどう》と向《む》き合《あ》う位置《いち》に立《た》つと、右《みぎ》（東《ひがし》）に金堂《こんどう》、左《ひだり》（西《にし》）に五重塔《ごじゅうのとう》が配置《はいち》されています。これが法隆寺式《ほうりゅうじしき》と呼《よ》ばれる独自《どくじ》の伽藍配置《がらんはいち》です。なお回廊《かいろう》は中門《ちゅうもん》と大講堂《だいこうどう》を結《むす》んでいますが、平安時代以前《へいあんじだいいぜん》には、大講堂《だいこうどう》は回廊《かいろう》の外《そと》にありました。これ以前《いぜん》には、飛鳥寺式《あすかでらしき》、四天王寺式《してんのうじしき》という伽藍《がらん》配置《はいち》があり、四天王寺式《してんのうじしき》では、中門《ちゅうもん》、塔《とう》、金堂《こんどう》、講堂《こうどう》が南北一直線《なんぼくいっちょくせん》に並《なら》んでいます。さらに時代《じだい》が下《くだ》ることによって薬師寺式《やくしじしき》、東大寺式《とうだいじしき》と異《こと》なる伽藍配置《がらんはいち》も登場《とうじょう》します。

■法隆寺式《ほうりゅうじしき》の伽藍配置《がらんはいち》

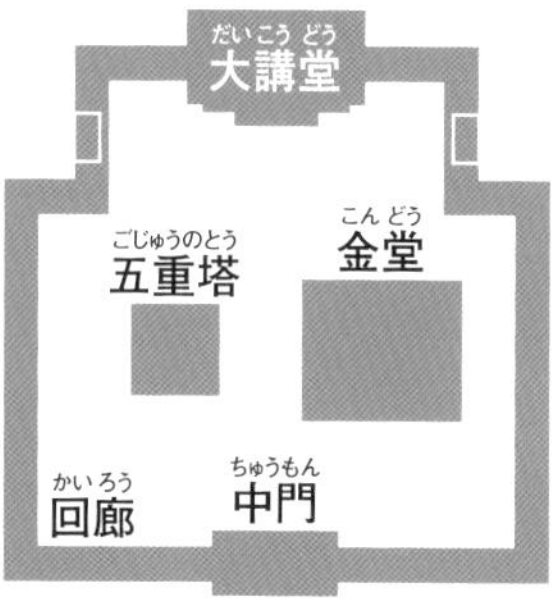

※本来《ほんらい》の法隆寺《ほうりゅうじ》は、大講堂《だいこうどう》が回廊《かいろう》の外《そと》にありました

ポイント解説《かいせつ》 伽藍《がらん》とは

伽藍《がらん》は僧侶《そうりょ》が集《あつ》まり修行《しゅぎょう》する、けがれのない場所《ばしょ》、清《きよ》い場所《ばしょ》を意味《いみ》します。後《のち》に、寺院《じいん》または寺院《じいん》の主要建物群《しゅようたてものぐん》を意味《いみ》するようになります。伽藍配置《がらんはいち》とは、主要建物群《しゅようたてものぐん》の並《なら》び方《かた》ということになります。伽藍《がらん》は、日本《にほん》、インド、中国《ちゅうごく》と国《くに》によっても変《か》わります。

▲夢殿《ゆめどの》
八角円堂《はっかくえんどう》の中央《ちゅうおう》の厨子《ずし》には、聖徳太子《しょうとくたいし》の等身《とうしん》と伝《つた》えられる秘仏《ひぶつ》・救世《くせ》観音像《かんのんぞう》が安置《あんち》されています

法起寺《ほうきじ》

法隆寺《ほうりゅうじ》の北東約《ほくとうやく》1・5㎞にある法起寺《ほうきじ》。622（推古天皇《すいこてんのう》30）年《ねん》の聖徳太子逝去《しょうとくたいしせいきょ》に際《さい》し、太子《たいし》の遺命《いめい》により、かつて太子《たいし》が法華経《ほっけきょう》を講義《こうぎ》した岡本宮《おかもとみや》を寺《てら》に改《あらた》めたと伝《つた》えられています。

法起寺《ほうきじ》は別名《べつめい》、岡本寺《おかもとでら》、岡本尼寺《おかもとにじ》、池後寺《いけじりでら》とも呼《よ》ばれています。法隆《ほうりゅう》寺式《じしき》の伽藍配置《がらんはいち》ですが、金堂《こんどう》と塔《とう》の位置《いち》が反対《はんたい》で法起寺式《ほうきじしき》ともいわれています。706（慶雲《けいうん》3）年頃完成《ねんごろかんせい》の三重塔《さんじゅうのとう》は、現存《げんぞん》する日本最古《にほんさいこ》の三重塔《さんじゅうのとう》です。

▲ 法起寺《ほうきじ》・三重塔《さんじゅうのとう》
飛鳥時代《あすかじだい》の面影《おもかげ》を偲《しの》ばせる、日本最古《にほんさいこ》の三重塔《さんじゅうのとう》

■法隆寺《ほうりゅうじ》をもっと知《し》るために

法隆寺《ほうりゅうじ》 i《あい》 センター

法隆寺《ほうりゅうじ》をはじめとする斑鳩《いかるが》の里《さと》や奈良大和路《ならやまとじ》の観光情報《かんこうじょうほう》を提供《ていきょう》してくれます。館内《かんない》には法隆寺金堂《ほうりゅうじこんどう》の実物大《じつぶつだい》の柱《はしら》のオブジェや伽藍《がらん》の模型《もけい》などもあり、知識《ちしき》を高《たか》めながら楽《たの》しく見《み》るのに役立《やくだ》ちます。

［所在地《しょざいち》］奈良県《ならけん》生駒郡《いこまぐん》斑鳩町《いかるがちょう》法隆寺《ほうりゅうじ》1-8-25［TEL］0745-74-6800
［入館《にゅうかん》］無料《むりょう》
［開館時間《かいかんじかん》］8:30〜18:00［休館日《きゅうかんび》］無休《むきゅう》
［駐車場《ちゅうしゃじょう》］あり（有料《ゆうりょう》）

▲ 建物《たてもの》は斑鳩《いかるが》の里《さと》のイメージに合《あ》わせた、瓦葺《かわらぶ》きの2階建《かいだ》て

▲ 法隆寺金堂《ほうりゅうじこんどう》の入側柱《いりがわばしら》の上半分《うえはんぶん》をヒノキ材《ざい》を使《つか》い実物大《じつぶつだい》で再現《さいげん》しています

法隆寺《ほうりゅうじ》に深《ふか》くかかわった聖徳太子《しょうとくたいし》

聖徳太子《しょうとくたいし》は用明天皇《ようめいてんのう》の第二王子《だいにおうじ》として生《う》まれた飛鳥時代《あすかじだい》の皇族《こうぞく》でした。政治家《せいじか》として遣隋使《けんずいし》を派遣《はけん》するなどして中国大陸《ちゅうごくたいりく》にある文化《ぶんか》を積極的《せっきょくてき》に日本《にほん》へ取《と》り入《い》れ、国家《こっか》の体制《たいせい》を整《とと》えた偉人《いじん》として知《し》られています。そして、「冠位十二階《かんいじゅうにかい》」や「十七条憲法《じゅっしちじょうけんぽう》」などの制定《せいてい》とならび、仏教《ぶっきょう》を篤《あつ》く信仰《しんこう》した聖徳太子《しょうとくたいし》によって成《な》し遂《と》げられたのが法隆寺《ほうりゅうじ》の創建《そうけん》です。現在《げんざい》の研究《けんきゅう》では、聖徳太子《しょうとくたいし》は実在《じつざい》しない、フィクションの人物《じんぶつ》であるとする説《せつ》もありますが、数々《かずかず》の偉業《いぎょう》が記録《きろく》されていることから、少《すく》なくともモデルとなった人物《じんぶつ》が実在《じつざい》していたであろうと考《かんが》えられています。

▲ 聖徳太子《しょうとくたいし》とも推定《すいてい》される人物《じんぶつ》が描《か》かれた肖像画《しょうぞうが》『唐本御影《とうほんみえい》』

聖徳宗《しょうとくしゅう》と聖徳太子《しょうとくたいし》

聖徳宗《しょうとくしゅう》は、日本《にほん》にある仏教宗派《ぶっきょうしゅうは》のひとつで、宗教法人《しゅうきょうほうじん》に認可《にんか》されています。仏教《ぶっきょう》に熱心《ねっしん》だったと伝《つた》えられる聖徳太子《しょうとくたいし》を宗祖《しゅうそ》としており、法隆寺《ほうりゅうじ》を総本山《そうほんざん》としています。また、聖徳太子《しょうとくたいし》が著《しる》したとされる「三経義疏《さんぎょうぎしょ》」を経典《きょうてん》（現存《げんぞん》する日本《にほん》最古《さいこ》の書物《しょもつ》と伝《つた》えられる）としています。

▲ 聖徳太子立像《しょうとくたいしりつぞう》 飛鳥寺蔵《あすかでらぞう》

photo by Chris 73

文化《ぶんか》遺産《いさん》

姫路城《ひめじじょう》

姫路城《ひめじじょう》は、築城以来《ちくじょういらい》400年余《ねんあまり》の歴史《れきし》を今日《こんにち》まで刻《きざ》み続《つづ》けている稀《まれ》な例《れい》で、日本《にほん》の城郭建造物《じょうかくけんぞうぶつ》の中《なか》では第一級《だいいっきゅう》の保存度《ほぞんど》を誇《ほこ》っています。城《しろ》のシンボルともいえる「天守閣《てんしゅかく》」をはじめ、防御《ぼうぎょ》するための造《つく》りや仕掛《しか》けなどがほぼ完全《かんぜん》な形《かたち》で残《のこ》っています。なお、姫路城《ひめじじょう》の起源《きげん》は1346(正平元《しょうへいがん》)年《ねん》頃《ごろ》。現在《げんざい》の連立式《れんりつしき》の天守閣《てんしゅかく》を持《も》つ白亜《はくあ》の名城《めいじょう》となったのは、1609(慶長《けいちょう》14)年《ねん》のことです。

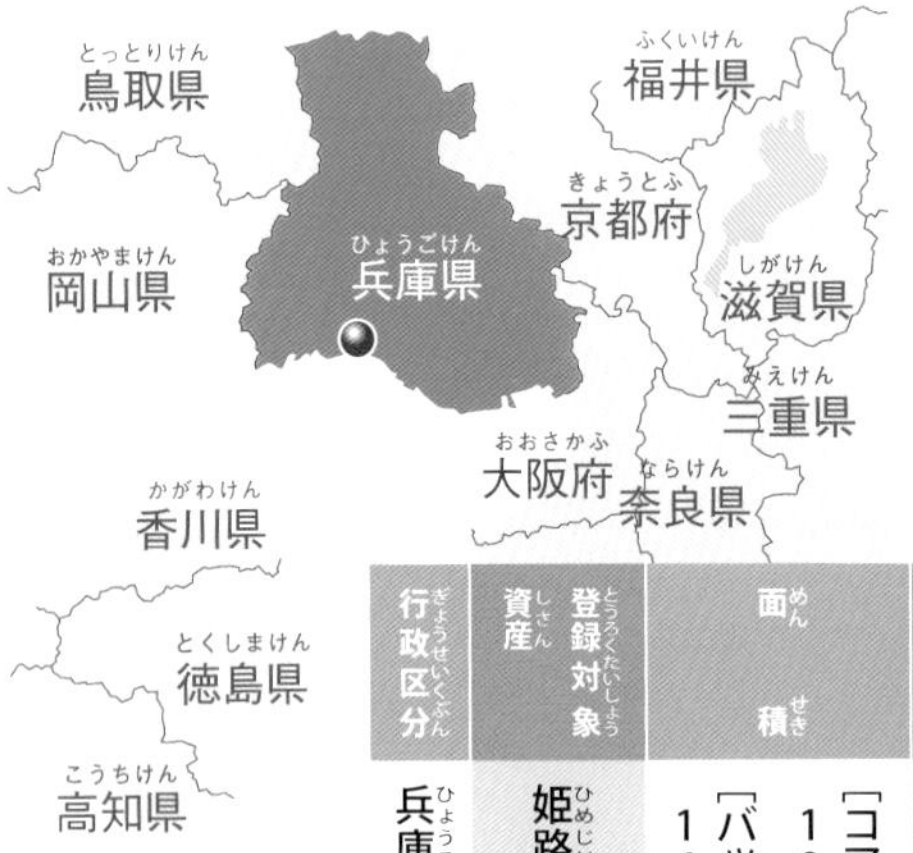

登録内容《とうろくないよう》

遺産種別《いさんしゅべつ》	登録年《とうろくねん》	登録基準《とうろくきじゅん》	面積《めんせき》	登録対象資産《とうろくたいしょうしさん》	行政区分《ぎょうせいくぶん》
文化遺産《ぶんかいさん》	1993(平成《へいせい》5)年《ねん》	1、4	[コアゾーン]107.0ha、[バッファゾーン]143.0ha	姫路城《ひめじじょう》	兵庫県《ひょうごけん》:姫路市《ひめじし》

姫路城《ひめじじょう》の造形美《ぞうけいび》と堅牢《けんろう》な要塞機能《ようさいきのう》はまさに名城《めいじょう》

姫路城《ひめじじょう》は播磨平野《はりまひらの》の中央《ちゅうおう》、標高約《ひょうこうやく》45mの姫山《ひめやま》の丘陵《きゅうりょう》に建《た》てられた典型的《てんけいてき》な平山城《ひらやまじろ》です。天守閣《てんしゅかく》をはじめ、城郭《じょうかく》の主要部《しゅようぶ》が完璧《かんぺき》に近《ちか》い形《かたち》で残《のこ》っている貴重《きちょう》な文化財《ぶんかざい》です。

「白鷺城《しらさぎじょう》」と呼《よ》ばれる優美《ゆうび》な姿《すがた》の中《なか》に「城《しろ》」としてのすぐれた機能《きのう》を持《も》った姫《ひめ》路城《じじょう》には、いくつもの特徴《とくちょう》があります。

❶螺旋式縄張《らせんしきなわばり》。縄張《なわばり》とは城《しろ》の設計《せっけい》、構成《こうせい》、仕組《しく》みのことをいいます。

❷天守閣《てんしゅかく》が、大天守《だいてんしゅ》と三《みっ》つの小天守《こてんしゅ》の連立式《れんりつしき》になっています。

❸天守閣《てんしゅかく》をはじめ門《もん》の城壁《じょうへき》などが白漆《しろしっ》

文化遺産《ぶんかいさん》

姫路城《ひめじじょう》

喰塗籠造《くいぬりこめづくり》に仕上《しあ》げられています。

❹天守《てんしゅ》をはじめ、櫓《やぐら》、門《もん》など80余《あま》りに及《およ》ぶ建造物《けんぞうぶつ》を中心《ちゅうしん》に、昔《むかし》の姿《すがた》がほぼ完全《かんぜん》に保存《ほぞん》されています。

これらが組《く》み合《あ》わさり、姫路城《ひめじじょう》ならではの秀《ひい》でた美《うつく》しい外見《がいけん》や機能美《きのうび》となっています。

ポイント解説《かいせつ》1 天守閣《てんしゅかく》

戦国時代以前《せんごくじだいいぜん》の中世《ちゅうせい》の城《しろ》は、山城《やまじろ》といわれ、数《すう》10～数《すう》100mの山《やま》の上《うえ》に建《た》てられ、防御的機能《ぼうぎょてききのう》に重点《じゅうてん》を置《お》いたものが多《おお》くありました。それに対《たい》し「天守《てんしゅ》」は戦国時代以降《せんごくじだいいこう》の城《しろ》の中心的存在《ちゅうしんてきそんざい》となった建造物《けんぞうぶつ》をいいます。一般的《いっぱんてき》に「天守閣《てんしゅかく》」と「閣《かく》」をつけるようになったのは、明治時代前後《めいじじだいぜんご》のことといわれています。なお、現在天守閣《げんざいてんしゅかく》のある城《しろ》は、東北《とうほく》の弘前城《ひろさきじょう》、近畿《きんき》の彦根城《ひこねじょう》、四国《しこく》の松山城《まつやまじょう》など12箇所《かしょ》あります。

▲姫路城《ひめじじょう》と桜《さくら》

ポイント解説《かいせつ》2 平山城《ひらやまじろ》

平山城《ひらやまじろ》とは平野《ひらの》の中《なか》にある山《やま》、丘陵《きゅうりゅう》などに築城《ちくじょう》された城《しろ》のことで、地形《ちけい》による城《しろ》の分類法《ぶんるいほう》のひとつです。戦国時代終盤《せんごくじだいしゅうばん》から多《おお》く築《きず》かれるようになり、領国支配《りょうごくしはい》における経済《けいざい》の中心的《ちゅうしんてき》な役割《やくわり》も果《は》たしました。姫路城《ひめじじょう》のほかにも、安土城《あづちじょう》、江戸城《えどじょう》、仙台城《せんだいじょう》、熊本城《くまもとじょう》なども平山城《ひらやまじろ》です。

姫路城《ひめじじょう》MAP《まっぷ》

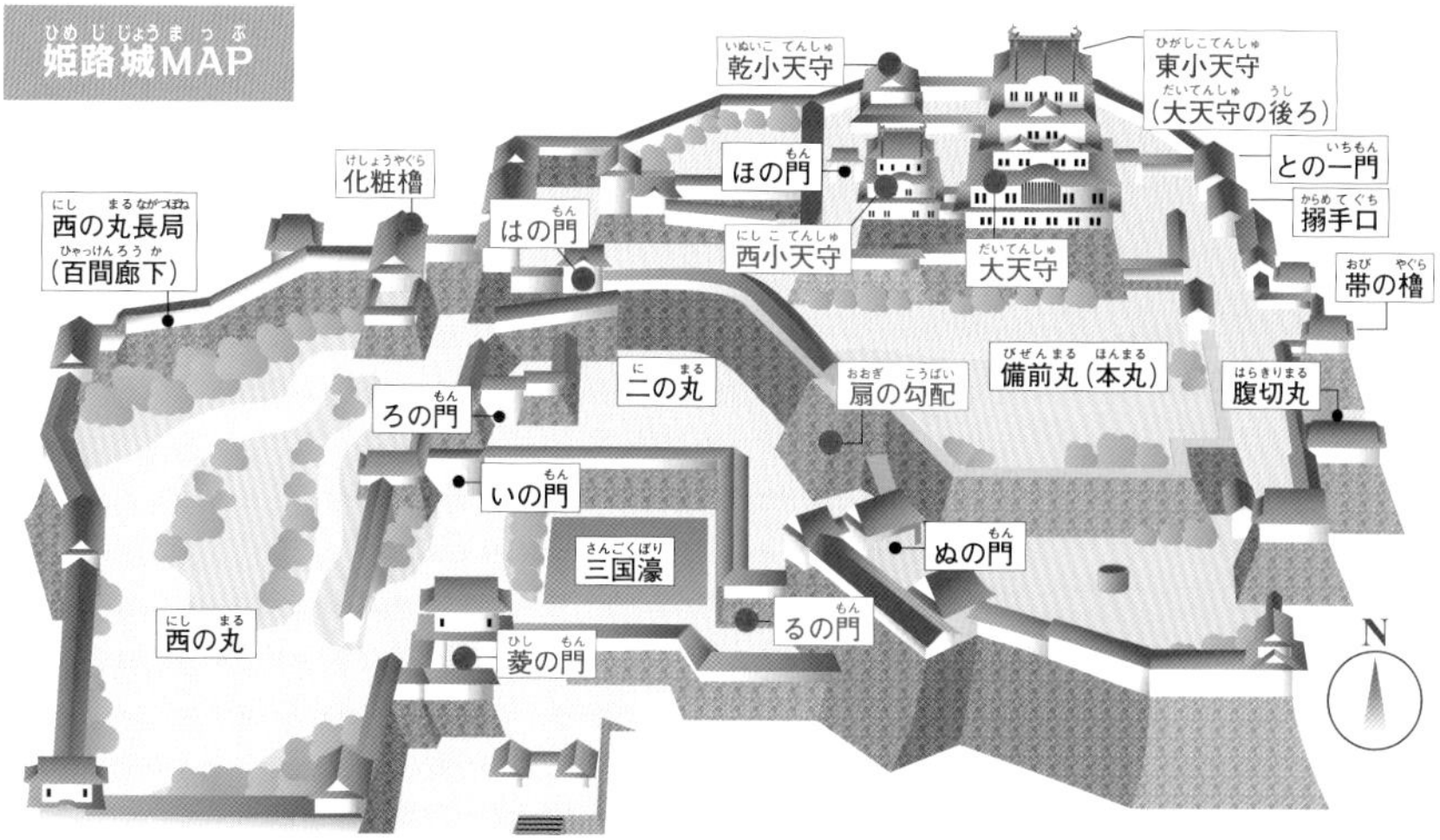

自然遺産《しぜんいさん》

❶巧妙《こうみょう》な螺旋式縄張《らせんしきなわばり》

姫路城《ひめじじょう》の縄張《なわばり》は、抵抗《ていこう》（防御《ぼうぎょ》）線《せん》が3重《じゅう》の螺旋形《らせんけい》になった複雑巧妙《ふくざつこうみょう》なものです。本丸《ほんまる》のある姫山《ひめやま》のふもとを起点《きてん》に左回《ひだりまわ》りに内濠《うちぼり》、中濠《なかぼり》、外濠《そとぼり》の線《せん》が螺旋《らせん》を描《えが》いています。

現在《げんざい》の姫路城《ひめじじょう》の敷地《しきち》は内濠《うちぼり》にかかる橋《はし》を渡《わた》った内側《うちがわ》とされています。これが城郭《じょうかく》のそびえる内曲輪《うちくるわ》と呼《よ》ばれる部分《ぶぶん》です。真《ま》ん中《なか》が中曲輪《なかくるわ》で武家屋敷《ぶけやしき》などが並《なら》び、さらにその外側《そとがわ》が外曲輪《そとくるわ》で組屋敷《くみやしき》（与力《よりき》・同心《どうしん》などの組《くみ》の者《もの》にまとめて与《あた》えられていた屋敷《やしき》）や町屋《まちや》（商人《しょうにん》、職人《しょくにん》などの町人《ちょうにん》が住《す》む家《いえ》）などが並《なら》ぶ城下町《じょうかまち》となるように分《わ》かれていました。

現在《げんざい》、JR姫路駅《ひめじえき》が立《た》つあたりが外濠《そとぼり》で、東西左右《とうざいさゆう》に走《はし》る国道《こくどう》2号《ごう》が中濠《なかぼり》の跡《あと》です。なお、この螺旋式縄張《らせんしきなわばり》は姫路城《ひめじじょう》と江戸城《えどじょう》にしか類例《るいれい》のない形式《けいしき》です。

※曲輪《くるわ》とは、城《しろ》や館《やかた》の一部分《いちぶぶん》を意味《いみ》し、堀《ほり》や石垣《いしがき》、土塁《どるい》などによって区画《くかく》されます。

▲堀《ほり》は、城《しろ》の北《きた》を基点《きてん》に左《ひだり》巻《ま》きに螺旋《らせん》を描《えが》くように造《つく》られています

❷白亜《はくあ》の連立天守閣《れんりつてんしゅかく》

姫路城《ひめじじょう》の天守閣《てんしゅかく》は、5層《そう》7階《かい》の華麗《かれい》な大天守《だいてんしゅ》と、東《ひがし》、西《にし》、乾《いぬい》の3つの小天守《こてんしゅ》が渡《わた》り櫓《やぐら》で結《むす》ばれている連立式《れんりつしき》です。

◀連立式天守閣群《れんりつしきてんしゅかくぐん》 左側《ひだりがわ》が「乾小天守《いぬいこてんしゅ》」、中央《ちゅうおう》が「大天守《だいてんしゅ》」、右側《みぎがわ》が「西小天守《にしこてんしゅ》」

※は改修前《かいしゅうまえ》のもの

▲西小天守《にしこてんしゅ》※
東《ひがし》 小天守《こてんしゅ》と対《つい》になっており、構造《こうぞう》も同《おな》じです。大天守《だいてんしゅ》入《い》り口《ぐち》に達《たっ》する敵《てき》を迎《むか》え撃《う》つ、最《さい》後《ご》のポイントとなる場所《ばしょ》です

▲東《ひがし》 小天守《こてんしゅ》※
大天守《だいてんしゅ》の北側《きたがわ》にあって、外観《がいかん》は3重《じゅう》、内部《ないぶ》は地階《ちかい》を合《あ》わせて4階《かい》になっています。大天守《だいてんしゅ》とは「いの渡《わた》り櫓《やぐら》」で連結《れんけつ》しています

▲乾《いぬい》 小天守《こてんしゅ》※
3つの小天守《こてんしゅ》の中《なか》で一番大《いちばんおお》きく、外観《がいかん》は3層《そう》、内部《ないぶ》は地下《ちか》1階《かい》・地上《ちじょう》4階《かい》の重厚《じゅうこう》な構造《こうぞう》。細部《さいぶ》に渡《わた》って準天守扱《じゅんてんしゅあつか》いの造《つく》りになっています

▼大天守《だいてんしゅ》※
天守《てんしゅ》の高《たか》さは約《やく》30m、海抜《かいばつ》にすると約《やく》90mの位置《いち》にあたります。

天守《てんしゅ》の構造《こうぞう》は地《ち》から3階《かい》の床《ゆか》まで、3階《かい》から6階《かい》の床《ゆか》まで、6階《かい》から上《うえ》と3つの小天守部分《こてんしゅぶぶん》を渡《わた》り櫓《やぐら》で結合《けつごう》した構造《こうぞう》です。これを東西《とうざい》に立《た》てられた高《たか》さ24m、直径《ちょっけい》2m近《ちか》い2本《ほん》の大《おお》きな柱《はしら》（心柱《しんばしら》）が貫《つらぬ》いています

❸白漆喰塗籠造《しろしっくいぬりこめづくり》

漆喰《しっくい》とは、石灰《せっかい》を主原料《しゅげんりょう》とし、糊《のり》(海藻糊《かいそうこ》など)、スサ(漆喰《しっくい》のひび割《わ》れ防止《ぼうし》のために入《い》れる麻《あさ》などの繊維《せんい》質《しつ》の材料《ざいりょう》)を加《くわ》えて、水《みず》で練《ね》り上《あ》げた塗《ぬ》り壁《かべ》の材料《ざいりょう》のことです。石灰《せっかい》の色《いろ》が反映《はんえい》されることで「白色《はくしょく》」となります。漆喰《しっくい》の特性《とくせい》は防火性《ぼうかせい》に優《すぐ》れていること。また湿気《しっけ》を吸収《きゅうしゅう》し調整《ちょうせい》するので季節《きせつ》の変化《へんか》に耐《た》え、カビがつきにくいという性質《せいしつ》もあります。

この白漆喰塗籠造《しろしっくいぬりこめづくり》はいくつも連《つら》なる千鳥破風《ちどりはふ》や唐破風《からはふ》と相《あい》まって、美《うつく》しい構成美《こうせいび》をつくりだしています。

※破風《はふ》とは、切妻《きりつま》や入母屋造《いりもやづく》りなどにできる、妻側《つまがわ》の三角形部分《さんかくけいぶぶん》の造形《ぞうけい》のことです。(P91参照《さんしょう》)

※曲輪《くるわ》とは、城《しろ》や館《やかた》の一部分《いちぶぶん》を意味《いみ》し、堀《ほり》や石垣《いしがき》、土塁《どるい》などによって区画《くかく》されます。

❹堅牢《けんろう》な門《もん》・櫓《やぐら》には侵入《しんにゅう》を防《ふせ》ぐ工夫《くふう》

天守閣《てんしゅかく》まで攻《せ》めのぼるにはいくつもの門《もん》を潜《くぐ》り、何度《なんど》も折《お》れ曲《ま》がり、時《とき》には狭《せま》い空間《くうかん》に閉《と》じ込《こ》められてしまうような仕《し》かけを設《もう》けています。また、門《もん》は一度《いちど》に多《おお》くの兵《へい》が侵入《しんにゅう》できないように狭《せま》く頑丈《がんじょう》に造《つく》られています。また滑《すべ》りやすい石段《いしだん》があったり、いたるところに「石落《いしお》とし」という仕《し》かけが造《つく》られています。

また塀《へい》には弓《ゆみ》や鉄砲《てっぽう》で敵《てき》を迎《むか》え撃《う》つための「狭間《さま》」と呼《よ》ばれる穴《あな》が設《もう》けられています。このようにさまざまな実践向《じっせんむ》け機能《きのう》を持《も》った姫路城《ひめじじょう》でしたが、徳川《とくがわ》の太平時代《たいへいじだい》を迎《むか》え、実際《じっさい》に戦場《せんじょう》になることはありませんでした。

▲菱《ひし》の門《もん》
入城後《にゅうじょうご》、最初《さいしょ》に潜《くぐ》る門《もん》です。城内《じょうない》で最《もっと》も大《おお》きな門《もん》で安土桃山時代《あづちももやまじだい》の様式《ようしき》が残《のこ》されています

▲化粧櫓《けしょうやぐら》
内部《ないぶ》は畳《たたみ》を敷《し》いた御殿《ごてん》のような造《つく》り、千姫《せんひめ》がこの櫓《やぐら》を休息所《きゅうそくじょ》としたことから、化《け》粧《しょう》の間《ま》または化粧櫓《けしょうやぐら》と呼《よ》んでいます

▲狭間《さま》
城《しろ》の塀《ほり》にくり抜《ぬ》いた四角《しかく》い窓《まど》が「狭間《さま》」です

▲ 扇《おうぎ》の勾配《こうばい》

この石垣《いしがき》は扇《おうぎ》の勾配《こうばい》といわれ、上《うえ》にいくほど反《そ》り上《あ》がるような美《うつく》しいカーブを描《えが》いています。そのカーブが開《ひら》いた扇《おうぎ》の曲線《きょくせん》に似《に》ていることから、この名《な》がついています

▲ はの門《もん》

向《む》こうに天守閣《てんしゅかく》がくっきり見《み》えるように造《つく》ってあり、敵《てき》にすぐそこが天守閣《てんしゅかく》であると錯覚《さっかく》させるようになっています

◀ るの門《もん》

門《もん》の両側《りょうがわ》に石垣《いしがき》を築《きず》き、その上《うえ》に櫓《やぐら》をのせた城独特《しろどくとく》の櫓門《やぐらもん》です。この櫓《やぐら》には床板《ゆかいた》をはずして石《いし》を落《お》としたり、ヤリで突《つ》いたりできる仕《し》かけがあります

■姫路城《ひめじじょう》の歴史《れきし》

1346（正平元《しょうへいがん》）	元弘《げんこう》の乱《らん》のとき、播磨守護《はりましゅご》・赤松則村《あかまつのりむら》が陣《じん》を構《かま》えた地《ち》に、その息子《むすこ》・貞則《ただのり》が1346（正平元《しょうへいがん》）年頃《ねんごろ》に築城《ちくじょう》したのが始《はじ》まりです。
1555（天文《てんもん》24）年《ねん》	備前福岡《びぜんふくおか》から播磨入《はりまい》りした黒田重隆《くろだしげたか》は息子《むすこ》とともに、1555（天文《てんもん》24）年《ねん》から1561（永禄《えいろく》4）年《ねん》の間《あいだ》に「新城《しんじょう》」を建設《けんせつ》。これが本格的《ほんかくてき》な姫路城郭《ひめじじょうかく》の誕生《たんじょう》だといわれています。
1580（大正《たいしょう》8）年《ねん》	織田信長《おだのぶなが》の命《めい》により、播磨《はりま》の平定《へいてい》のため姫路城《ひめじじょう》に入《はい》った、羽柴《はしば》（のちの豊臣《とよとみ》）秀吉《ひでよし》が毛利氏《もうりし》との戦《たたか》いの拠点《きょてん》として本格的《ほんかくてき》に城《しろ》を改修《かいしゅう》。1580（天正《てんしょう》8）年《ねん》に三層《さんそう》の天守閣《てんしゅかく》を持《も》つ城《しろ》を造営《ぞうえい》します。
1609（慶長《けいちょう》14）年《ねん》	関ヶ原《せきがはら》の合戦《がっせん》で徳川家康方《とくがわいえやすがた》の武将《ぶしょう》として活躍《かつやく》した池田輝政《いけだてるまさ》が、1600（慶長《けいちょう》5）年《ねん》に姫路城《ひめじじょう》の城主《じょうしゅ》になります。輝政《てるまさ》は9年《ねん》の歳月《さいげつ》をかけ、連立式《れんりつしき》の天守《てんしゅ》を持《も》つ白亜《はくあ》の名城《めいじょう》を完成《かんせい》させます。
1617（元和《げんな》3）年《ねん》	輝政《てるまさ》の没後《ぼつご》、徳川四天王《とくがわしてんのう》の一人《ひとり》・本田忠勝《ほんだただかつ》の子《こ》、本田忠政《ほんだただまさ》が1617（元和《げんな》3）年《ねん》に姫路城《ひめじじょう》に入《はい》ります。太平《たいへい》の世《よ》になるにつれ、居住性《きょじゅうせい》を伴《ともな》った「政治拠点《せいじきょてん》」としての城《しろ》づくりを行《おこな》います。三《さん》の丸《まる》に自分《じぶん》が住《す》む館《やかた》を建《た》て、また内堀《うちぼり》の外《そと》にも屋敷《やしき》を建《た》てるなど、ここに姫路城《ひめじじょう》の全容《ぜんよう》が完成《かんせい》します。
明治以降《めいじいこう》の姫路城《ひめじじょう》	明治政府《めいじせいふ》が全国《ぜんこく》の城《しろ》について、残《のこ》すか壊《こわ》すかということを決《き》める中《なか》で、姫路城《ひめじじょう》の城内《じょうない》を陸軍《りくぐん》の施設《しせつ》に利用《りよう》する条件《じょうけん》で残《のこ》します。その後《ご》、城《しろ》は荒《あ》れ果《は》てる状況《じょうきょう》が続《つづ》きましたが、1879（明治《めいじ》12）年《ねん》に姫路城《ひめじじょう》の保存《ほぞん》が決《き》まり、陸軍省《りくぐんしょう》の費用《ひよう》で修理《しゅうり》が行《おこな》われます。1931（昭和《しょうわ》6）年《ねん》には国宝《こくほう》に指定《してい》され1934（昭和《しょうわ》9）年《ねん》に修理《しゅうり》を開始《かいし》。、第二次世界大戦《だいにじせかいたいせん》の砲火《ほうか》もまぬがれ、1964（昭和《しょうわ》39）年《ねん》までの8年間《ねんかん》、国《くに》による昭和《しょうわ》の大修理《だいしゅうり》が行《おこな》われました。

文化《ぶんか》遺産《いさん》

広島《ひろしま》の平和記念碑《へいわきねんひ》(原爆《げんばく》ドーム)

広島《ひろしま》の平和記念碑《へいわきねんひ》(原爆《げんばく》ドーム)は、広島市《ひろしまし》の中心部《ちゅうしんぶ》を流《なが》れる元安川《もとやすがわ》の川辺《かわべ》にあります。第二次世界大戦《だいにじせかいたいせん》が終《お》わる同《おな》じ月《つき》の1945(昭和《しょうわ》20)年《ねん》8月《がつ》6日《か》にアメリカ軍《ぐん》によって原子爆弾《げんしばくだん》が広島市《ひろしまし》に投下《とうか》されました。この原子爆弾《げんしばくだん》による犠牲者《ぎせいしゃ》は、その年《とし》の12月《がつ》までに約《やく》14万人《まんにん》を数《かぞ》えます。そのときの惨劇《さんげき》を物語《ものがた》る象徴《しょうちょう》が原爆《げんばく》ドームです。世代《せだい》や国《くに》を越《こ》えて、核兵器《かくへいき》の廃絶《はいぜつ》と世界平和《せかいへいわ》を永遠《えいえん》に訴《うった》え続《つづ》ける、人類共通《じんるいきょうつう》の平和記念碑《へいわきねんひ》として世界遺産《せかいいさん》に登録《とうろく》されました。

登録内容《とうろくないよう》

遺産種別《いさんしゅべつ》	文化遺産《ぶんかいさん》
登録年《とうろくねん》	1996(平成《へいせい》8)年《ねん》
登録基準《とうろくきじゅん》	6
面積《めんせき》	[コアゾーン]0.4ha、[バッファゾーン]42.7ha
登録対象資産《とうろくたいしょうしさん》	原爆《げんばく》ドーム
行政区分《ぎょうせいくぶん》	広島県《ひろしまけん》:広島市《ひろしまし》

奇跡的《きせきてき》に残《のこ》った原爆《げんばく》のつめ跡《あと》

原爆《げんばく》が投下《とうか》された当時《とうじ》、広島県産業奨励館《ひろしまけんさんぎょうしょうれいかん》(現在《げんざい》の原爆《げんばく》ドーム)は元安川《もとやすがわ》の岸辺《きしべ》に建《た》っていました。ここもすさまじい爆風《ばくふう》と熱線《ねっせん》を浴《あ》びて大破全焼《たいはぜんしょう》しますが、爆風《ばくふう》がほとんど真上《まうえ》から到達《とうたつ》したため、建物中心部《たてものちゅうしんぶ》が奇跡的《きせきてき》に倒壊《とうかい》をまぬがれました。やがて周囲《しゅうい》が復興《ふっこう》していく中《なか》で鉄骨部分《てっこつぶぶん》がむきだしのまま被爆当時《ひばくとうじ》のありさまを生々《なまなま》しく残《のこ》した建物《たてもの》は、頂上部分《ちょうじょうぶぶん》の形《かたち》から「原爆《げんばく》ドーム」と呼《よ》ばれるようになったのです。

■原子爆弾《げんしばくだん》とは

原子爆弾《げんしばくだん》（原爆《げんばく》）は、ウランやプルトニウムの原子核《げんしかく》が起《お》こす核分裂《かくぶんれつ》をある状態《じょうたい》にすることで爆発《ばくはつ》させる核兵器《かくへいき》です。

核分裂《かくぶんれつ》の順序《じゅんじょ》

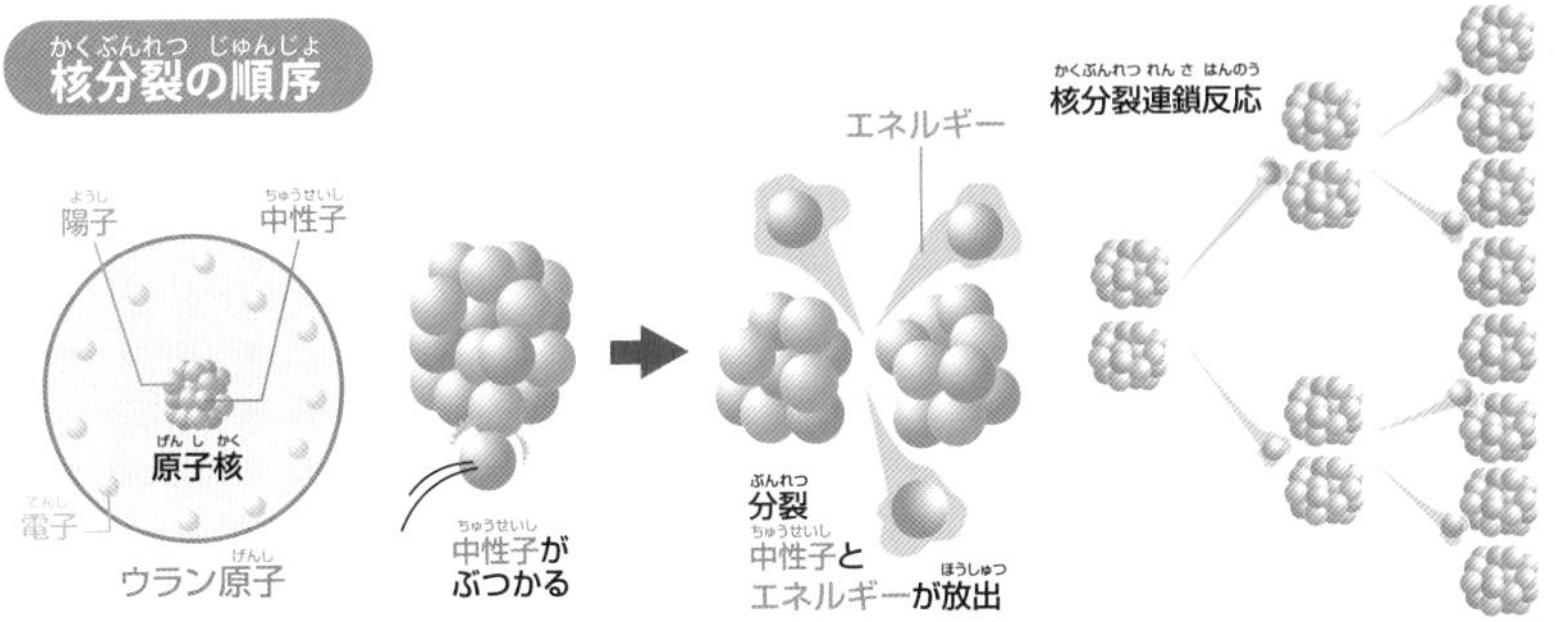

❶ 原子《げんし》の中心《ちゅうしん》にある原子核《げんしかく》に中性子《ちゅうせいし》がぶつかり、原《げん》子核《しかく》が激《はげ》しく振動《しんどう》して「くびれ」ができ、分裂《ぶんれつ》します

❷ 分裂《ぶんれつ》したとき、中性子《ちゅうせいし》が飛《と》び出《だ》し、同時《どうじ》にエネルギーを放出《ほうしゅつ》します

❸ 飛《と》び出《だ》した中性子《ちゅうせいし》が別《べつ》の原子核《げんしかく》にぶつかり、反応《はんのう》が急激《きゅうげき》に増加《ぞうか》

＊原子《げんし》…物質《ぶっしつ》を構成《こうせい》する単位《たんい》

この核分裂《かくぶんれつ》による連鎖反応《れんさはんのう》を、一瞬《いっしゅん》のうちに起《お》こすことで、ものすごいエネルギーを生《う》み出《だ》します。原子爆弾《げんしばくだん》は、このエネルギーを兵器《へいき》として利用《りよう》したものです。

「リトルボーイ（少年《しょうねん》）」と呼《よ》ばれた爆弾《ばくだん》

広島《ひろしま》に落《お》とされた原爆《げんばく》は「砲身式《ほうしんしき》」と呼《よ》ばれ、ウランを臨界量《りんかいりょう》より少《すく》ない二《ふた》つに分《わ》けて筒《つつ》に入《い》れ、爆薬《ばくやく》で二《ふた》つのかたまりをぶつけあわせ、臨界量以上《りんかいりょういじょう》になるようにつくられていました。

＊臨界量《りんかいりょう》…核分裂《かくぶんれつ》を連続《れんぞく》して起《お》こさせるために必要《ひつよう》なウランの量《りょう》

▲1945年《ねん》8月《がつ》6日午前《かごぜん》8時《じ》15分《ふん》、人類初《じんるいはつ》の原子爆弾《げんしばくだん》が広島市上空《ひろしましじょうくう》600mで爆発《ばくはつ》し、広島市《ひろしまし》は一瞬《いっしゅん》にして壊滅《かいめつ》しました
写真提供《しゃしんていきょう》／広島平和記念資料館《ひろしまへいわきねんしりょうかん》

広島《ひろしま》に落《お》とされた原爆《げんばく》「リトルボーイ」

この原爆《げんばく》は細長《ほそなが》いかたちが、研《けん》究《きゅう》によって短《みじか》くなっていったため「リトルボーイ」というニックネームで呼《よ》ばれていました。

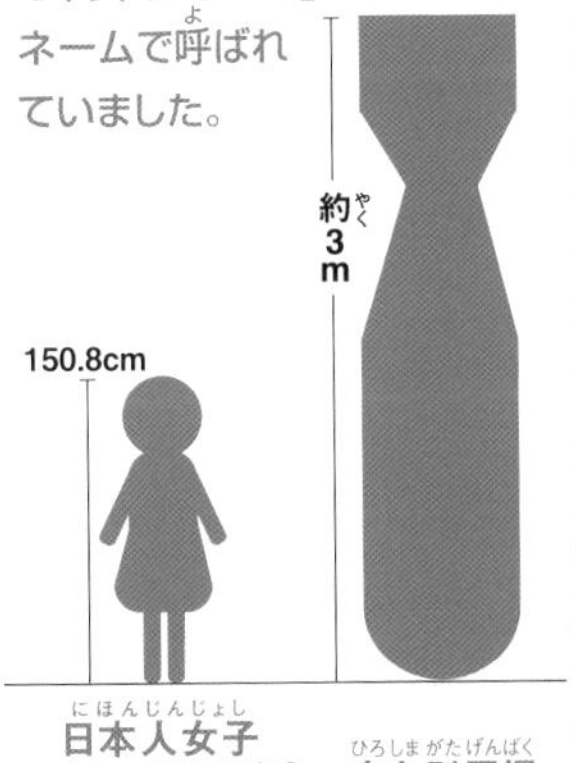

恐《おそ》ろしい原爆《げんばく》の被害《ひがい》

人類《じんるい》に初《はじ》めて原子爆弾《げんしばくだん》が投下《とうか》された広島《ひろしま》では、1945（昭和《しょうわ》20）年《ねん》12月末《がつまつ》までに約《やく》14万人《まんにん》が被爆死《ひばくし》したと推定《すいてい》されています。

原子爆弾《げんしばくだん》とはそれまでの爆弾《ばくだん》とは大《おお》きく異《こと》なり、爆発《ばくはつ》の瞬間《しゅんかん》にものすごい温度《おんど》の熱線《ねっせん》と放射線《ほうしゃせん》を発生《はっせい》します。さらに温度《おんど》が上《あ》がることで周囲《しゅうい》の空気《くうき》が膨張《ぼうちょう》し、すさまじい爆風《ばくふう》をまきおこしたのです。この熱線《ねっせん》、爆風《ばくふう》、放射線《ほうしゃせん》の三《みっ》つのエネルギーによって、瞬間的《しゅんかんてき》に、そして無差別《むさべつ》に大量《たいりょう》の破壊《はかい》・殺《さつ》りくが引《ひ》き起《お》こされたのです。

▲広島平和記念公園《ひろしまへいわきねんこうえん》と原爆《げんばく》ドーム

二次《にじ》被害《ひがい》もある放射線《ほうしゃせん》

原子爆弾《げんしばくだん》の恐《こわ》さは、爆発《ばくはつ》したときのエネルギーがケタはずれに大《おお》きいことと、放射線《ほうしゃせん》を出《だ》すことです。

原爆《げんばく》が爆発《ばくはつ》して1分以内《ぶんいない》には「初期《しょき》放射線《ほうしゃせん》」が大量《たいりょう》にふりそそぎ、爆心地《ばくしんち》から1km以内《いない》で直接放射線《ちょくせつほうしゃせん》を受《う》けた人《ひと》は、ほとんど亡《な》くなりました。そのあとには「残留放射線《ざんりゅうほうしゃせん》」がありました。このため直接被爆《ちょくせつひばく》しなかった人《ひと》でも、救援《きゅうえん》・救護活動《きゅうごかつどう》や肉親《にくしん》などをさがすために爆心地《ばくしんち》近《ちか》くに行《い》って、放射線《ほうしゃせん》を受《う》け、なかには病気《びょうき》になったり、亡《な》くなったりする人《ひと》も出《で》ました。

※残留放射線《ざんりゅうほうしゃせん》は核分裂《かくぶんれつ》で生《う》まれた放射性物《ほうしゃせいぶっ》質《しつ》や分裂《ぶんれつ》しなかったウランから出《で》る放射線《ほうしゃせん》と、初期放射線《しょきほうしゃせん》を受《う》けたことで（土《つち》やがれきを構成《こうせい》する原子《げんし》の）原子核《げんしかく》が反応《はんのう》をおこして生《う》まれた放射性物質《ほうしゃせいぶっしつ》が出《だ》す放射線《ほうしゃせん》のことです。

▲ライトアップされた原爆《げんばく》ドーム

平和記念公園《へいわきねんこうえん》

1949（昭和《しょうわ》24）年《ねん》8月《がつ》6日《か》の「広島平和記念都市建設法《ひろしまへいわきねんとしけんせつほう》」の制定《せいてい》にともない、この地区一帯《ちくいったい》は平和記念《へいわきねん》施《し》設《せつ》として整備《せいび》されることになり、現在《げんざい》の平和記念公園《へいわきねんこうえん》に生《う》まれ変《か》わりました。毎年《まいとし》8月《がつ》6日《か》には「広島平和記念《ひろしまへいわきねん》式典《しきてん》」が行《おこな》われています。

原爆死没者慰霊碑《げんばくしぼつしゃいれいひ》（広島平和都市記念碑《ひろしまへいわとしきねんひ》）

犠牲者《ぎせいしゃ》の霊《れい》を雨露《あめつゆ》から守《まも》りたいという思《おも》いから、屋根《やね》の部分《ぶぶん》は埴輪《はにわ》の家型《いえがた》にデザインされています。その下《した》に置《お》かれた碑《ひ》には「安《やす》らかに眠《ねむ》って下《くだ》さい過《あやま》ちは繰返《くりかえ》しませぬから」と刻《きざ》まれています。碑《ひ》は平和記念公園《へいわきねんこうえん》の敷地内《しきちない》の、広島平和記念資料館《ひろしまへいわきねんしりょうかん》と原爆《げんばく》ドームを結《むす》ぶ直線上《ちょくせんじょう》に設置《せっち》されています。なお、中央《ちゅうおう》の石室《せきしつ》には25万人《まんにん》を超《こ》える被爆者《ひばくしゃ》の名簿《めいぼ》が納《おさ》められています。

▲原爆死没者慰霊碑《げんばくしぼつしゃいれいひ》の正面《しょうめん》から原爆《げんばく》ドームが見《み》えます

平和《へいわ》の鐘《かね》

「原爆被災者《げんばくひさいしゃ》広島《ひろしま》悲願《ひがん》結晶《けっしょう》の会《かい》」が建立《こんりゅう》した、平和《へいわ》の鐘《かね》。人《にん》間国宝《げんこくほう》の香取正彦《かとりまさひこ》（1899〜1988年《ねん》）作《さく》によるものです。鐘《かね》の表面《ひょうめん》には「世界《せかい》は一《ひと》つ」を象徴《しょうちょう》する、国境《こっきょう》のない世界地図《せかいちず》が浮《う》き彫《ぼ》りにされています。

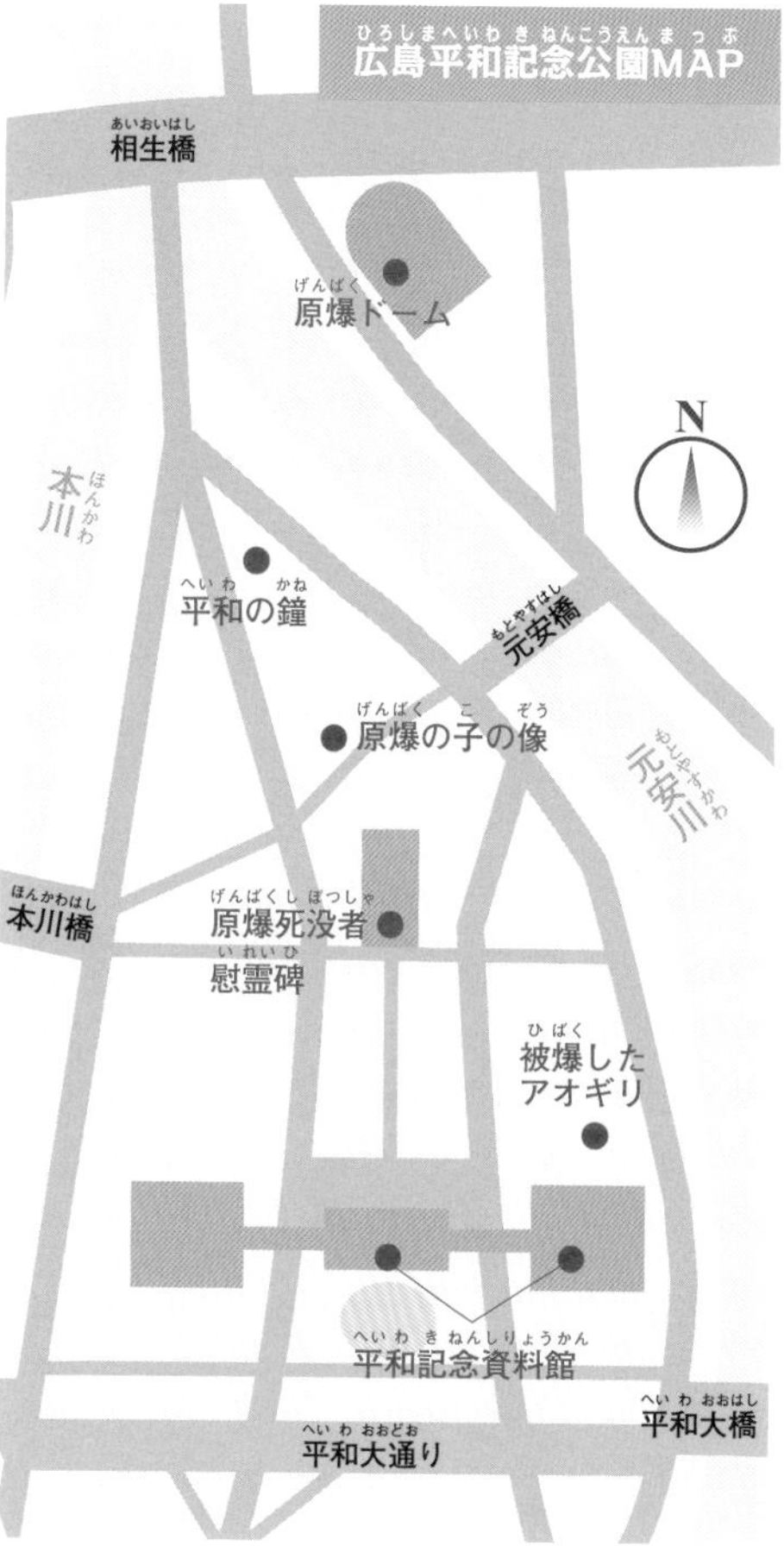

◀平和《へいわ》の鐘《かね》の鐘楼《しょうろう》は宇宙《うちゅう》を表現《ひょうげん》したドーム型《がた》の屋根《やね》で4本《ほん》の柱《はしら》で支《ささ》えられています

▲初夏《しょか》の原爆《げんばく》ドーム

原爆《げんばく》の子《こ》の像《ぞう》

佐々木禎子《ささきさだこ》さん――――。

広島《ひろしま》と原爆《げんばく》について語《かた》るとき、実在《じつざい》した少女《しょうじょ》の話《はなし》が世界中《せかいじゅう》に平和《へいわ》を呼《よ》びかける象徴《しょうちょう》になっています。

1943（昭和《しょうわ》18）年《ねん》に生《う》まれたサダコさんは、2歳《さい》の時《とき》に被爆《ひばく》します。幸《さいわ》いケガもなく、元気《げんき》で活発《かっぱつ》な少女《しょうじょ》に成長《せいちょう》しました。ところが昭和《しょうわ》30年《ねん》、小学《しょうがく》6年生《ねんせい》のときに突然《とつぜん》「白血病《はっけつびょう》」と診断《しんだん》されます。闘病生活《とうびょうせいかつ》の後《のち》、1955（昭和《しょうわ》30）年《ねん》10月《がつ》25日《にち》に12歳《さい》の短《みじか》い生涯《しょうがい》を閉《と》じました。サダコさんは「鶴《つる》を折《お》ると病気《びょうき》が治《なお》る」と信《しん》じ、薬《くすり》の包《つつ》み紙《がみ》や包装紙《ほうそうし》などで1300羽以上《ばいじょう》の鶴《つる》を折《お》り続《つづ》けました。

1958（昭和《しょうわ》33）年《ねん》、全国《ぜんこく》3100校余《こうあま》りの生徒《せいと》とイギリスをはじめ世界《せかい》9カ国《こく》の支援《しえん》で、「原爆《げんばく》の子《こ》の像《ぞう》」が完成《かんせい》しました。現在《げんざい》も国内《こくない》だけでなく海外《かいがい》からも折鶴《おりづる》が届《とど》けられ続《つづ》けています。

※白血病《はっけつびょう》とは血液《けつえき》のガンです。専門家《せんもんか》の調査《ちょうさ》で、爆心地《ばくしんち》に近《ちか》いところで被爆《ひばく》した人《ひと》ほど、年《とし》の若《わか》かった人《ひと》ほど、白血病《はっけつびょう》になりやすいこと、そして、1950～1953（昭和《しょうわ》25～28）年《ねん》ごろに一番《いちばん》たくさんの人《ひと》が原爆《げんばく》による白血病《はっけつびょう》になったことがわかっています。

▲原爆《げんばく》の子《こ》の像《ぞう》を眺《なが》める子《こ》どもたち。なお、台座《だいざ》の左右《さゆう》には明《あか》るい未来《みらい》と希望《きぼう》を象徴《しょうちょう》する少年少女《しょうねんしょうじょ》の像《ぞう》があります

▲三脚《さんきゃく》のドーム型《がた》の台座《だいざ》の頂上《ちょうじょう》に金色《きんいろ》の折鶴《おりづる》を捧《ささ》げる少女《しょうじょ》のブロンズ像《ぞう》が立《た》っています

被爆《ひばく》したアオギリ

爆心地《ばくしんち》から約《やく》1・3km離《はな》れた中区東白島町《なかくひがしはくしまちょう》の広島逓信局《ひろしまていしんきょく》（後《のち》に中国郵政局《ちゅうごくゆうせいきょく》）の中庭《なかにわ》にあったアオギリ（樹皮《じゅひ》が緑色《みどりいろ》で葉《は》がキリに似《に》ている落葉高木《らくようこうぼく》）は、熱線《ねっせん》と爆風《ばくふう》をまともに受《う》け、枝葉《えだは》はすべてなくなり、幹《みき》は爆心地側《ばくしんちがわ》の半分《はんぶん》が焼《や》けてえぐられました。枯《か》れ木同然《きどうぜん》だったこの木《き》が翌年《よくとし》の春《はる》に芽吹《めぶ》き、人々《ひとびと》に勇気《ゆうき》を与《あた》えました。中国郵政局《ちゅうごくゆうせいきょく》の建《た》て替《か》えの際《さい》、1973（昭和《しょうわ》48）年《ねん》に現在《げんざい》の場所《ばしょ》に移植《いしょく》されました。

▲このアオギリの種子《しゅし》は国内外《こくないがい》に贈《おく》られ、多《おお》くの2世《せい》が育《そだ》っています

■広島平和記念資料館《ひろしまへいわきねんしりょうかん》

原爆《げんばく》ドームは、人類史上初《じんるいしじょうはじ》めて使用《しよう》された核兵器《かくへいき》の惨禍《さんか》を後世《こうせい》に伝《つた》える「負《ふ》の遺産《いさん》」として、人類共通《じんるいきょうつう》の平和記念碑《へいわきねんひ》として登録《とうろく》されました。

この「負《ふ》の遺産《いさん》」を知《し》るための資料館《しりょうかん》がここです。展示《てんじ》は本館《ほんかん》と東館《ひがしかん》の2カ所《しょ》になっています。なお、開館期間《かいかんきかん》などは次《つぎ》のようになっています。

［開館期間《かいかんきかん》と時間《じかん》］3月《がつ》～11月《がつ》 8:30～18:00（8月《がつ》は19:00閉館《へいかん》）12月《がつ》～2月《がつ》 8:30～17:00（入館《にゅうかん》は閉館《へいかん》の30分前《ぷんまえ》までに） ［休館日《きゅうかんび》］12月《がつ》29日《にち》～1月《がつ》1日《にち》 ［入館料《にゅうかんりょう》］大人《おとな》（大学生以上《だいがくせいいじょう》）200円《えん》、高校生《こうこうせい》100円《えん》、中学生以下無料《ちゅうがくせいいかむりょう》

＊団体割引《だんたいわりびき》あり、学校教育活動《がっこうきょういくかつどう》として観覧《かんらん》する場合《ばあい》は無料《むりょう》になっています

展示《てんじ》の紹介《しょうかい》

左《ひだり》の絵《え》は「赤《あか》ちゃんを抱《だ》き、走《はし》る姿《すがた》のまま焼死《しょうし》した母《はは》 7日午前《かごぜん》8時《じ》ころ」というタイトルがついています。爆心地《ばくしんち》から1,000m上流川町《かみながれかわちょう》山県康子《やまがたやすこ》氏《し》が描《か》いた絵《え》です。

◀山県康子氏画《たまがたやすこしが》
写真提供《しゃしんていきょう》／広島平和記念資料館《ひろしまへいわきねんしりょうかん》

右《みぎ》の写真《しゃしん》は「大火災《だいかさい》の猛威《もうい》——一面《いちめん》の廃虚《はいきょ》」鷹匠町《たかじょうまち》から東南方向《とうなんほうこう》を望《のぞ》むというタイトルがついています。1945（昭和《しょうわ》20）年《ねん》8月《がつ》20日《か》に尾木正己《おきまさみ》氏《し》が撮影《さつえい》したものです。人影《ひとかげ》のない街《まち》に居場所《いばしょ》を知《し》らせる伝言《でんごん》の板《いた》が立《た》ててありました。

▶尾木正己氏撮影《おきまさみしさつえい》
写真提供《しゃしんていきょう》／広島平和記念資料館《ひろしまへいわきねんしりょうかん》

＊館内《かんない》には約《やく》920点《てん》の展示品《てんじひん》があります

文《ぶん》化《か》遺《い》産《さん》

嚴島神社《いつくしまじんじゃ》

広島県西部《ひろしまけんせいぶ》の瀬戸内海《せとないかい》に浮《う》かぶ嚴島《いつくしま》にたたずむ、日本屈指《にほんくっし》の名所《めいしょ》。標高《ひょうこう》535m、宮島最高峰《みやじまさいこうほう》の弥山《みせん》を背景《はいけい》に、海上《かいじょう》に立《た》つ朱塗《しゅぬ》りの社殿《しゃでん》が独自《どくじ》の景観《けいかん》をつくりだしています。登録遺産《とうろくいさん》の範囲《はんい》は広《ひろ》く、本社本殿《ほんしゃほんでん》から拝殿《はいでん》、また大鳥居《おおとりい》、五重塔《ごじゅうのとう》、豊国神社《ほうこくじんじゃ》などの建造物群《けんぞうぶつぐん》のほか、前面《ぜんめん》に広《ひろ》がる瀬戸内海《せとないかい》、弥山《みせん》の原始林《げんしりん》などが含《ふく》まれています。

登録内容《とうろくないよう》

遺産種別《いさんしゅべつ》	文化遺産《ぶんかいさん》
登録年《とうろくねん》	1996（平成《へいせい》8）年《ねん》
登録基準《とうろくきじゅん》	1、2、4、6
面積《めんせき》	[コアゾーン] 431.2ha、[バッファゾーン] 2,634.3ha
登録対象資産《とうろくたいしょうしさん》	嚴島神社《いつくしまじんじゃ》
行政区分《ぎょうせいくぶん》	広島県《ひろしまけん》：廿日市市《はつかいちし》宮島町《みやじまちょう》

神《かみ》をいきまつる島《しま》に立《た》つ 優美《ゆうび》で華麗《かれい》な海上社殿《かいじょうしゃでん》

日本三景《にほんさんけい》の一《ひと》つ、安芸《あき》の宮島《みやじま》は、太古《たいこ》の時代《じだい》から島《しま》のそのものが「神《かみ》」として信仰《しんこう》の対象《たいしょう》とされてきました。宮島《みやじま》のシンボルである嚴島神社《いつくしまじんじゃ》は推古《すいこ》天皇元年《てんのうがんねん》（593年《ねん》）、当時《とうじ》この島《しま》の有力者《ゆうりょくしゃ》であった佐伯鞍職《さえきのくらもと》により創建《そうけん》されたといわれています。

その後《ご》、1146（久安《きゅうあん》2）年《ねん》に安芸《あき》の守《かみ》の任《にん》を命《めい》じられた平清盛《たいらのきよもり》が嚴島《いつくしま》神社《じんじゃ》をあつく信仰《しんこう》したことから、1168（仁安《にんあん》3）年《ねん》に寝殿造《しんでんづくり》の様式《ようしき》を取《と》り入《い》れた御社殿《ごしゃでん》を完成《かんせい》させました。約《やく》270mの回廊《かいろう》で結《むす》ばれた朱塗《しゅぬ》りの社殿《しゃでん》は、潮《しお》の満《み》ち引《ひ》きでその表情《ひょうじょう》をがらりと変《か》え、満潮時《まんちょうじ》にはまるで海《うみ》に浮《う》かんでいるような、幻想的《げんそうてき》な光景《こうけい》が広《ひろ》がります。ほかには類《るい》を見《み》ないこの独特《どくとく》な建築様式《けんちくようしき》となったのは、島全体《しまぜんたい》が神《かみ》と捉《とら》えられていたため、ご神体《しんたい》である島《しま》の木《き》を伐採《ばっさい》したり、土《つち》を削《けず》ることは神《かみ》を傷《きず》つける行為《こうい》そのものであると考《かんが》えられていたからです。

嚴島神社《いつくしまじんじゃ》の崇敬《すうけい》は平家《へいけ》が滅亡《めつぼう》し源氏《げんじ》の世《よ》になっても変《か》わることなく、時代《じだい》が移《うつ》り室町時代《むろまちじだい》の足利尊氏《あしかがたかうじ》や義満《よしみつ》、戦国時代《せんごくじだい》の大内家《おおうちけ》、毛利家《もうりけ》などからも崇拝《すうはい》を集《あつ》めました。1200年代《ねんだい》に二度《にど》の大火災《だいかさい》、その後《ご》もいくつもの災害《さいがい》にあい、何度《なんど》も修復《しゅうふく》を行《おこな》っていますが、造営《ぞうえい》当時《とうじ》のたたずまいを現在《げんざい》まで忠実《ちゅうじつ》に伝《つた》えています。

ポイント解説《かいせつ》

平清盛《たいらのきよもり》（1118年《ねん》～1181年《ねん》）

平安時代末期《へいあんじだいまっき》の武将《ぶしょう》で平氏《へいし》の棟梁《とうりょう》。平治《へいじ》の乱《らん》（1159年《ねん》）で最終的《さいしゅうてき》な勝利者《しょうりしゃ》になり、1167（仁安《にんあん》2）年《ねん》に武士《ぶし》で初《はじ》めて太政大臣《だいじょうだいじん》（※）に任《にん》ぜられます。「平家《へいけ》にあらずんば人《ひと》にあらず」といわれる時代《じだい》を築《きず》きますが、平氏《へいし》の独裁政治《どくさいせいじ》は公家《くげ》・寺社《じしゃ》・武士《ぶし》などから大《おお》きな反発《はんぱつ》を受《う》け、源氏《げんじ》によって滅《ほろ》ぼされました。

※太政大臣《だいじょうだいじん》（律令制度《りつりょうせいど》と呼《よ》ばれる体制《たいせい》における最高官職《さいこうかんしょく》）

▲青《あお》い海《うみ》に浮《う》かぶ大鳥居《おおとりい》は、幻想的《げんそうてき》な光景《こうけい》

写真提供《しゃしんていきょう》：広島県《ひろしまけん》

① 朱塗《しゅぬ》りの大鳥居《おおとりい》

高《たか》さ16・6m、重量約《じゅうりょうやく》60トン、木造《もくぞう》の鳥居《とりい》としては日本最大《にほんさいだい》であり、国《くに》の重要文化財《じゅうようぶんかざい》にも指定《してい》。社殿《しゃでん》の火焼前《ひたさき》より88間《けん》（約１６０ｍ）離《はな》れた海中《かいちゅう》に立《た》ち、干潮時《かんちょうじ》には鳥居《とりい》まで歩《ある》いていくことができます。現在《げんざい》の鳥居《とりい》は１８７５（明治《めいじ》８）年《ねん》に造《つく》られたもので、平安《へいあん》時代《じだい》から数《かぞ》えて８代目《だいめ》になります。老朽化《ろうきゅうか》が進《すす》み、２０１９年《ねん》から大規模《だいきぼ》な保存工事《ほぞんこうじ》が行《おこな》われています。

▲2本《ほん》の主柱《しゅばしら》はクスノキの自然木《しぜんぼく》を使用《しよう》

② 本社本殿《ほんしゃほんでん》

現在《げんざい》の本殿《ほんでん》は１５７１（元亀《げんき》２）年《ねん》に毛利元就《もうりもとなり》により改築《かいちく》されたものです。しかし、平清盛《たいらのきよもり》が造営《ぞうえい》した当時《とうじ》の寝殿造《しんでんづく》りの様式《ようしき》を、ほぼそのまま踏襲《とうしゅう》しています。特《とく》に屋根《やね》は、斜面《しゃめん》が山形《やまがた》になっている切妻造《きりづまづくり》に加《くわ》え、屋根《やね》の前方《ぜんぽう》と後方《こうほう》のかさを伸《の》ばした両流造《りょうながれづくり》で建《た》てられ、神社建築《じんじゃけんちく》の特徴《とくちょう》である千木《ちぎ》、堅魚木《かつおぎ》を置《お》かず、檜皮葺《ひわだぶ》きという檜《ひのき》の樹皮《じゅひ》を重《かさ》ねて覆《おお》った屋根《やね》に瓦《かわら》を積《つ》んだ、寝殿造《しんでんづく》りならではの様式《ようしき》になっています。本殿《ほんでん》には市杵島姫《いちきしまひめ》、湍津姫《たぎつひめ》、田《た》心姫《ごりひめ》の三女神《さんじょしん》が祀《まつ》られています。

▲手前《てまえ》から祓殿《はらいでん》、拝殿《はいでん》、幣殿《へいでん》、本殿《ほんでん》と一直線上《いっちょくせんじょう》に並《なら》ぶ本社《ほんしゃ》

▶高舞台《たかぶたい》で演《えん》じられる舞楽《ぶがく》「蘭陵王《らんりょうおう》」

▲舞楽《ぶがく》の舞台《ぶたい》としては小振《こぶ》りといわれる高舞台《たかぶたい》

③ 平舞台《ひらぶたい》

社殿《しゃでん》の正面《しょうめん》にある、海側《うみがわ》に広《ひろ》く張《は》り出《だ》した庭《にわ》にあたる部分《ぶぶん》。

④ 高舞台《たかぶたい》

平舞台《ひらぶたい》の中央《ちゅうおう》にある、舞楽《ぶがく》（「舞《まい》」を伴《ともな》う古楽《こがく》の総称《そうしょう》）を奉納《ほうのう》する舞台《ぶたい》。

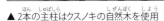

⑤ 回廊《かいろう》

本社本殿《ほんしゃほんでん》を中心《ちゅうしん》に、拝殿《はいでん》、平舞台《ひらぶたい》、能舞台《のうぶたい》などの建物《たてもの》をつなぐ、長《なが》く折《お》れ曲《ま》がった廊下《ろうか》。

⑥ 五重塔《ごじゅうのとう》

日本風《にほんふう》の和様《わよう》と中国風《ちゅうごくふう》の唐様《からよう》が融合《ゆうごう》した美《うつく》しい塔《とう》。檜皮葺《ひわだぶ》きの屋根《やね》と朱塗《しゅぬ》りの柱《はしら》や垂木《たるき》（※）のコントラストが見事《みごと》です。

※屋根板《やねいた》を支《ささ》えるため、棟《むね》から軒《のき》に渡《わた》した木材《もくざい》。

▲東西《とうざい》にわかれた回廊《かいろう》は、約《やく》270mにも及《およ》ぶ

◀高《たか》さ27.6m、1407（応永《おうえい》14）年《ねん》に建立《こんりゅう》されたといわれている五重塔《ごじゅうのとう》

▼秀吉《ひでよし》の死後《しご》、造営《ぞうえい》が進《すす》まず、今《いま》も未完成《みかんせい》の豊国神社《ほうこくじんじゃ》

⑦ 豊国神社《ほうこくじんじゃ》（千畳閣《せんじょうかく》）

豊臣秀吉《とよとみひでよし》がお経《きょう》を読《よ》むために建立《こんりゅう》を命《めい》じた大経堂《だいきょうどう》。畳《たたみ》857枚分《まいぶん》の広《ひろ》さがあることから、別名《べつめい》「千畳閣《せんじょうかく》」と呼《よ》ばれています。

宮島《みやじま》にはこのほかにも数多《かずおお》くの神社《じんじゃ》・仏閣《ぶっかく》があり、さまざまな時代《じだい》の歴史《れきし》を見《み》ることができます。

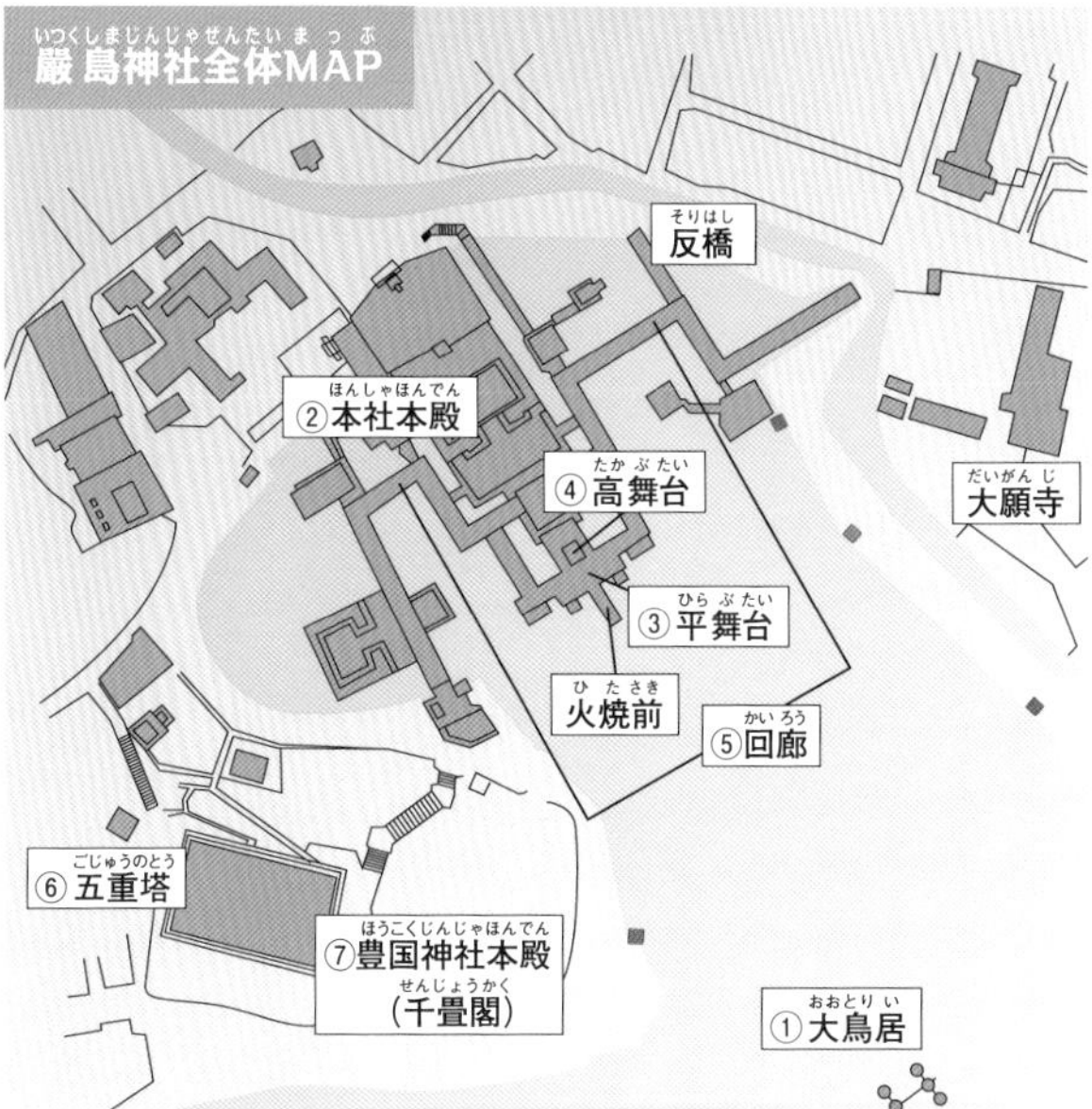

※P95、P96写真提供《しゃしんていきょう》：広島県《ひろしまけん》

文化《ぶんか》遺産《いさん》

古都《こと》奈良《なら》の文化財《ぶんかざい》

日本《にほん》の奈良《なら》時代《じだい》を伝《つた》える遺産群《いさんぐん》が「古都《こと》奈良《なら》の文化財《ぶんかざい》」です。奈良《なら》時代《じだい》とは、平城京遷都《へいじょうきょうせんと》の710（和銅《わどう》3）年《ねん》から平安京遷都《へいあんきょうせんと》の794（延暦《えんりゃく》13）年《ねん》までのわずか84年間《ねんかん》です。この間《かん》、中国《ちゅうごく》や朝鮮《ちょうせん》から伝《つた》わってきたものが定着《ていちゃく》し、日本独自《にほんどくじ》の仏教建造物《ぶっきょうけんぞうぶつ》などが誕生《たんじょう》しました。

※遷都《せんと》…都《みやこ》をほかへうつすこと

登録内容《とうろくないよう》

遺産種別《いさんしゅべつ》	文化遺産《ぶんかいさん》
登録年《とうろくねん》	1998（平成《へいせい》10）年《ねん》
登録基準《とうろくきじゅん》	2、3、4、6
面積《めんせき》	［コアゾーン］616.9ha、［バッファゾーン］1,962.5ha
登録対象資産《とうろくたいしょうしさん》	東大寺《とうだいじ》、春日大社《かすがたいしゃ》、春日山原始林《かすがやまげんしりん》、興福寺《こうふくじ》、元興寺《がんごうじ》、薬師寺《やくしじ》、唐招提寺《とうしょうだいじ》、平城宮跡《へいじょうきゅうせき》
行政区分《ぎょうせいくぶん》	奈良県《ならけん》：奈良市《ならし》

古都《こと》奈良《なら》の輝《かがや》きと仏教《ぶっきょう》の力《ちから》

万葉集《まんようしゅう》に「あをによし奈良《なら》の都《みやこ》は咲《さ》く花《はな》の薫（にお）ふがごとく今《いま》盛（さか）りなり」と詠《よ》まれた平城京《へいじょうきょう》の都《みやこ》は、唐《とう》（中国《ちゅうごく》）の長安《ちょうあん》にならった都市計画《としけいかく》に基《もと》づいて、道路《どうろ》、宮殿《きゅうでん》、寺院《じいん》などがつくられていました。一方《いっぽう》、天平年間《てんぴょうねんかん》（729〜765年《ねん》）は災害《さいがい》や疫病《えきびょう》が多発《たはつ》しており、仏教《ぶっきょう》によってこの災《わざわい》から救《すく》おうという力《ちから》も動《うご》きだします。

▲薬師寺《やくしじ》・東塔《とうとう》

ポイント解説《かいせつ》

あをによし

「あをによし」は奈良《なら》の前《まえ》につく、和歌《わか》の枕詞《まくらことば》です。「青丹《あおに》よし」と書《か》きます。青《あお》は青色《あおいろ》、丹《に》は朱色《しゅいろ》の意味《いみ》です。「青《あ》」というのは寺院《じいん》などの建物《たてもの》の窓《まど》のようになっている部分《ぶぶん》、「丹《に》」というのは建物《たてもの》の柱《はしら》などです。奈良《なら》の都《みやこ》は青《あお》と朱《しゅ》の美《うつく》しい都《みやこ》であったという理解《りかい》をすればよいと考《かんが》えられています。

東大寺《とうだいじ》

東大寺《とうだいじ》の前身《ぜんしん》は、728（神亀《じんき》5）年《ねん》に建立《こんりゅう》された金鐘《きんしょう》（山《さん》）寺《じ》といわれています。741（天平《てんぴょう》13）年《ねん》、聖武天皇《しょうむてんのう》は仏教《ぶっきょう》により平安《へいあん》をもたらそうと、全国《ぜんこく》に国分寺《こくぶんじ》の詔（みことのり）を発《はっ》します。このような背景《はいけい》のもと、743（天《てん》平《ぴょう》15）年《ねん》、盧《る》舎《しゃ》那《な》仏《ぶつ》造《ぞう》顕《けん》（造《つく》って形《かたち》にすること）の詔《みことのり》が発《はっ》せられ、それによって誕生《たんじょう》したのが東大寺《とうだいじ》の大仏《だいぶつ》（奈良《なら》の大仏さま）です。

▲東大寺金堂《とうだいじこんどう》の本尊《ほんぞん》、盧舎那仏《るしゃなぶつ》（奈良《なら》の大仏《だいぶつ》）
写真提供《しゃしんていきょう》／奈良市観光協会《ならしかんこうきょうかい》

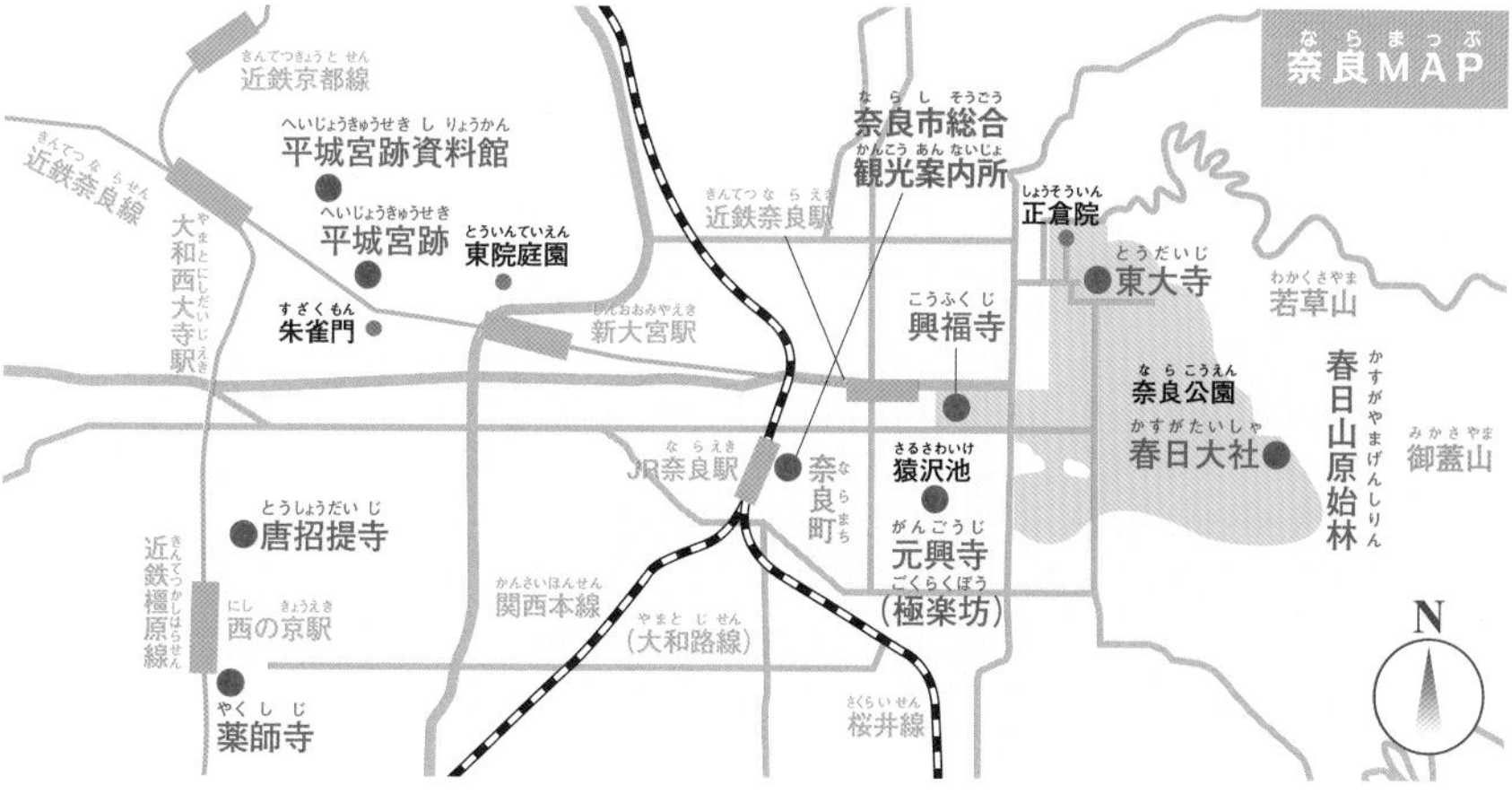

その後《ご》、2度《ど》の焼失《しょうしつ》にあい、金堂《こんどう》(大仏殿《だいぶつでん》)が現在《げんざい》の姿《すがた》に再興《さいこう》されたのは江戸時代《えどじだい》になってからです。当初《とうしょ》の大仏殿《だいぶつでん》に比《くら》べると3分《ぶん》の2ほどの大《おお》きさになっています。それでも、現存《げんぞん》する木造建造物《もくぞうけんぞうぶつ》では世界最大級《せかいさいだいきゅう》の規模《きぼ》を誇《ほこ》っています。

※詔《みことのり》…天皇《てんのう》の命令《めいれい》、または命令《めいれい》を直接《ちょくせつ》に伝《つた》える文書《ぶんしょ》のこと。文書《ぶんしょ》にしたものを詔書《しょうしょ》といいます。

春日大社《かすがたいしゃ》

平城京遷都《へいじょうきょうせんと》の710(和銅《わどう》3)年《ねん》に、藤原不比等《ふじわらのふひと》が藤原氏《ふじわらし》の氏神《うじがみ》である鹿島神宮《かしまじんぐう》の武甕槌命《たけみかづちのみこと》をまつったのが始《はじ》まりです。なお、社伝《しゃでん》では、768(神《しん》護景雲《ごけいうん》2)年《ねん》に、鹿島神宮《かしまじんぐう》の 武甕槌《たけみかづち》命《みこと》、香取神宮《かとりじんぐう》の経津主命《ふつぬしのみこと》と、枚岡神社《ひらおかじんじゃ》の天児屋根命《あめのこやねのみこと》と比売神《ひめがみ》の四所《よんしょ》の神殿《しんでん》を春日《かすが》の地《ち》に迎《むかえ》えたことを創設《そうせつ》としています。

▲春日大社《かすがたいしゃ》
長《なが》い参道《さんどう》は一《いち》の鳥居《とりい》から社殿《しゃでん》までおよそ1300mあります

はじめは藤原一族《ふじわらいちぞく》や皇室《こうしつ》に信仰《しんこう》されていましたが、鎌倉時代《かまくらじだい》になると武士《ぶし》や庶民《しょみん》へ信仰《しんこう》の輪《わ》が広《ひろ》がっていきました。朱塗《しゅぬ》りの社殿《しゃでん》は緑《みどり》に映《は》えて鮮《あざ》やかです。

春日山原始林《かすがやまげんしりん》

春日大社《かすがたいしゃ》の背後《はいご》にそびえる春日山《かすがやま》と御蓋山《みかさやま》。

そのふもとの広大《こうだい》な神域《しんいき》が春日山原始《かすがやまげんし》林《りん》です。山中《さんちゅう》には往時《おうじ》の水源《すいげん》があり、水神《すいじん》や雷神《らいじん》がまつられ、そのような経緯《けいい》があって春日大社《かすがたいしゃ》も建《た》てられています。

◀春日山原始林《かすがやまげんしりん》 鶯(うぐいす)の滝《たき》
春日山原始林《かすがやまげんしりん》からの水《みず》を集《あつ》めて落《お》ちる滝《たき》で、幅《はば》は約《やく》2m、高《たか》さは約《やく》10mです
写真提供《しゃしんていきょう》/奈良市観光協会《ならしかんこうきょうかい》

　841（承和《じょうわ》8）年《ねん》より、狩猟《しゅりょう》、伐採《ばっさい》が禁止《きんし》され、聖域《せいいき》として保護《ほご》されてきました。また現在《げんざい》でも、春日山石窟仏《かすがやませっくつぶつ》などの石仏《せきぶつ》が点在《てんざい》します。ここは、山《やま》や森《もり》が信仰《しんこう》の対象《たいしょう》とされてきた日本《にほん》古来《こらい》の宗教観《しゅうきょうかん》と仏教《ぶっきょう》が結《むす》びついた様子《ようす》を今《いま》に伝《つた》えています。

興福寺《こうふくじ》

　669（天智天皇《てんじてんのう》8）年《ねん》、藤原鎌足《ふじわらのかまたり》の夫人《ふじん》が山城国山科《やましろこくやましな》（京都《きょうと》）に造営《ぞうえい》した、山階寺《やましなでら》が起源《きげん》とされています。その後《ご》、飛鳥《あすか》の厩坂《うまやさか》に移築《いちく》されて厩坂寺《うまやさかでら》と呼《よ》ばれました。さらに、710（和銅《わどう》3）年《ねん》の平城京遷都《へいじょうきょうせんと》のとき、藤原不比等《ふじわらのふひと》によって現在《げんざい》の地《ち》に移築《いちく》され、名前《なまえ》も興福寺《こうふくじ》と名《な》づけられました。

　天平期《てんぴょうき》には三《みっ》つの金堂《こんどう》をもつ大寺院《だいじいん》になりましたが、武士《ぶし》の台頭《たいとう》とともに勢力《せいりょく》は次第《しだい》に衰《おとろ》え、たびたび戦火《せんか》に見舞《みま》われます。なお、現在《げんざい》も残《のこ》る五重塔《ごじゅうのとう》と東金堂《とうこんどう》は、室町時代《むろまちじだい》1426（応永《おうえい》33）年《ねん》に再建《さいけん》されたものです。

　猿沢池《さるさわいけ》から望《のぞ》む五重塔《ごじゅうのとう》は、奈良《なら》を代表《だいひょう》する美《うつく》しい風景《ふうけい》のひとつになっています。

　なお、ここには6本《ぼん》の腕《うで》と3つの顔《かお》を持《も》った有名《ゆうめい》な仏像《ぶつぞう》、国宝《こくほう》の「阿修羅像《あしゅらぞう》」があります。

▼興福寺《こうふくじ》・五重塔《ごじゅうのとう》
左《ひだり》の建物《たてもの》は東金堂《とうこんどう》、五重塔《ごじゅうのとう》は平城京《へいじょうきょう》を一望《いちぼう》できる一等地《いっとうち》に建《た》っています

元興寺《がんこうじ》（極楽坊《ごくらくぼう》）

古《ふる》い街並《まちな》みが続《つづ》く「奈良町《ならまち》」の一角《いっかく》に静《しず》かに建《た》つ元興寺《がんこうじ》。この寺《てら》は、もとは蘇我馬子《そがのうまこ》が飛鳥《あすか》に建立《こんりゅう》した日本最《にほんさい》古《こ》の寺院《じいん》で、当初《とうしょ》は「法興寺《ほうこうじ》」といいました。平城京遷都《へいじょうきょうせんと》に伴《ともな》い、現在《げんざい》の地《ち》に移築《いちく》になり、寺《てら》の名《な》も「元興寺《がんごうじ》」となりました。なお、「法興寺《ほうこうじ》」の場所《ばしょ》には今日《こんにち》の飛鳥寺《あすかでら》（明日香村《あすかむら》にあります）が建《た》っています。

元興寺《がんごうじ》は、平城京《へいじょうきょう》の時代《じだい》には現在《げんざい》の奈良町《ならまち》をすべて境内《けいだい》にする大寺院《だいじいん》でした。

伽藍《がらん》（P77参照《さんしょう》）の中心部《ちゅうしんぶ》は徐々《じょじょ》に衰退《すいたい》しましたが、僧智光《そうちこう》が感《かん》じて悟《さと》って残《のこ》した「智光曼荼羅《ちこうまんだら》」が有名《ゆうめい》になり、極楽坊《ごくらくぼう》と呼《よ》ばれるようになりました。浄土宗《じょうどしゅう》が開《ひら》かれる前《まえ》に、往生《おうじょう》がかなう念仏道場《ねんぶつどうじょう》として庶民《しょみん》の信仰《しんこう》を集《あつ》めたようです。なお、「智光曼荼羅《ちこうまんだら》」は10世紀初《せいきはじ》めに描《か》かれたといわれているようです。

本堂《ほんどう》は本瓦葺《ほんがわらぶ》きの寄棟造《よせむねづく》りで、1244（寛元《かんげん》2）年《ねん》に再建《さいけん》されたものです。

※「奈良町《ならまち》」は歴史《れきし》を刻《きざ》んだ地名《ちめい》ですが、通《つう》称《しょう》であって正式《せいしき》な地名《ちめい》ではありません。

▲元興寺《がんこうじ》（極楽坊《ごくらくぼう》）
智光曼荼羅《ちこうまんだら》を本尊《ほんぞん》とする、本堂《ほんどう》。「極楽坊本堂《ごくらくぼうほんどう》」とか「極楽堂《ごくらくどう》」とも呼《よ》ばれています
写真提供《しゃしんていきょう》／奈良市観光協会《ならしかんこうきょうかい》

薬《や》師《し》寺《じ》

平城京《へいじょうきょう》の右京《うきょう》、現在《げんざい》の西ノ京町《にしのきょうまち》にある薬師寺《やくしじ》。天武天皇《てんむてんのう》が皇后《こうごう》（のちの持統天皇《じとうてんのう》）の病気《びょうき》がなおることを願《ねが》って藤原京《ふじわらきょう》に建立《こんりゅう》し、平城京遷都《へいじょうきょうせんと》の2年後《ねんご》、718（養老《ようろう》2）年《ねん》に現在《げんざい》の地《ち》に移《うつ》されました。

薬師寺方式《やくしじほうしき》と呼《よ》ばれる伽藍配置《がらんはいち》

■薬師寺方式《やくしじほうしき》の伽藍配置図《がらんはいちず》

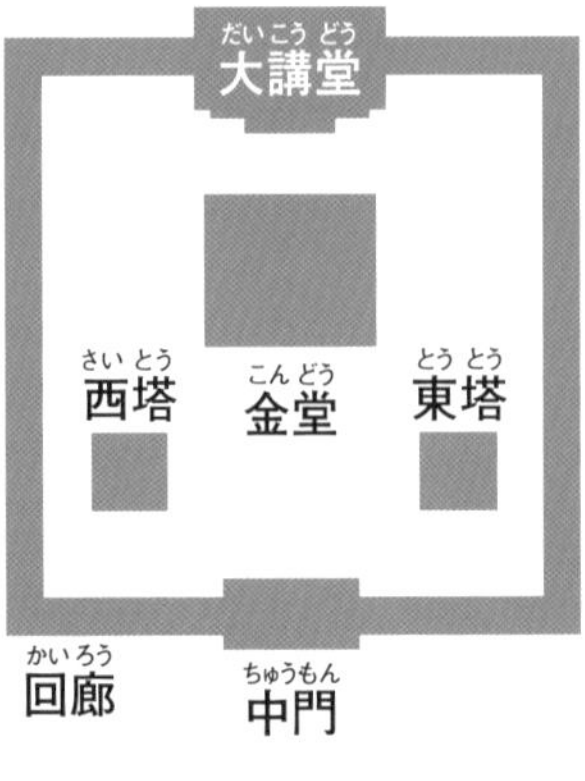

では、金堂《こんどう》の前方《ぜんぽう》の東西《とうざい》に塔《とう》を持《も》ち、中門《なかもん》、金堂《こんどう》、講堂《こうどう》が南北一直線《なんぼくいっちょくせん》に並《なら》んでいます。

東塔《とうとう》は白鳳文化《はくほうぶんか》のシンボルといえる美《うつく》しさがあり、最上部《さいじょうぶ》の相輪《そうりん》（塔《とう》の先《さき》から突《つ》き出《で》た部分《ぶぶん》）だけでも10mもあります。

※白鳳文化《はくほうぶんか》とは：645（大化《たいか》元《がん》）年《ねん》の大化《たいか》の改新《かいしん》から710（和銅《わどう》3）年《ねん》の平城京遷都《へいじょうきょうせんと》までの飛鳥時代《あすかじだい》に華咲《はなさ》いたおおらかな文化《ぶんか》。

▲薬師寺・東塔《やくしじとうとう》
高《たか》さは33.6m。伽藍《がらん》の中《なか》で唯一《ゆいいつ》、白鳳時代《はくほうじだい》の創建当時《そうけんとうじ》の建物《たてもの》です

▶薬師寺・東院堂《やくしじとういんどう》
回廊《かいろう》の東側《ひがしがわ》にあり、鎌倉時代《かまくらじだい》の和様仏堂《わようぶつどう》の好例《こうれい》とされています

◀薬師寺・金堂《やくしじこんどう》
昭和《しょうわ》51年《ねん》に再建《さいけん》、創建当時《そうけんとうじ》の規模《きぼ》を再現《さいげん》しています

唐招提寺《とうしょうだいじ》

唐《とう》（中国《ちゅうごく》）でも指折《ゆびお》りの高僧《こうそう》・鑑《がん》真和上《じんわじょう》が759（天平宝字《てんぴょうほうじ》3）年《ねん》に建立《こんりゅう》した唐招提寺《とうしょうだいじ》は、天平時代《てんぴょうじだい》の面影《おもかげ》を色濃《いろこ》く残《のこ》します。

寄棟造《よせむねづく》りの金堂《こんどう》は、奈良時代《ならじだい》の金堂《こんどう》として残《のこ》った唯一《ゆいいつ》の例《れい》です。また、講堂《こうどう》は平城宮《へいじょうきゅう》の東朝集殿《ひがしちょうしゅうでん》を移築《いちく》したもので、平城京宮殿建築《へいじょうきょうきゅうでんけんちく》の形《かたち》を唯一残《ゆいいつのこ》しています。

▲唐招提寺金堂《とうしょうだいじこんどう》の列柱《れっちゅう》
円柱《えんちゅう》の中《なか》ほどがふくらんでいるエンタシスと呼《よ》ばれる形《かたち》になっています
写真提供《しゃしんていきょう》／奈良市観光協会《ならしかんこうきょうかい》

平城宮跡《へいじょうきゅうせき》

平城宮《へいじょうきゅう》の広《ひろ》さは約《やく》120万《まん》㎡（甲《こう》子園球場《しえんきゅうじょう》が30個分入《こぶんはい》るスペース）。全長《ぜんちょう》3・8㎞、幅《はば》75mの朱雀大路《すざくおおじ》を中心《ちゅうしん》に、東《ひがし》は左京《さきょう》、右《みぎ》は右京《うきょう》と呼《よ》ばれていました。平城宮《へいじょうきゅう》は、平城京《へいじょうきょう》の中央北部《ちゅうおうほくぶ》に位置《いち》していました。ここには、公式《こうしき》の儀式《ぎしき》や政務執行《せいむしっこう》を行《おこな》う「大極殿《だいごくでん》」、「朝堂院《ちょうどういん》」、天皇《てんのう》の住居《じゅうきょ》である「内裏《だいり》」などがありました。

▲平城宮《へいじょうきゅう》・朱雀門《すざくもん》
間口《まぐち》25m、奥行《おくゆき》10m、高《たか》さ22mの規模《きぼ》を誇《ほこ》る、平城宮《へいじょうきゅう》の正門《せいもん》

東南隅《とうなんすみ》には「東院庭園《とういんていえん》」、南端中央《なんたんちゅうおう》には「朱雀門《すざくもん》」が復元《ふくげん》されています。さらに、平成《へいせい》22年《ねん》、第一次《だいいちじ》大極殿正殿《だいごくでんせいでん》の復元工事《ふくげんこうじ》も行《おこな》われました。また、平城宮跡資料館《へいじょうきゅうせきしりょうかん》や遺構展示館《いこうてんじかん》も設《もう》けられています。

一見《いっけん》、野原《のはら》の広《ひろ》がる史跡公園《しせきこうえん》のように見《み》えますが、柱《はしら》が立《た》っていた所《ところ》に木《き》を植《う》えるなど、1300年前《ねんまえ》のロマンの世界《せかい》へ導《みちび》いてくれます。

▲平城宮《へいじょうきゅう》
広大《こうだい》な平城宮跡《へいじょうきゅうせき》、木《き》のあるところに柱《はしら》がありました

◀平城宮《へいじょうきゅう》・大極殿《だいこくでん》
大極殿《だいごくでん》の柱《はしら》があった部分《ぶぶん》が、明確《めいかく》にわかります

■古都奈良《ことなら》の文化財《ぶんかざい》をもっと知《し》るために

平城宮跡資料館《へいじょうきゅうせきしりょうかん》

ここは平城宮跡《へいじょうきゅうせき》の西《にし》のはしにあります。これまでの発掘調査《はっくつちょうさ》・研究《けんきゅう》の成果《せいか》をもとに、平城宮跡《へいじょうきゅうせき》をわかりやすく展示《てんじ》しています。実際《じっさい》に掘《ほ》り出《だ》された土器《どき》や瓦《かわら》、木簡《もっかん》などが見《み》られます。さらに、写真《しゃしん》、ジオラマ、ビデオなどを使《つか》って平城宮跡《へいじょうきゅうせき》を紹介しています。

［所在地《しょざいち》］奈良市佐紀町《ならしさきちょう》　［TEL］0742-30-6753
［入館《にゅうかん》］無料《むりょう》　［開館時間《かいかんじかん》］9:00～16:30
［休館日《きゅうかんび》］月曜《げつよう》（祝日《しゅくじつ》の場合《ばあい》は翌日《よくじつ》、年末年始《ねんまつねんし》、その他特別《たとくべつ》な場合《ばあい》に休館《きゅうかん》）

▲朝集殿《ちょうしゅうでん》と奈良《なら》の一刀彫《いっとうぼ》り
朝集殿《ちょうしゅうでん》には朝政《ちょうせい》に参列《さんれつ》する役人《やくにん》たちが、毎朝《まいあさ》、集《あつ》まったと考《かんが》えられています

奈良市総合観光案内所《ならしそうごうかんこうあんないじょ》

奈良《なら》にある世界遺産《せかいいさん》を上手《じょうず》に見《み》て歩《ある》くには、寺院《じいん》などの知識《ちしき》を含《ふく》め場所《ばしょ》をしっかりと知《し》っておくことが大切《たいせつ》です。この観光案内所《かんこうあんないじょ》は便利《べんり》な場所《ばしょ》にあり、夜《よる》も9時《じ》まで開《ひら》いています。パンフレットコーナーはもちろん、奈良《なら》や日本《にほん》に関連《かんれん》する書籍《しょせき》や雑誌《ざっし》があるライブラリーコーナー「ならイブラリー」もあります。

▲JR奈良駅《ならえき》のすぐそばにある「奈良市総合観光案内所《ならしそうごうかんこうあんないじょ》」

［所在地《しょざいち》］奈良市三条本町《ならしさんじょうほんまち》1082　［TEL］0742-27-2223
［入館《にゅうかん》］無料《むりょう》　［開館時間《かいかんじかん》］9:00～21:00（年中無休《ねんじゅうむきゅう》）

文化《ぶんか》遺産《いさん》

日光《にっこう》の社寺《しゃじ》

日光《にっこう》の社寺《しゃじ》は、栃木県《とちぎけん》の日光市内《にっこうしない》にあります。世界遺産《せかいいさん》は、二荒山神社《ふたらさんじんじゃ》、東照宮《とうしょうぐう》、輪王寺《りんのうじ》の二社《にしゃ》一寺《いちじ》とその境内地《けいだいち》から成《な》っています。江戸幕府《えどばくふ》の初代将軍《しょだいしょうぐん》・徳川家康《とくがわいえやす》（1542～1616年《ねん》）や三代将軍家光《さんだいしょうぐんいえみつ》（1604～1651年《ねん》）と深《ふか》い関係《かんけい》のある、二社一寺《にしゃいちじ》には国宝《こくほう》9棟《とう》、重要文化財《じゅうようぶんかざい》94棟《とう》、計《けい》103棟《とう》の建造物群《けんぞうぶつぐん》があります。

登録内容《とうろくないよう》

遺産種別《いさんしゅべつ》	文化遺産《ぶんかいさん》
登録年《とうろくねん》	1999（平成《へいせい》11）年《ねん》
登録基準《とうろくきじゅん》	1、4、6
面《めん》積《せき》	[コアゾーン] 50.8ha、[バッファゾーン] 373.2ha、
登録対象《とうろくたいしょう》資産《しさん》	二荒山神社《ふたらさんじんじゃ》、東照宮《とうしょうぐう》、輪王寺《りんのうじ》
行政区分《ぎょうせいくぶん》	栃木県《とちぎけん》：日光市《にっこうし》

神仏習合《しんぶつしゅうごう》の地《ち》、日光山内《にっこうさんない》と資産《しさん》の並《なら》び方《かた》

二荒山神社《ふたらさんじんじゃ》、東照宮《とうしょうぐう》、輪王寺《りんのうじ》の二社《にしゃ》一寺《いちじ》が点在《てんざい》する地域《ちいき》を総称《そうしょう》して「日光山内《にっこうさんない》」と呼《よ》び慣《なら》わしています。ここにはJRまたは東武線《とうぶせん》の日光駅《にっこうえき》から徒歩《とほ》で入《はい》ることができます。

日光山内《にっこうさんない》の表玄関《おもてげんかん》となる幅《はば》7m、長《なが》さ28mのアーチ型《がた》の「神橋《しんきょう》」を渡《わた》ると、輪王寺《りんのうじ》、東照宮《とうしょうぐう》、二荒山神社《ふたらさんじんじゃ》の順序《じゅんじょ》で並《なら》んでいます。輪王寺《りんのうじ》からは離《はな》れていますが、その一部《いちぶ》である大猷院霊廟《だいゆういんれいびょう》と続《つづ》きます。

ポイント解説《かいせつ》　神仏習合《しんぶつしゅうごう》

日本古来《にほんこらい》の神《かみ》と6世紀《せいき》に伝来《でんらい》した仏教《ぶっきょう》を結《むす》びつけ、一体《いったい》のものとみる信仰《しんこう》のこと。奈良時代《ならじだい》から寺院《じいん》に神《かみ》がまつられたり、神社《じんじゃ》に神宮寺《じんぐうじ》が建《た》てられたりしていました。なお、１８６８年《ねん》に明治新政府《めいじしんせいふ》により神仏分離令《しんぶつぶんりれい》が出《だ》され、神道《しんとう》と仏教《ぶっきょう》、神《かみ》と仏《ほとけ》、神社《じんじゃ》と寺院《じいん》とをはっきり区別《くべつ》させることになりました。

東照宮《とうしょうぐう》の本社《ほんしゃ》と大猷院霊廟《だいゆういんれいびょう》によって生《う》まれた呼《よ》び名《な》「権現造《ごんげんづく》り」

東照宮《とうしょうぐう》の本社《ほんしゃ》は、本殿《ほんでん》（ご神体《しんたい》を安置《あんち》する）と拝殿《はいでん》（ご神体《しんたい》を礼拝《れいはい》する）を〝石《いし》の間《ま》〟によって「エ」の字形《じがた》につなぐ当時《とうじ》の典型的《てんけいてき》な神社建築様式《じんじゃけんちくようしき》で建《た》てられており、この社殿以後《しゃでんいご》、「権現造《ごんげんづく》り」と呼《よ》ばれるようになりました。3つの建物《たてもの》で構成《こうせい》されていながら一《ひと》つになっているのが特徴《とくちょう》です。大猷院霊廟《だいゆういんれいびょう》も同《おな》じ造《つく》りですが、本殿《ほんでん》と拝殿《はいでん》をつなぐ間《ま》は、〝相《あい》の間《ま》〟といいます。

▲神橋《しんきょう》

日光《にっこう》の表玄関《おもてげんかん》となる神橋《しんきょう》。山間《さんかん》の峡谷《きょうこく》に用《もち》いられた「はね橋《ばし》」の形式《けいしき》としては、わが国唯一《くにゆいいつ》の古《ふる》い橋《はし》となります。見事《みごと》な朱塗《しゅぬ》りで平成《へいせい》17年《ねん》に修復工事《しゅうふくこうじ》が完成《かんせい》

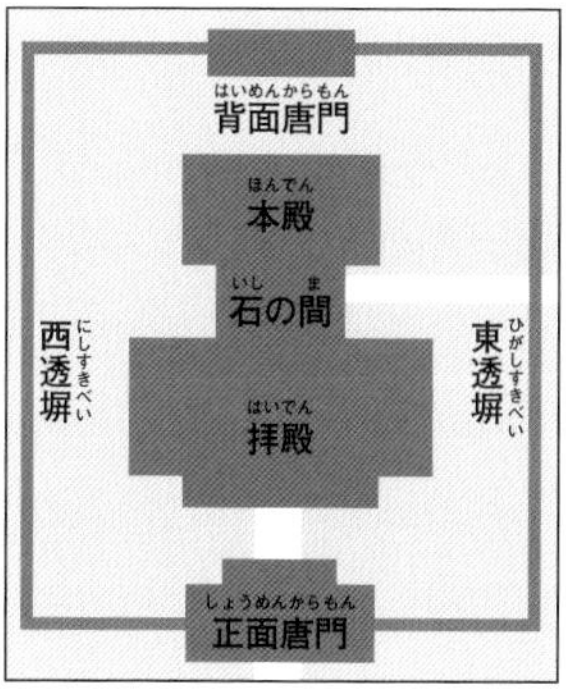

▲日光東照宮本社《にっこうとうしょうぐうほんじゃ》

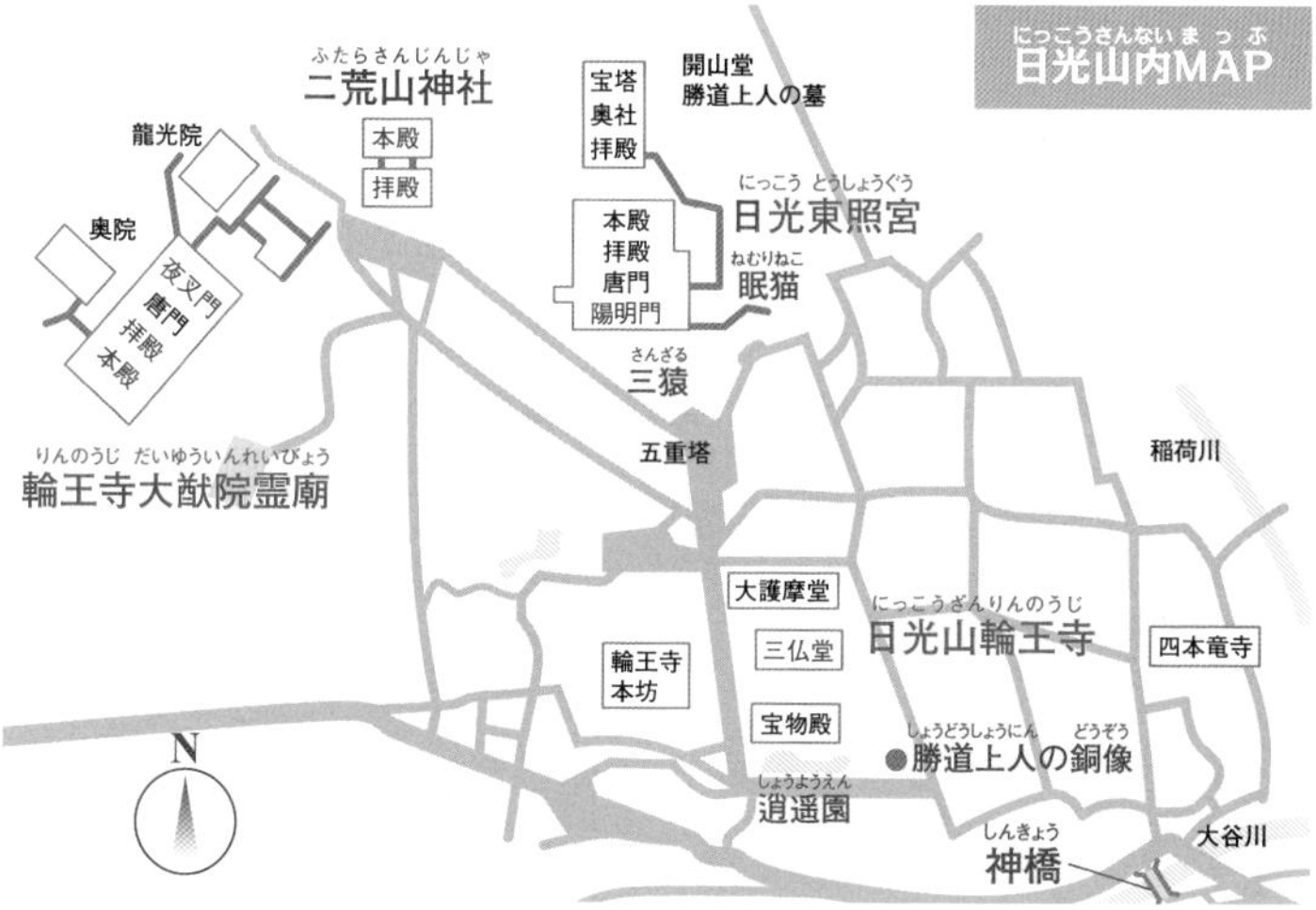

日光山《にっこうさん》で一番《いちばん》大《おお》きな建造物《けんぞうぶつ》、1200年余《ねんあまり》の歴史《れきし》を持《も》つ「輪王寺《りんのうじ》」

輪王寺《りんのうじ》・本堂《ほんどう》（三仏堂《さんぶつどう》）

本堂《ほんどう》は間口《まぐち》33・8m、奥行《おくゆき》21・2m、山内最大《さんないさいだい》の大《おお》きさを誇《ほこ》る建物《たてもの》で重層入母屋造《じゅうそういりもやづく》りです。平安時代初期《へいあんじだいしょき》に慈覚大師《じかくだいし》によって創建《そうけん》されたものです。現在《げんざい》の本堂《ほんどう》は1647（正保《しょうほ》4）年《ねん》に造営《ぞうえい》され、1871（明治《めいじ》4）年《ねん》に神仏分離令《しんぶつぶんりれい》の実施《じっし》にともなって、現在《げんざい》の位置《いち》に移転《いてん》されたものです。1954〜1961（昭和《しょうわ》29〜36）年《ねん》に大改修《だいかいしゅう》されています。近年《きんねん》の調査《ちょうさ》では、屋根《やね》を除《のぞ》き造営当時《ぞうえいとうじ》の姿《すがた》が復旧《ふっきゅう》されており、江戸時代初期《えどじだいしょき》の形式《けいしき》をよく表《あらわ》す寺院《じいん》となっています。

本堂《ほんどう》は通常三仏堂《つうじょうさんぶつどう》と呼《よ》ばれ親《した》しまれていますが、その由来《ゆらい》は本堂《ほんどう》に三体《さんたい》の本地仏《ほんじぶつ》をまつっていることにあります。山岳信仰《さんがくしんこう》にもとづき、日光《にっこう》の三山《さんざん》である「男体山《なんたいさん》」「女峰山《にょほうさん》」「太郎山《たろうさん》」をご神体《しんたい》とみたて、その本地仏《ほんじぶつ》である「千手観音《せんじゅかんのん》」「阿弥陀如来《あみだにょらい》」「馬頭観音《ばとうかんのん》」の三仏《さんぶつ》を安置《あんち》しています。江戸時代初期《えどじだいしょき》のもので、三体《さんたい》とも金色《こんじき》の寄木造《よせぎづく》りで、当時《とうじ》の優《すぐ》れた技法《ぎほう》がうかがわれるものです。

なお、世界遺産《せかいいさん》に登録《とうろく》されている輪王寺《りんのうじ》の建造物《けんぞうぶつ》は38件《けん》もあります。主《おも》なものには、勝道上人《しょうどうしょうにん》をまつる霊廟《れいびょう》「開山堂《かいざんどう》」、常行堂《じょうぎょうどう》、法華堂《ほっけどう》、三重塔《さんじゅうのとう》があります。

また、宝物殿《ほうもつでん》には書道《しょどう》、書画《しょが》、工芸品《こうげいひん》、仏像《ぶつぞう》など約《やく》3万点《まんてん》が所蔵《しょぞう》されています。この宝物殿《ほうもつでん》の前《まえ》にある「逍遥園《しょうようえん》」は、江戸時代《えどじだい》に造《つく》られた代表的《だいひょうてき》な日本庭園《にほんていえん》です。

▶本堂《ほんどう》（三仏堂《さんぶつどう》）
高《たか》さが26mもある、山内最大《さんないさいだい》の建造物《けんぞうぶつ》

ポイント解説《かいせつ》

本地仏《ほんじぶつ》

本地《ほんじ》という言葉《ことば》には、仏教《ぶっきょう》が各地《かくち》で布教《ふきょう》されたときに、その土地《とち》でのさまざまな土着的《どちゃくてき》な宗教《しゅうきょう》を包《つつ》み入《い》れる、という意味《いみ》を持《も》っています。本地仏《ほんじぶつ》は神仏習合思想《しんぶつしゅうごうしそう》のひとつの現《あらわ》れともいえるでしょう。

▲逍遥園《しょうようえん》
池《いけ》が中心《ちゅうしん》になっており、その周囲《しゅうい》を歩《ある》きながら楽《たの》しめる池泉回遊式《ちせんかいゆうしき》と呼《よ》ばれる庭園《ていえん》です

▲三仏《さんぶつ》
本堂《ほんどう》にまつられている三仏《さんぶつ》は、右《みぎ》から「千手観音《せんじゅかんのん》」「阿弥陀如来《あみだにょらい》」「馬頭観音《ばとうかんのん》」

■勝道上人《しょうどうしょうにん》と輪王寺《りんのうじ》

日光山輪王寺《にっこうさんりんのうじ》の始《はじ》まりは、奈良時代《ならじだい》の766(天平神護《てんぴょうじんご》2)年《ねん》。日光開山《にっこうかいざん》の祖《そ》、勝道上人《しょうどうしょうにん》が輪王寺《りんのうじ》の前身《ぜんしん》の寺《てら》となる、「四本竜寺《しほんりゅうじ》」を創建《そうけん》しました。日光《にっこう》で最《もっと》も古《ふる》い寺院《じいん》です。810(弘仁元《こうにんがん》)年《ねん》には、「満願寺《まんがんじ》」の号《ごう》を受《う》けます。「輪王寺《りんのうじ》」と改称《かいしょう》されたのは、1655(明暦元《めいれきがん》)年《ねん》のことです。また、勝道上人《しょうどうしょうにん》は四本竜寺創建《しほんりゅうじそうけん》の翌年《よくねん》には、二荒山神社《ふたらさんじんじゃ》を建立《こんりゅう》しています。なお、勝道上人《しょうどうしょうにん》の銅像《どうぞう》は長坂《ながさか》を登《のぼ》ったところにあり、その先《さき》が輪王寺《りんのうじ》の境内《けいだい》になります。

▶勝道上人《しょうどうしょうにん》の銅像《どうぞう》
輪王寺《りんのうじ》の入《い》り口《ぐち》に立《た》つ、日光開山《にっこうかいざん》の祖《そ》

徳川家光《とくがわいえみつ》をまつる輪王寺《りんのうじ》 大猷院霊廟《だいゆういんれいびょう》

「廟《びょう》」とは祖先《そせん》の霊《れい》をまつったお堂《どう》のことです。「大猷院《だいゆういん》」とは、徳川《とくがわ》三代《さんだい》将軍《しょうぐん》・家光《いえみつ》のことで、死後《しご》、後光明天皇《ごこうみょうてんのう》からたまわった法号《ほうごう》です。つまり、ここは徳川家光《とくがわいえみつ》の墓所《ぼしょ》です。家光《いえみつ》の遺言《ゆいごん》により建立《こんりゅう》したのは、四代将軍《よんだいしょうぐん》家綱《いえつな》で1653（承応《じょうおう》2）年《ねん》のことです。大猷院霊廟《だいゆういんれいびょう》は東照宮《とうしょうぐう》と同《おな》じ権現造《ごんげんづく》りですが、仏堂建築《ぶつどうけんちく》で徳川家《とくがわけ》の私的法会《してきほうえ》の場《ば》（法事《ほうじ》を行《おこな》う場所《ばしょ》）になっています。

主要《しゅよう》の堂《どう》の正面《しょうめん》は東照宮《とうしょうぐう》を向《む》いており、家康公《いえやすこう》を敬愛《けいあい》してやまなかった家光《いえみつ》の祖父《そふ》に仕《つか》えたいという念《ねん》が現《あらわ》れています。

▲大猷院霊廟《だいゆういんれいびょう》

中心部《ちゅうしんぶ》、右奥《みぎおく》から本殿《ほんでん》、相《あい》の間《ま》、拝殿池《はいでんいけ》が中心《ちゅうしん》になっており、その周囲《しゅうい》を歩《ある》きながら楽《たの》しめる池泉回遊式《ちせんかいゆうしき》と呼《よ》ばれる庭園《ていえん》です

▲夜叉門《やしゃもん》

インド神話《しんわ》において鬼神《きしん》だった神々《かみがみ》が、仏界《ぶっかい》を守護《しゅご》する護法善神《ごほうぜんじん》になったのが夜叉《やしゃ》です。夜叉門《やしゃもん》は四体《よんたい》の夜叉《やしゃ》をまつり、赤《あか》、緑《みどり》、白《しろ》、青《あお》の夜叉《やしゃ》の体《たい》は東西南北《とうざいなんぼく》を表《あらわ》しているとされています

絢爛豪華《けんらんごうか》な建築物《けんちくぶつ》が立《た》ち並《な》ぶ徳川家康《とくがわいえやす》の霊廟《れいびょう》「東照宮《とうしょうぐう》」

世界遺産登録建造物《せかいいさんとうろくけんぞうぶつ》が42件《けん》に及《およ》ぶ、「東照宮《とうしょうぐう》」。徳川家康《とくがわいえやす》をまつるために創建《そうけん》されたのは、1617（元和《げんな》3）年《ねん》のことです。これは家康公《いえやすこう》の「遺体《いたい》は久能山《くのうさん》におさめ、〈中略《ちゅうりゃく》〉、一周忌《いっしゅうき》が過《す》ぎたならば、日光山《にっこうさん》に小《ちい》さな堂《どう》を建《た》てて勧請《かんじょう》し、神《かみ》としてまつること。そして、八州《はっしゅう》の鎮守《ちんじゅ》となろう」という遺言《ゆいごん》によるものです。朝廷《ちょうてい》からは東照大権現《とうしょうだいごんげん》の号《ごう》が贈《おく》られています。創建当初《そうけんとうしょ》の社殿《しゃでん》はとても質素《しっそ》なものでしたが、その20年後《ねんご》、1636（寛永《かんえい》13）年《ねん》に三代将軍家光《さんだいしょうぐんいえみつ》によって、自然《しぜん》の地形《ちけい》を利用《りよう》して老樹《ろうじゅ》や巨木《きょぼく》を残《のこ》しながら、当時《とうじ》の最高《さいこう》の技術《ぎじゅつ》を取《と》り入《い》れ、極彩色《ごくさいしき》の豪華《ごうか》なものに建《た》て替《か》えられました。

この東照宮《とうしょうぐう》の代表的《だいひょうてき》な建造物《けんぞうぶつ》のひとつが「陽明門《ようめいもん》」です。高《たか》さ11・1mの二層《にそう》造《づく》りで「東照大権現《とうしょうだいごんげん》」の額《がく》を掲《かか》げ、正面《しょうめん》

▲国宝《こくほう》の陽明門《ようめいもん》
一日中《いちにちじゅう》見《み》ていてもあきないことから、「日暮《ひぐ》らし門《もん》」とも呼《よ》ばれています

の長《なが》さは7m、奥行《おくゆき》は4・4mあります。

この楼門《ろうもん》は、500を超《こ》える精緻《せいち》で色鮮《いろあざ》やかな彫刻《ちょうこく》で埋《う》め尽《つ》くされています。金箔《きんぱく》もふんだんに使《つか》われた、いわば人工美《じんこうび》の極致《きょくち》です。

東照宮《とうしょうぐう》で有名《ゆうめい》な彫刻《ちょうこく》が、「眠猫《ねむりねこ》」。左甚五郎《ひだりじんごろう》の作《さく》と伝《つた》わるもので、東回廊《ひがしかいろう》の奥社参道《おくしゃさんどう》入《い》り口《ぐち》にあります。また「見《み》ざる言《い》わざる聞《き》かざる」の言葉《ことば》で有名《ゆうめい》な「三猿《さんざる》」の彫刻《ちょうこく》は、神厩《しんきゅう》にあります。神厩《しんきゅう》は神馬《しんめ》とされた白馬《はくば》をつないでおく厩舎《きゅうしゃ》のことです。

▲三猿《さんざる》
古《ふる》くから猿《さる》は馬《うま》の守《まも》り神《がみ》といわれています。ここには三猿《さんざる》のほかにも16匹《ぴき》の猿《さる》が彫《ほ》られています

▲眠猫《ねむりねこ》
猫《ねこ》の彫刻《ちょうこく》は東照宮《とうしょうぐう》以外《いがい》にもあるようですが、目《め》を閉《と》じている猫《ねこ》はここだけといわれています

江戸《えど》時代《じだい》に建《た》てたまま現存《げんそん》する、山内最古《さんないさいこ》の「二荒山神社《ふたらさんじんじゃ》」の本殿《ほんでん》

二荒山神社《ふたらさんじんじゃ》は「四本竜寺《しほんりゅうじ》」を創建《そうけん》した勝道上人《しょうどうしょうにん》が790（延暦《えんりゃく》9）年《ねん》に本宮神社《ほんぐうじんじゃ》を建《た》てたことにはじまります。古《ふる》くは霊峰二荒山《れいほうふたらさん》（男体山《なんたいさん》）をご神体《しんたい》と仰《あお》ぐ山岳信仰《さんがくしんこう》の中心《ちゅうしん》として崇拝《すうはい》されてきました。

▲神社境内《じんじゃけいだい》
右側《みぎがわ》の建物《たてもの》は社務所《しゃむしょ》で、一番左側《いちばんひだりがわ》が拝殿《はいでん》

日光山内《にっこうさんない》に鎮座《ちんざ》する本社《ほんしゃ》のほかに、男体山山頂《なんたいさんさんちょう》の「奥宮《おくみや》」、中禅寺湖畔《ちゅうぜんじこはん》の「中宮祠《ちゅうぐうし》」があり、神域《しんいき》は日光連山《にっこうれんざん》をはじめとして、34㎢に及《およ》びます。

二荒山神社《ふたらさんじんじゃ》の世界遺産登録物《せかいいさんとうろくぶつ》は23件《けん》あり、本殿《ほんでん》、拝殿《はいでん》のほかに別宮《べつぐう》の本宮神社《ほんぐうじんじゃ》（日光橋《にっこうばし》から徒歩《とほ》約《やく》10分《ぷん》）、滝尾神社《たきのおじんじゃ》（二荒山神社《ふたらさんじんじゃ》から徒歩《とほ》約《やく》40分《ぷん》）の建物《たてもの》も登録《とうろく》されています。

本殿《ほんでん》

現在《げんざい》の本殿《ほんでん》は、1619（元和《げんな》5）年《ねん》に徳川二代将軍秀忠《とくがわにだいしょうぐんひでただ》の寄進《きしん》によって建《た》てられたもので、桃山調《ももやまちょう》の優美《ゆうび》な「八棟造《やつむねづく》り」です。およそ400年前《ねんまえ》に造営《ぞうえい》された当時《とうじ》のままの姿《すがた》を保《たも》っています。

単層入母屋反《たんそういりもやそ》り屋根造《やねづく》りで、黒漆《くろうるし》塗《ぬ》りの銅瓦《どうかわら》ぶき（ここは創建当時《そうけんとうじ》とは異《こと》なります）で、落《お》ち着《つ》いた装飾《そうしょく》を施《ほどこ》していることも特徴《とくちょう》です。

※「八棟造《やつむねづく》り」は権現造《ごんげんづく》りと同《おな》じもので、権現造《ごんげんづく》りの原型《げんけい》となっているものです。

▲本殿《ほんでん》
樹齢《じゅれい》600〜800年《ねん》というスギが生《お》い茂《しげ》るなかにたたずむ本殿《ほんでん》は単層入母屋反《たんそういりもやそ》り屋根造《やねづく》り

拝殿《はいでん》

間口《まぐち》16m、奥行《おくゆき》12mの拝殿《はいでん》は、本殿《ほんでん》と同《おな》じ単層《たんそう》入母屋《いりもや》反《そ》り屋根造《やねづく》りで、黒漆塗《くろうるしぬ》りの銅瓦《どうかわら》ぶき（ここは創建当時《そうけんとうじ》とは異《こと》なります）です。造営《ぞうえい》の年代《ねんだい》は明《あき》らかではありませんが、1644～1648年《ねん》ごろと考《かんが》えられています。日光《にっこう》の建造物《けんぞうぶつ》のなかでは、珍《めずら》しいほど彫刻《ちょうこく》や文様《もんよう》などが一切《いっさい》ない、単純《たんじゅん》にして力強《ちからづよ》い建物《たてもの》になっています。

ポイント解説《かいせつ》1　山岳信仰《さんがくしんこう》

山《やま》を神聖《しんせい》なものとして見《み》なし、崇拝《すうはい》の対象《たいしょう》とする信仰《しんこう》で、自然崇拝《しぜんすうはい》の一種《いっしゅ》。日本《にほん》では「山《やま》」は、水源《すいげん》、森《もり》、狩《か》りの場《ば》、鉱物《こうぶつ》のとれる場《ば》であり、なかには火山活動《かざんかつどう》を起《お》こす山《やま》もあります。古来《こらい》、山《やま》はおそれと尊敬《そんけい》の心《こころ》を抱《いだ》かせるところとして、神霊《しんれい》が宿《やど》ると信《しん》じられてきました。

▲拝殿《はいでん》
弥生祭《やよいさい》や日々《ひび》の祭典《さいてん》、御祈祷《ごきとう》などが行《おこな》われます

▲神門《しんもん》
本殿《ほんでん》、拝殿《はいでん》と同《おな》じ朱塗《しゅぬ》りの神門《しんもん》は、参拝者《さんぱいしゃ》の気持《きも》ちを高《たか》めてくれます

ポイント解説《かいせつ》2　入母屋造《いりもやづく》り

上半分《うえはんぶん》を切妻〈きりづま〉、下半分《したはんぶん》を寄棟〈よせむね〉（P51の切妻《きりづま》と寄棟《よせむね》を参照《さんしょう》）にした複合形《ふくごうけい》です。妻《つま》側《がわ》の三角形《さんかくけい》の部分《ぶぶん》を破風口〈はふこう〉といいます。重層《じゅうそう》はこの形式《けいしき》がふたつ重《かさ》なっていること、単層《たんそう》はひとつのことです。

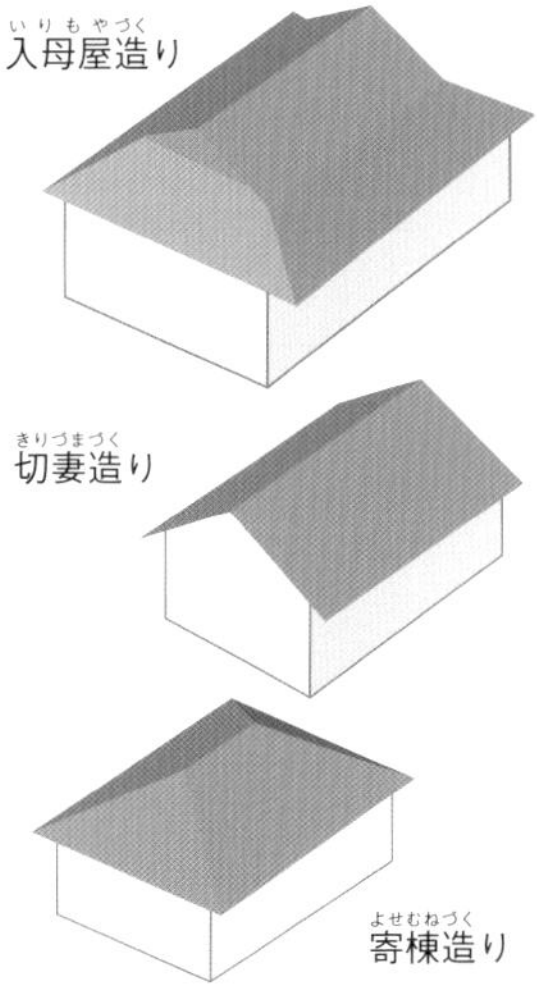

文化《ぶんか》遺産《いさん》

琉球王国《りゅうきゅうおうこく》のグスク及《およ》び関連遺産群《かんれんいさんぐん》

日本列島《にほんれっとう》の最南端《さいなんたん》に位置《いち》する沖縄県《おきなわけん》の3市《し》4村《そん》にまたがる世界遺産《せかいいさん》です。この地《ち》でかつて隆盛《りゅうせい》を誇《ほこ》った琉球王国時代《りゅうきゅうおうこくじだい》の文化遺産《ぶんかいさん》や特異《とくい》な歴史《れきし》を語《かた》る建造物《けんぞうぶつ》、また沖縄本島《おきなわほんとう》に残《のこ》る数々《かずかず》のグスクが資産《しさん》になっています。なお、沖縄《おきなわ》では一般的《いっぱんてき》に「城《しろ》」と書《か》いて、「グスク」と読《よ》みます。世界遺産《せかいいさん》の価値《かち》は、このグスクを含《ふく》む琉球《りゅうきゅう》の独自性《どくじせい》です。

登録内容《とうろくないよう》

遺産種別《いさんしゅべつ》	登録年《とうろくねん》	登録基準《とうろくきじゅん》
文化遺産《ぶんかいさん》	2000（平成《へいせい》12）年《ねん》	2、3、6

面積《めんせき》	登録対象資産《とうろくたいしょうしさん》	行政区分《ぎょうせいくぶん》
［コアゾーン］54.9ha、［バッファゾーン］559.7ha、	今帰仁城跡《なきじんじょうあと》、座喜味城跡《ざきみじょうあと》、勝連城跡《かつれんじょうあと》、中城城跡《なかぐすくじょうあと》、斎場御嶽《せーふぁうたき》、首里城跡《しゅりじょうあと》、玉陵《たまうどぅん》、園比屋武御嶽石門《そのひゃんうたきいしもん》、識名園《しきなえん》	沖縄県《おきなわけん》：那覇市《なはし》、今帰仁村《なきじんそん》、読谷村《よみたんそん》、うるま市《し》、北中城村《きたなかぐすくそん》、中城村《なかぐすくそん》、南城市《なんじょうし》

「グスク」とは？

現在《げんざい》も「グスク」論争《ろんそう》というものがあり、「グスク」そのものの意味《いみ》や考《かんが》え方《かた》は定《さだ》まっていません。

グスク＝城塞《じょうさい》と限《かぎ》ることもできないようです。小高《こだか》い丘《おか》にある拝所《はいしょ》や森《もり》の茂《しげ》みにある風葬《ふうそう》（遺体《いたい》を風《かぜ》にさらし風化《ふうか》を待《ま》つ葬《ほうむ》り方《かた》）地帯《ちたい》にもグスクと呼《よ》ばれる場所《ばしょ》が残《のこ》っています。ましてや、建造物《けんぞうぶつ》があるのは首里城《しゅりじょう》だけです。ほかの城跡《しろあと》は、石《いし》を積《つ》んだ囲《かこ》いや、そこからの眺《なが》めだけで建造物《けんぞうぶつ》はありません。また、日本本土《にほんほんど》にある「城《しろ》」をイメージしない方《ほう》がよいでしょう。その外観《がいかん》やありさまはかなり違《ちが》うものだからです。

沖縄《おきなわ》の歴史《れきし》を伝《つた》える グスク時代《じだい》

沖縄《おきなわ》で農耕《のうこう》が本格的《ほんかくてき》に行《おこな》われるようになった12世紀《せいき》前後《ぜんご》の時代《じだい》を「グスク時代《じだい》」と呼《よ》んでいます。農耕社会《のうこうしゃかい》が成長《せいちょう》するにつれ、各地《かくち》に「按司《あじ》」（あじまたはあんじと読《よ》みます）と称《しょう》する小領主《しょうりょうしゅ》が出現《しゅつげん》します。この按司《あじ》が自《みずか》らの勢力《せいりょく》の維持《いじ》と抗争《こうそう》に備《そな》えて、グスクとよばれる城塞《じょうさい》を築《きず》きます。大小合《だいしょうあ》わせて300以上《いじょう》のグスクが広《ひろ》がっていたともいわれています。

やがて14世紀《せいき》に入《はい》ると、今帰仁城《なきじんじょう》を拠点《きょてん》とする「北山《ほくざん》」、浦添城《うらそえじょう》を拠点《きょてん》とする「中山《ちゅうざん》」、島尻大里城《しまじりおおざとじょう》を拠点《きょてん》とする「南山《なんざん》」の三勢力《さんせいりょく》が台頭《たいとう》し、三山時代《さんざんじだい》を迎《むか》えます。

◀座喜味城跡《ざきみじょうあと》、二《に》の郭《くるわ》の城壁《じょうへき》

沖縄MAP《おきなわまっぷ》

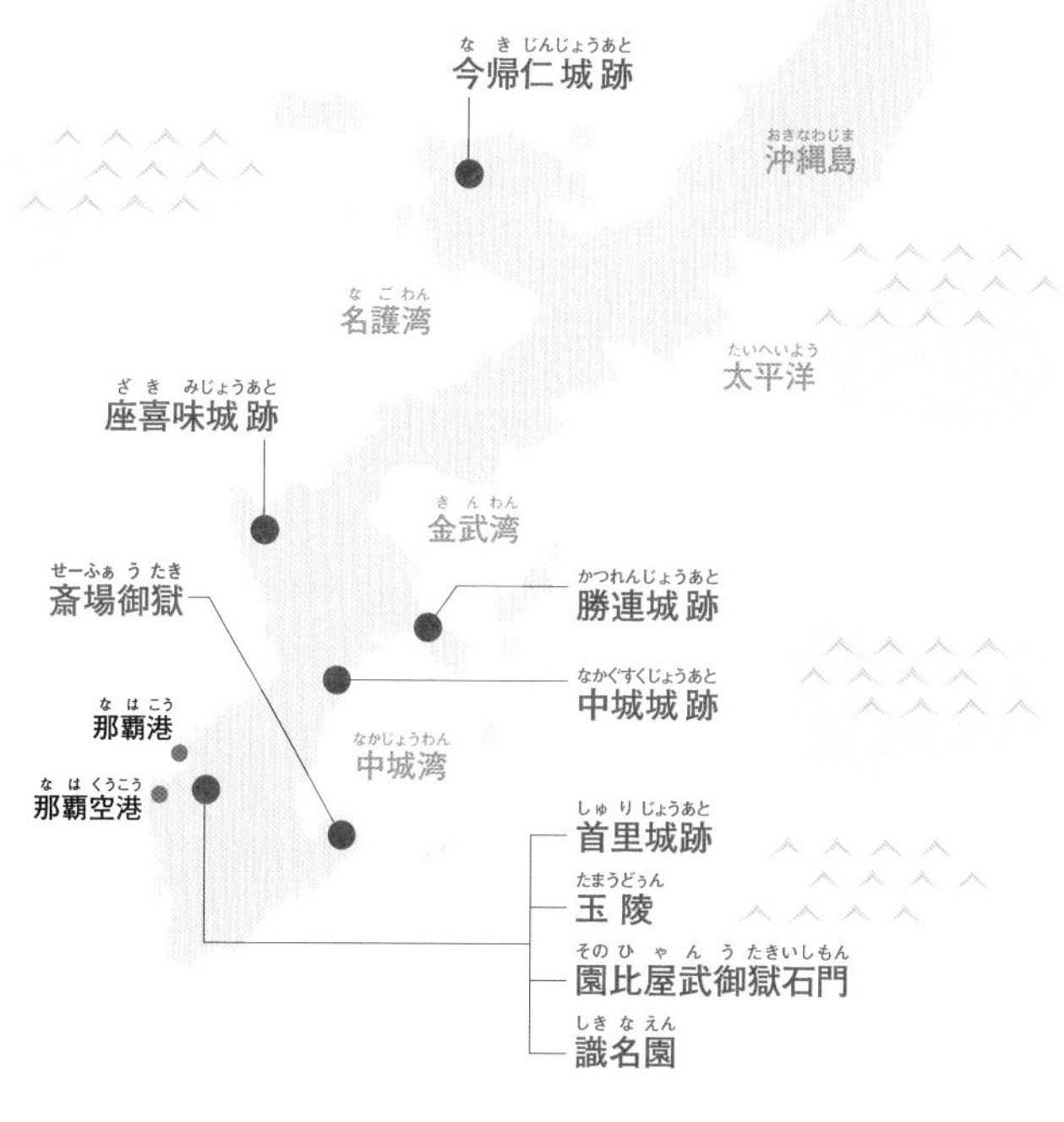

尚巴志《しょうはし》による琉球王国《りゅうきゅうおうこく》の誕生《たんじょう》

15世紀《せいき》に入《はい》り、沖縄島南部《おきなわじまなんぶ》の佐《さ》敷《しき》按《あ》司《じ》・尚巴志《しょうはし》が勢力《せいりょく》を伸《の》ばし、1416(応永《おうえい》23)年《ねん》に北山《ほくざん》、1429(永享元《えいきょうがん》)年《ねん》に南山《なんざん》を滅《ほろ》ぼします。これにより、琉球最初《りゅうきゅうさいしょ》の統一政権《とういつせいけん》となる、第一尚氏王統《だいいちしょうしおうとう》が生《う》まれ、琉球王国《りゅうきゅうおうこく》が樹立《じゅりつ》されます。

以後《いご》、1879(明治《めいじ》12)年《ねん》に沖縄《おきなわ》県《けん》になるまで、450年《ねん》にわたって琉球王国《りゅうきゅうおうこく》は首里城《しゅりじょう》を中心《ちゅうしん》に華麗《かれい》な王朝文化《おうちょうぶんか》を花開《はなひら》かせます。

首里城跡《しゅりじょうあと》及《およ》び周辺《しゅうへん》と4つの城跡《しろあと》

首里城《しゅりじょう》

那覇市《なはし》の東部《とうぶ》、那覇港《なはこう》を見下《みお》ろす丘陵地帯《きゅうりょうちたい》にあるのが首里城《しゅりじょう》です。はっきりとした築城年《ちくじょうねん》はわかっていませんが、尚巴志《しょうはし》の時代《じだい》に原型《げんけい》ができたともいわれています。堅牢《けんろう》な石垣《いしがき》で囲《かこ》まれた沖縄県最大規模《おきなわけんさいだいきぼ》のグスクであり、琉球王国《りゅうきゅうおうこく》の王家《おうけ》の居城《きょじょう》として、国《くに》の政治《せいじ》や儀式《ぎしき》、祭祀《さいし》などがここで行《おこな》われました。首里城《しゅりじょう》はこれまでに王家《おうけ》の争《あらそ》いや火災《かさい》、第《だい》二次世界大戦《にじせかいたいせん》の沖縄戦《おきなわせん》などにより数度消失《すうどしょうしつ》しています。記憶《きおく》に新《あたら》しいのは2019(令和元《れいわがん》)年《ねん》の火災《かさい》で、1992年《ねん》(平成《へいせい》4)年《ねん》に再建《さいけん》されたものです。正殿《せいでん》や北殿《ほくでん》、南殿《なんでん》などが消失《しょうしつ》しました。しかし、世界遺産《せかいいさん》に登録《とうろく》されているのは、石造《いしづく》りの基礎《きそ》部分《ぶぶん》や柱穴《ちゅうけつ》、溝《みぞ》など地下《ちか》の遺構部分《いこうぶぶん》のため、その価値《かち》が損《そこ》なわれることはありません。世界遺産《せかいいさん》の登録《とうろく》は続《つづ》けられ、新《あたら》しい首里城《しゅりじょう》の再建《さいけん》が望《のぞ》まれます。

▶首里城《しゅりじょう》の正殿《せいでん》(火災前《かさいまえ》)
日本《にほん》と中国《ちゅうごく》の文化《ぶんか》を融合《ゆうごう》させた沖縄独自《おきなわどくじ》の様式《ようしき》が見《み》られる特徴的《とくちょうてき》な建物《たてもの》です。手前《てまえ》の広場《ひろば》は御庭《うなー》(ウナー)と呼《よ》ばれ、さまざまな儀式《ぎしき》が行《おこな》われました

▲首里城《しゅりじょう》（火災前《かさいまえ》）は、外郭《がいかく》に歓会門《かんかいもん》など4つの石造《せきぞう》アーチ門《もん》、内部《ないぶ》には瑞泉門《ずいせんもん》など9つの門《もん》があります。これらの門《もん》を高《たか》さ6～10mの石垣《いしがき》で連《つら》ねています。右下《みぎした》は守礼門《しゅれいもん》です

▶守礼門《しゅれいもん》
首里城《しゅりじょう》の歓会門《かんかいもん》の外《そと》にある、楼門《ろうもん》のひとつです。首里城《しゅりじょう》へはここから入《はい》ります

玉陵《たまうどぅん》

1501（文亀元《ぶんきがん》）年《ねん》に造《つく》られたと伝《つた》えられている、第二尚氏王家歴代《だいにしょうしおうけれきだい》のお墓《はか》。自然《しぜん》の岩陰《いわかげ》を利用《りよう》して造《つく》られています。首里城《しゅりじょう》の西《にし》にあり、大《おお》きさは2442㎡、沖縄《おきなわ》で一番大《いちばんおお》きい王家《おうけ》のお墓《はか》です。庭《にわ》には一面《いちめん》に細《こま》かくしたサンゴが敷《し》きつめてあり、王朝《おうちょう》の栄華《えいが》を物語《ものがた》っています。

▲玉陵《たまうどぅん》
岩《いわ》には、魔《ま》よけのために獅子《しし》やスイレンの彫刻《ちょうこく》があります

園比屋武御獄石門《そのひゃんうたきいしもん》

尚真王時代《しょうしんおうじだい》の1519（永正《えいしょう》16）年《ねん》に造《つく》られた門《もん》で、木《き》の扉《とびら》以外《いがい》はすべて琉球石灰岩《りゅうきゅうせっかいがん》を使《つか》っています。首里《しゅり》城正門《じょうせいもん》のすぐ外《そと》にあります。

石門《いしもん》と背後《はいご》に広《ひろ》がる森《もり》は、総称《そうしょう》して園比屋武御獄《そのひゃんうたき》といいます。ここは国王《こくおう》が外出《がいしゅつ》するとき、安全《あんぜん》を祈願《きがん》した拝所《はいしょ》です。また琉球王国《りゅうきゅうおうこく》の最高《さいこう》神女《しんにょ》（ノロ）「聞得大君《きこえおおきみ》」の就任《しゅうにん》の儀式《ぎしき》の際《さい》にも、最初《さいしょ》にここでお参《まい》りしてから、斎場御獄《せーふぁうたき》に向《む》かいました。

※御獄《うたき》とは、沖縄《おきなわ》の村落共同体《そんらくきょうどうたい》ごとにある聖域《せいいき》で、村《むら》や航海《こうかい》の無事《ぶじ》を見守《みまも》る神《かみ》などが祀《まつ》られていました。これらの聖域《せいいき》をまとめて御獄《うたき》と呼《よ》んでいます。

▲園比屋武御獄石門《そのひゃんうたきいしもん》
古《ふる》い書物《しょもつ》に「この神《かみ》に祈《いの》れば必《かなら》ず己《おのれ》に応《おう》ず」と書《か》かれていて、今《いま》も多《おお》くの人《ひと》が訪《おとず》れます

斎場御獄《せーふぁうたき》

南部《なんぶ》の海岸線《かいがんせん》に面《めん》した丘《おか》にある、斎場御獄《せーふぁうたき》。御獄《うたき》の中《なか》でも最《もっと》も格式《かくしき》の高《たか》い聖地《せいち》とされています。

琉球王国時代《りゅうきゅうおうこくじだい》、ここでは「聞得《きこえ》大君《おおきみ》」の就任《しゅうにん》の儀式《ぎしき》「お新下《あらお》り」や国《くに》の平和《へいわ》や豊饒《ほうじょう》を願《ねが》って参拝《さんぱい》する「東御廻《あがりうまーい》り」など、国《くに》の大事《だいじ》な神事《しんじ》が行《おこな》われました。

※「聞得大君《きこえおおきみ》」とは、第二尚氏王統時代《だいにしょうしおうとうじだい》の最《もっと》も位《くらい》の高《たか》い神女《しんにょ》。王女《おうじょ》、王妃《おうひ》、王母《おうぼ》などが代々《だいだい》「聞得大君《きこえおおきみ》」の職《しょく》につきました。

▲識名園《しきなえん》
池《いけ》に浮《う》かぶ島《しま》には中国風《ちゅうごくふう》の六角堂《ろっかくどう》があります

▲斎場御嶽《せーふぁうたき》の三庫理《さんぐーい》
巨岩《きょがん》がもたれあい、その奥《おく》に神聖《しんせい》なる拝所《はいじょ》（うがんじゅ）があり

識名園《しきなえん》

1799（寛政《かんせい》11）年《ねん》に琉球王家《りゅうきゅうおうけ》の別邸《べってい》の庭《にわ》として造営《ぞうえい》されました。中国皇帝《ちゅうごくこうてい》の使者《ししゃ》や海外《かいがい》からの使者《ししゃ》をもてなす場所《ばしょ》として使《つか》われました。面積《めんせき》は約《やく》4万《まん》㎡、池《いけ》のまわりを歩《ある》きながら景色《けしき》の移《うつ》り変《か》わりを楽《たの》しむ、回遊式庭園《かいゆうしきていえん》です。日本《にほん》と中国《ちゅうごく》の様式《ようしき》を取《と》り入《い》れながら、琉球独自《りゅうきゅうどくじ》の景観《けいかん》づくりがされています。

4つの城跡《しろあと》

今帰仁城跡《なきじんじょうあと》

三山時代《さんざんじだい》の北山王《ほくざんおう》が居《い》た城《しろ》の跡《あと》です。城壁《じょうへき》は、起伏《きふく》に富《と》んだ地形《ちけい》に沿《そ》って優美《ゆうび》な曲線《きょくせん》を描《えが》くように巡《めぐ》らされています。沖縄《おきなわ》で唯一《ゆいいつ》、古生代石灰岩《こせいだいせっかいがん》だけを使用《しよう》して築《きず》かれた大規模《だいきぼ》なグスクです。

最後《さいご》の城主《じょうしゅ》が中山軍《ちゅうざんぐん》に滅《ほろ》ぼされました。そして琉球統一《りゅうきゅうとういつ》後《ご》は首里王府《しゅりおうふ》から派遣《はけん》された監守《かんしゅ》の城《しろ》となります。1665（寛文《かんぶん》5）年《ねん》に最後《さいご》の監守《かんしゅ》が首里《しゅり》に引《ひ》き上《あ》げてからは、祈祷《きとう》や祭《まつり》の場所《ばしょ》として、大切《たいせつ》にされました。

▲▶今帰仁城跡《なきじんじょうあと》

1月《がつ》にはカンヒザクラが満開《まんかい》となる、日本一《にほんいち》早《はや》い花見《はなみ》の名所《めいしょ》でもあります

座喜味城跡《ざきみじょうあと》

読谷山按司《よみたんざんあじ》だった護佐丸《ごさまる》が１４１６（応永《おうえい》23）年《ねん》から１４２０（応永《おうえい》29）年代《ねんだい》に築《きず》いたといわれているグスクです。

中山軍《ちゅうざんぐん》の武将《ぶしょう》として北山《ほくざん》を滅《ほろ》ぼした護佐丸《ござまる》は、山田《やまだ》グスクから移《うつ》ってきて、この座喜味城《ざきみじょう》を造《つく》りました。赤土《あかつち》の台地《だいち》にたてられた城《しろ》は珍《めずら》しく、やわらかい地盤《じばん》を強化《きょうか》するために、城壁《じょうへき》を屏風状《びょうぶじょう》にしたり、幅《はば》を広《ひろ》げるなどの工夫《くふう》がされています。

▲座喜味城跡《ざきみじょうあと》

美《うつく》しい形《かたち》のアーチ門《もん》

◀座喜味城跡《ざきみじょうあと》

首里方面《しゅりほうめん》や東《ひがし》シナ海《かい》などが眺望《ちょうぼう》できる丘《おか》に建《た》ち、軍事的《ぐんじてき》な要《かなめ》でした

▲勝連城跡《かつれんじょうあと》
曲輪《くるわ》が階段状《かいだんじょう》につながっています

▲勝連城跡《かつれんじょうあと》
南東方向《なんとうほうこう》から見《み》た、勝連城跡《かつれんじょうあと》

勝連城跡《かつれんじょうあと》

12～14世紀《せいき》ごろに築《きず》かれた、沖縄《おきなわ》のグスクでは最《もっと》も古《ふる》いといわれている勝連城《かつれんじょう》は、標高《ひょうこう》60m～１００mの台地《だいち》に建《た》っています。最後《さいご》の城主《じょうしゅ》・阿麻和利《あまわり》は、琉球王国《りゅうきゅうおうこく》に最後《さいご》まで抵抗《ていこう》しました。首里王府《しゅりおうふ》にとっては反逆児《はんぎゃくじ》でしたが、地域《ちいき》の民衆《みんしゅう》にとっては良《よ》い政策《せいさく》をとった英雄《えいゆう》で、沖縄《おきなわ》に古《ふる》くから伝《つた》わる歌謡集《かようしゅう》「おもろさうし」にも、阿麻和利《あまわり》をたたえる歌《うた》が多《おお》く残《のこ》されています。

中城城跡《なかぐすくじょうあと》

琉球統一後《りゅうきゅうとういつご》も首里王府《しゅりおうふ》に対抗《たいこう》していた勝連城《かつれんじょう》の阿麻和利《あまわり》をけん制《せい》するために、座喜味城主《ざきみじょうしゅ》であった護佐丸《ごさまる》が国王《こくおう》の命令《めいれい》により、移《うつ》り住《す》んだ城《しろ》です。築城年《ちくじょうねん》は不明《ふめい》ですが、１４４０年頃《ねんごろ》に護佐丸《ごさまる》によって増築《ぞうちく》されたといわれています。最終的《さいしゅうてき》には6つの郭《くるわ》を持《も》つ、戦《たたか》いにすぐれた城《しろ》になるように手《て》を加《くわ》えています。現在《げんざい》も、曲線《きょくせん》を描《えが》く城壁《じょうへき》と美《うつく》しいアーチ門《もん》がよく保存《ほぞん》されています。

▲中城城跡《なかぐすくじょうあと》
守《まも》りやすく攻《せ》めにくくするため、一目《ひとめ》で周囲《しゅうい》を見渡《みわた》せる高《たか》さ167mの高台《たかだい》に建《た》っています

文《ぶん》化《か》遺《い》産《さん》

紀《き》伊《い》山《さん》地《ち》の霊場《れいじょう》と参《さん》詣《けい》道《みち》

紀《き》伊《い》山《さん》地《ち》は、奈《な》良《ら》県《けん》、和《わ》歌《か》山《やま》県《けん》、三《み》重《え》県《けん》の3県《けん》にまたがる紀《き》伊《い》半《はん》島《とう》にある山《さん》岳《がく》地《ち》帯《たい》のことです。ここに「吉《よし》野《の》・大《おお》峯《みね》」、「熊《くま》野《の》三《さん》山《ざん》」、「高《こう》野《や》山《さん》」という、それぞれ起《き》源《げん》や内《ない》容《よう》を異《こと》にする三《みっ》つの霊《れい》場《じょう》があります。さらに、これらを結《むす》ぶ「参《さん》詣《けい》道《みち》」（神《じん》社《じゃ》や寺《じ》院《いん》に行《い》く〈詣《もう》でる〉ときに通《とお》る道《みち》）の一《いち》部《ぶ》が世《せ》界《かい》遺《い》産《さん》になっています。

登録内容《とうろくないよう》

遺産種別《いさんしゅべつ》	文《ぶん》化《か》遺《い》産《さん》
登録年《とうろくねん》	2004（平《へい》成《せい》16）年《ねん》
登録基準《とうろくきじゅん》	2、3、4、6
面積《めんせき》	［コアゾーン］495．3ha、［バッファゾーン］11，370．0ha
登録対象資産《とうろくたいしょうしさん》	3霊《れい》場《じょう》の17遺《い》産《さん》群《ぐん》と3参《さん》詣《けい》道《みち》 【霊場《れいじょう》】 《吉《よし》野《の》・大《おお》峯《みね》》吉《よし》野《の》山《やま》、吉《よし》野《の》水《みく》分《まり》神《じん》社《じゃ》、金《きん》峯《ぷ》神《じん》社《じゃ》、金《きん》峯《ぷ》山《せん》寺《じ》、吉《よし》水《みず》神《じん》社《じゃ》、大《おお》峰《みね》山《さん》寺《じ》、 《熊《くま》野《の》三《さん》山《ざん》》熊《くま》野《の》本《ほん》宮《ぐう》大《たい》社《しゃ》、熊《くま》野《の》速《はや》玉《たま》大《たい》社《しゃ》、熊《くま》野《の》那《な》智《ち》大《たい》社《しゃ》、青《せい》岸《がん》渡《と》寺《じ》、那《な》智《ちの》大《おお》滝《たき》、那《な》智《ち》原《げん》始《し》林《りん》、補《ふ》陀《だ》洛《らく》山《さん》寺《じ》、《高《こう》野《や》山《さん》》丹《に》生《う》都《つ》比《ひ》売《め》神《じん》社《じゃ》、金《こん》剛《ごう》峯《ぶ》寺《じ》、慈《じ》尊《そん》院《いん》、丹《にう》生《かん》官《しょう》省《ぶ》符《じん》神《じゃ》社 【参《さん》詣《けい》道《みち》】 《大《おお》峯《みね》奥《おく》駈《がけ》道《みち》》、《熊《くま》野《の》参《さん》詣《けい》道《みち》》中《なか》辺《へ》路《ち》、小《こ》辺《へ》路《ち》、大《おお》辺《へ》路《ち》、伊《い》勢《せ》路《じ》、《高《こう》野《や》山《さん》町《ちょう》石《いし》道《みち》》
行政区分《ぎょうせいくぶん》	三《み》重《え》県《けん》：尾《お》鷲《わせ》市《し》、熊《くま》野《の》市《し》、大《たい》紀《き》町《ちょう》、紀《き》北《ほく》町《ちょう》、御《み》浜《はま》町《ちょう》、紀《き》宝《ほう》町《ちょう》 奈《な》良《ら》県《けん》：五《ご》條《じょう》市《し》、吉《よし》野《の》町《ちょう》、黒《くろ》滝《たき》村《むら》、天《てん》川《かわ》村《むら》、野《の》迫《せ》川《がわ》村《むら》、十《と》津《つ》川《かわ》村《むら》、下《しも》北《きた》山《やま》村《むら》、上《かみ》北《きた》山《やま》村《むら》、川《かわ》上《かみ》村《むら》 和《わ》歌《か》山《やま》県《けん》：新《しん》宮《ぐう》市《し》、田《た》辺《なべ》市《し》、かつらぎ町《ちょう》、九《く》度《ど》山《やま》町《ちょう》、高《こう》野《や》町《ちょう》、白《しら》浜《はま》町《ちょう》、すさみ町《ちょう》、那《な》智《ち》勝《かつ》浦《うら》町《ちょう》

古《ふる》くからの崇拝《すうはい》の地《ち》、紀伊山地《きいさんち》

古代《こだい》から奈良《なら》や京都《きょうと》に住《す》む人々《ひとびと》は、吉野川《よしのがわ》から南《みなみ》の紀伊山地全体《きいさんちぜんたい》を、神々《かみがみ》がこもり、仏《ほとけ》が宿《やど》る聖域《せいいき》と考《かんが》えてきました。それは、紀伊山地《きいさんち》が都《みやこ》から見《み》て太陽《たいよう》の光《ひかり》がさす南《みなみ》の方角《ほうがく》にあること、一年《いちねん》を通《とお》して雨《あめ》が多《おお》く、けわしい山岳《さんがく》地形《ちけい》に成《な》っていること。それが、人々《ひとびと》を立《た》ち入《い》らせることを簡単《かんたん》に許《ゆる》さなかったうえに、山《やま》や岩《いわ》、森《もり》や樹木《じゅもく》、川《かわ》や滝《たき》などが信仰心《しんこうしん》を呼《よ》び起《おこ》させるだけの神秘性《しんぴせい》に満《み》ちたものであったからです。当初《とうしょ》、紀伊山地《きいさんち》の霊場《れいじょう》は修行《しゅぎょう》の場《ば》であり、限《かぎ》られた人《ひと》のものでしたが、やがて貴族《きぞく》たちの参詣《さんけい》が増《ふ》えてきました。室町時代《むろまちじだい》には庶民《しょみん》も参詣《さんけい》に行《い》くようになりました。その様子《ようす》は「蟻《あり》の熊野《くまの》詣《もうで》」とまでいわれました。このように参詣道《さんけいみち》が踏《ふ》み固《かた》められていった歴史《れきし》が今日《こんにち》まで続《つづ》けられ、その霊場《れいじょう》にまつわる社寺《しゃじ》や自然《しぜん》、そして「道《みち》」が世界遺産《せかいいさん》の資産対象《しさんたいしょう》となる、稀《まれ》な例《れい》となったのです。

三霊場《さんれいじょう》〈吉野《よしの》・大峯《おおみね》、熊野三山《くまのさんざん》、高野山《こうやさん》〉と参詣道《さんけいみち》

吉野《よしの》・大峯《おおみね》

霊場《れいじょう》「吉野《よしの》・大峯《おおみね》」は紀伊山地《きいさんち》中央《ちゅうおう》の北部《ほくぶ》から中部《ちゅうぶ》に渡《わた》る大峰山脈《おおみねさんみゃく》の山岳地帯《さんがくちたい》にあたります。標高千数百《ひょうこうせんすうひゃく》mの険《けわ》しい山々《やまやま》が続《つづ》く修験道《しゅげんどう》の聖地《せいち》です。北部《ほくぶ》を「吉野《よしの》」、南部《なんぶ》を「大峯《おおみね》」と呼《よ》んでいます。

吉野《よしの》は奈良時代以前《ならじだいいぜん》から山岳信仰《さんがくしんこう》の対象《たいしょう》でした。修験道《しゅげんどう》の繁栄《はんえい》にともない、開祖《かいそ》とされる役行者《えんのぎょうじゃ》ゆかりの聖地《せいち》として最《もっと》も重視《じゅうし》される所《ところ》となり、神道《しんとう》と修験道《しゅげんどう》に関連《かんれん》する建築物《けんちくぶつ》や遺跡《いせき》が数多《かずおお》く残《のこ》されています。

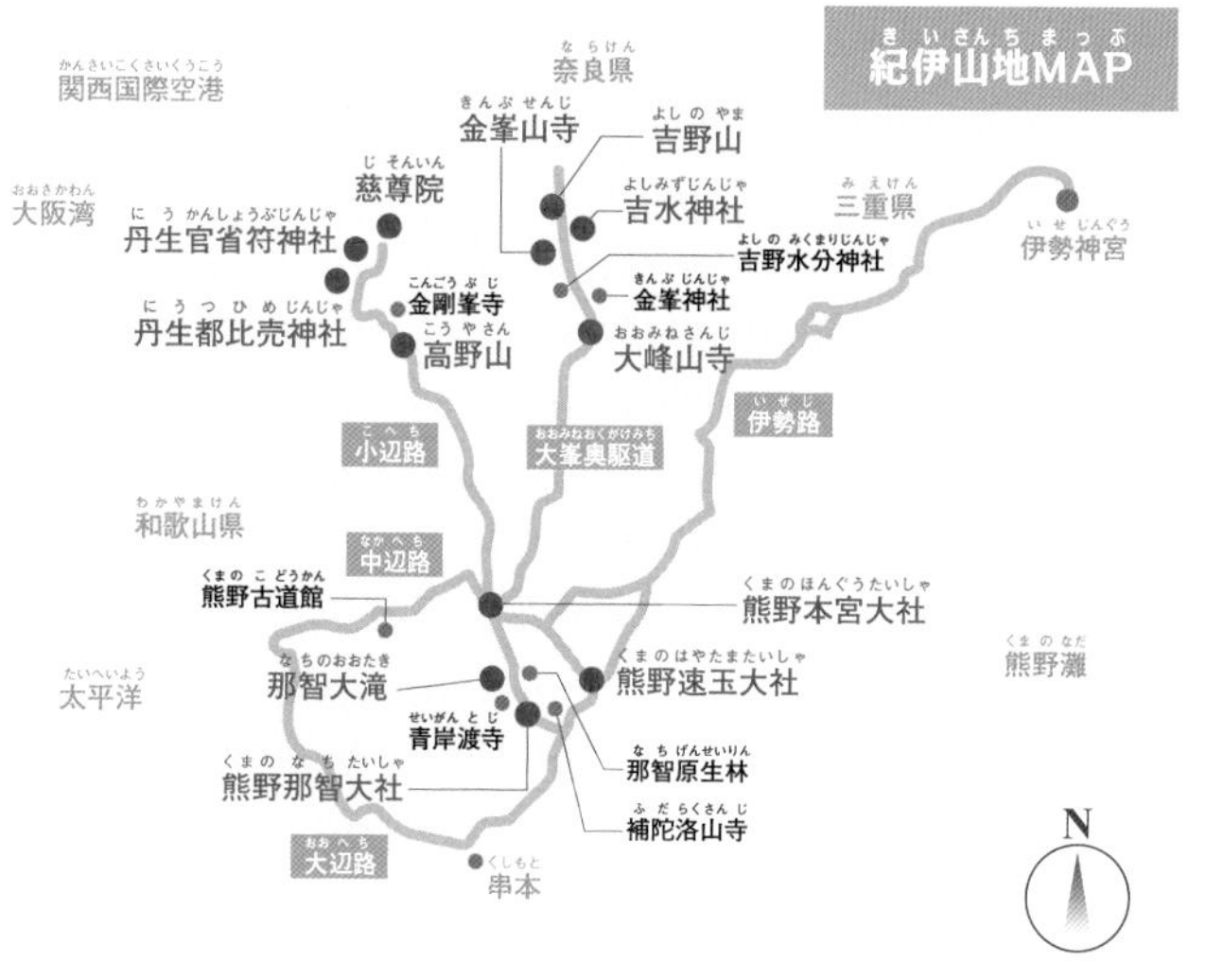

大峰山寺《おおみねさんじ》

山上ヶ岳《さんじょうがだけ》の頂上《ちょうじょう》にある修験道《しゅげんどう》の寺院《じいん》です。修験道《しゅげんどう》の聖地《せいち》として重要《じゅうよう》な場所《ばしょ》とされています。大峯山寺《おおみねさんじ》の本堂《ほんどう》を「山上蔵王堂《さんじょうざおうどう》」と呼《よ》ぶのに対《たい》し、金峯山寺《きんぷせんじ》の本堂《ほんどう》は「山下蔵王堂《さんげざおうどう》」と呼《よ》ばれています。ここには、参詣《さんけい》道《みち》の資産対象《しさんたいしょう》である「大峯奥駈道《おおみねおくがけみち》」（修験者《しゅげんしゃ》が人《ひと》の能力《のうりょく》を超《こ》えた法力《ほうりき》を身《み》につけようと山《やま》を駆《か》け抜《ぬ》ける道《みち》）が通《つう》じています。

吉野山《よしのやま》

大峰山脈《おおみねさんみゃく》の北端部《ほくたんぶ》にある桜《さくら》の名所《めいしょ》で、修験道場《しゅげんどうじょう》である吉野山《よしのやま》。兄《あに》に追《お》われた　源《みなもとの》　義経《よしつね》と吉野山《よしのやま》を舞台《ぶたい》にした「義経千本桜《よしつねせんぼんざくら》」、後醍醐天皇《ごだいごてんのう》が南朝《なんちょう》を立《た》てた地《ち》であり、秀吉《ひでよし》の力《ちから》を象徴《しょうちょう》する花見《はなみ》をするなど数々《かずかず》の歴史《れきし》の舞台《ぶたい》となってきました。

▲ 吉野山《よしのやま》の桜《さくら》

吉水神社《よしみずじんじゃ》から撮《と》った桜《さくら》です。吉水神社《よしみずじんじゃ》は明治初年《めいじしょねん》の神仏分離令《しんぶつぶんりれい》や修験道廃止令《しゅげんどうはいしれい》によって神社《じんじゃ》になりましたが、もとは金峯山寺《きんぷせんじ》の仲間《なかま》の寺《てら》でした。行者《ぎょうじゃ》や参詣者《さんけいしゃ》の滞在所《たいざいしょ》や宿泊所《しゅくはくしょ》としての歴史《れきし》も持《も》っています

ポイント解説《かいせつ》

修験道《しゅげんどう》

山《やま》を神《かみ》として敬《うやま》う古来《こらい》日本《にほん》の山岳信《さんがくしん》仰《こう》と仏教《ぶっきょう》、道教《どうきょう》、儒教《じゅきょう》などの影響《えいきょう》のもと、これらと結《むす》びついて確立《かくりつ》された日本《にほん》独特《どくじ》の宗教《しゅうきょう》です。平安初期《へいあんしょき》になると、この頃《ころ》伝来《でんらい》した「密教《みっきょう》」との結《むす》びつきが強《つよ》くなったとされています。

金峯山寺《きんぷせんじ》

金峯山寺《きんぷせんじ》の本堂《ほんどう》の蔵王堂《ざおうどう》は、山《やま》の上《うえ》から行《ぎょう》を終《お》えてくる行者《ぎょうじゃ》を出迎《でむか》えるように南向《みなみむ》きに建《た》っています。ここには本尊《ほんぞん》の三体《さんたい》の蔵王権現立像《ざおうごんげんりゅうぞう》が安置《あんち》されています。それぞれ釈迦《しゃか》、観音《かんのん》、弥勒《みろく》の化身《けしん》とされています。

▲ 金峯山寺《きんぷせんじ》・蔵王堂《ざおうどう》

高《たか》さ34mの木造建築《もくぞうけんちく》で、その大《おお》きさは奈良《なら》の東大寺《とうだいじ》の大仏殿《だいぶつでん》に次《つ》ぐものです

熊野三山《くまのさんざん》

熊野三山《くまのさんざん》とは、熊野本宮大社《くまのほんぐうたいしゃ》、熊野速玉大社《くまのはやたまたいしゃ》、熊野那智大社《くまのなちたいしゃ》の三社《さんしゃ》のことです。紀伊山地《きいさんち》の東南部《とうなんぶ》にあたるところに点在《てんざい》します。熊野川《くまのがわ》中流《ちゅうりゅう》の盆地《ぼんち》にある熊野本宮大社《くまのほんぐうたいしゃ》、その約《やく》40km下流《かりゅう》の河口部《かこうぶ》にある熊《くま》野速玉大社《のはやたまたいしゃ》、そこから約《やく》22km南西《なんせい》の那智山《なちざん》にあるのが熊野那智大社《くまのなちたいしゃ》です。

これらの大社《たいしゃ》を結《むす》んでいる最《もっと》も一般的《いっぱんてき》なルートが熊野参詣道《くまのさんけいみち》の中辺路《なかへち》です。三社《さんしゃ》は個別《こべつ》の自然崇拝《しぜんすうはい》の祭祀《さいし》(神《かみ》をまつること)起《き》源《げん》を持《も》ちますが、平安時代《へいあんじだい》に神仏習合《しんぶつしゅうごう》の影響《えいきょう》を受《う》けて「熊野山三社権現《くまのさんさんじゃごんげん》」となり信仰《しんこう》されるようになりました。そこには、仏《ほとけ》は衆生《しゅじょう》を救済《きゅうさい》するために姿《すがた》を表《あらわ》した神《かみ》だとする説《せつ》によって、それぞれの主祭神《しゅさいしん》がそれぞれの仏《ほとけ》を持《も》つと見《み》なされるようになりました。

	祭祀起源《さいしきげん》	主祭神《しゅさいしん》	関係《かんけい》する仏《ほとけ》
熊野本宮大社《くまのほんぐうたいしゃ》	熊野川《くまのがわ》	家都御子神《けつみこのかみ》	阿弥陀如来《あみだにょらい》
熊野速玉大社《くまのはやたまたいしゃ》	ゴトビキ岩《いわ》	速《はや》玉神《たまのかみ》	薬師如来《やくしにょらい》
熊野那智大社《くまのなちたいしゃ》	那智大滝《なちのおおたき》	夫須美神《ふすみのかみ》	千手観音《せんじゅかんのん》

熊野本宮大社《くまのほんぐうたいしゃ》

古《ふる》くは「熊野坐神社《くまのにますじんじゃ》」と呼《よ》ばれた神社《じんじゃ》で、かつては三本の川の中州《なかす》にありました。しかし、1889(明治《めいじ》22)年《ねん》の大洪水《だいこうずい》により大《おお》きな被害《ひがい》を受《う》け、1891(明治《めいじ》24)年《ねん》に現在地《げんざいち》へ移転《いてん》・再建《さいけん》しました。

▲熊野本宮大社《くまのほんぐうたいしゃ》の鳥居《とりい》

熊野速玉大社《くまのはやたまたいしゃ》

神話《しんわ》に天磐盾《あまのいわたて》とも記《しる》される神倉山《かみくらやま》のゴトビキ岩《いわ》をご神体《しんたい》としています。祭礼《さいれい》(まつりの儀式《ぎしき》)の場《ば》である「御《み》船島《ふねじま》」、「御旅所《おたびしょ》」、神木《しんぼく》とされる「梛《なぎ》」なども世界遺産《せかいいさん》の資産《しさん》に含《ふく》まれています。

▲熊野速玉大社《くまのはやたまたいしゃ》の門《もん》

熊野那智大社《くまのなちたいしゃ》

那智大滝《なちのおおたき》に対《たい》する原始《げんし》の自然崇拝《しぜんすうはい》を祭祀《さいし》の起源《きげん》とする神社《じんじゃ》です。谷《たに》を挟《はさ》んで那智大滝《なちのおおたき》を拝《おが》むことができるように配置《はいち》された形式《けいしき》は、鎌倉時代《かまくらじだい》からほとんど変《か》わりません。

▲熊野那智大社《くまのなちたいしゃ》の全容《ぜんよう》

▲那智大滝《なちのおおたき》

幅《はば》13mの落口《おちくち》から高《たか》さ133mの垂直《すいちょく》に切《き》り立《た》った岩肌《いわはだ》を落下《らっか》する滝《たき》は、自然信仰《しぜんしんこう》の姿《すがた》を今《いま》に伝《つた》えています

■熊野古道《くまのこどう》

熊野三山《くまのさんざん》に参詣《さんけい》する道《みち》が「熊野《くまの》参詣道《さんけいみち》」で、熊野古道《くまのこどう》とも呼《よ》ばれます。京都方面《きょうとほうめん》からの熊野参詣《くまのさんけい》に最《もっと》も使《つか》われる中辺路《なかへち》です。熊野三山《くまのさんざん》と高野山《こうやさん》を結《むす》ぶのが小辺路《こへち》、紀伊半島南部《きいはんとうなんぶ》の海岸沿《かいがんぞ》いを行《い》くのが大辺路《おおへち》です。さらに紀伊半島《きいはんとう》の東岸《とうがん》を通《とお》り、伊勢神宮《いせじんぐう》との間《あいだ》を結《むす》ぶのが、伊勢路《いせじ》です。

▲熊野古道《くまのこどう》・中辺路《なかへち》にある大門坂《だいもんさか》と呼《よ》ばれる道《みち》

高野山《こうやさん》

紀伊山地《きいさんち》の霊場《れいじょう》と参詣道《さんけいみち》という世界遺産《せかいいさん》の中《なか》で、この高野山《こうやさん》という霊場《れいじょう》が一番勘《いちばんかん》ちがいしやすい場所《ばしょ》かもしれません。普通《ふつう》「高野山《こうやさん》」といえば空海《くうかい》（774〜835年《ねん》）が816（弘仁《こうにん》7）年《ねん》に創建《そうけん》（初《はじ》めて創《つく》ること）した真言密教《しんごんみっきょう》の根本霊場《こんぽんれいじょう》を指《さ》します。なお「高野山《こうやさん》」＝金剛峯寺《こんごうぶじ》となります。

世界遺産《せかいいさん》の中《なか》でいう高野山《こうやさん》は、この金剛峯寺《こんごうぶじ》に丹生都比売神社《にうつひめじんじゃ》、慈尊院《じそんいん》、丹生官省符神社《にうかんしょうぶじんじゃ》の資産《しさん》を加《くわ》えたものであるということです。さらに、参詣道《さんけいみち》の世界遺産《せかいいさん》「高野山町石道《こうやさんちょういしみち》」もプラスされます。

つまり、空海《くうかい》という偉大《いだい》な僧侶《そうりょ》によって突然創《とつぜんつく》られた霊場《れいじょう》のように見《み》えますが、高野山《こうやさん》の鎮守《ちんじゅ》（守《まも》り神《がみ》）社《しゃ》として古墳時代《こふんじだい》（4〜7世紀《せいき》）に創建《そうけん》された神社《じんじゃ》、丹生都比売神社《にうつひめじんじゃ》があったこ

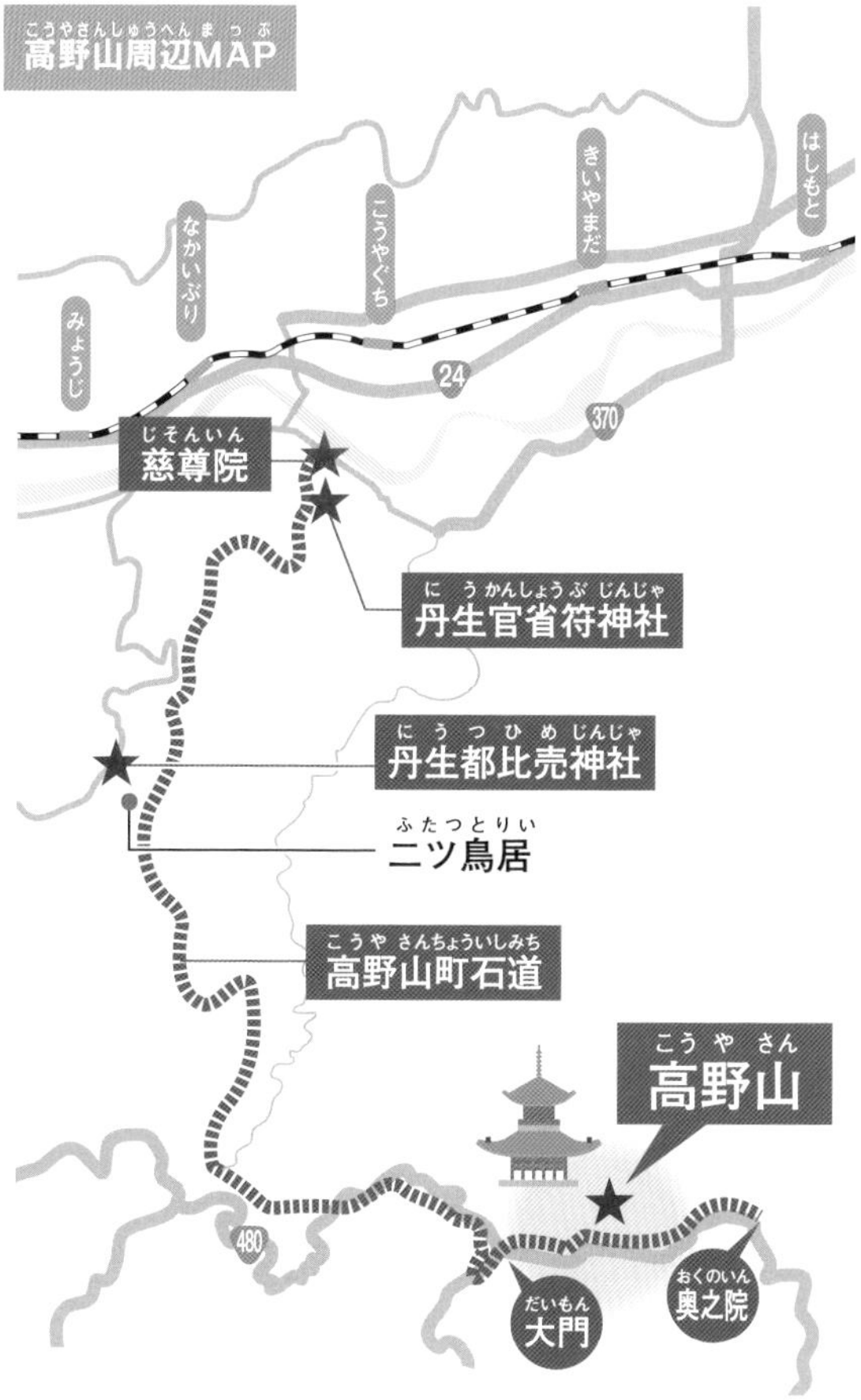

とで金剛峯寺《こんごうぶじ》もつくりやすくなったのだろうということが大《おお》きなポイントです。

丹生都比売神社《にうつひめじんじゃ》

金剛峯寺《こんごうぶじ》の創建以前《そうけんいぜん》から、高野《こうや》山《さん》を含《ふく》む地主神《じぬしがみ》を祀《まつ》る神社《じんじゃ》で祭《さい》神《じん》は「丹生明神《にうみょうじん》」、創建《そうけん》は今《いま》から約《やく》1700年前《ねんまえ》と伝《つた》えられています。「狩場明神《かりばみょうじん》（高野明神《こうやみょうじん》）」は、空海《くうかい》が金剛峯寺《こんごうぶじ》の土地《とち》を選《えら》んだときの伝説《でんせつ》に登場《とうじょう》し、鎮守《ちんじゅ》とされてきました。

▲室町時代《むろまちじだい》に建立《こんりゅう》された入母屋造《いりもやづくり》・檜皮葺《ひわだぶ》きの桜門《さくらもん》。この奥《おく》に本殿《ほんでん》4棟《とう》が立《た》ち並《なら》んでいます。一般《いっぱん》の参拝《さんぱい》は桜門前《さくらもんまえ》からとなります。

慈尊院《じそんいん》と丹生官省符神社《にうかんしょうぶじんじゃ》

金剛峯寺《こんごうぶじ》の建設《けんせつ》と運営《うんえい》をしやすくするために、政所《まんどころ》（寺務所《じむしょ》）として、空海《くうかい》が創建《そうけん》しました。慈尊院《じそんいん》は高野《こうや》山町石道《さんちょういしみち》の登《のぼ》り口《ぐち》にあり、高野山《こうやさん》への宿所《しゅくしょ》、冬期《とうき》の避寒修行《ひかんしゅぎょう》の場所《ばしょ》とされました。丹生官省符神社《にうかんしょうぶじんじゃ》は慈尊院《じそんいん》を開《かい》創《そう》した年《とし》に、その守《まも》り神《がみ》である二神《にしん》を祀《まつ》った神社《じんじゃ》です。

高野山町石道《こうやさんちょういしみち》

慈尊院《じそんいん》から高野山《こうやさん》・金剛峯寺《こんごうぶじ》に通《つう》じる道《みち》を、高野山町石道《こうやさんちょういしみち》と呼《よ》びます。1町《ちょう》（109m）ごとに置《お》かれた石造《いしづく》りの五輪塔形《ごりんとうがた》の石柱《せきちゅう》が道標《みちしるべ》となっており、高野山《こうやさん》に詣《もう》でることができます。開設当初《かいせつとうしょ》は木《き》の卒塔婆《そとうば》で、鎌倉時代《かまくらじだい》に花崗岩《かこうがん》のものに建《た》て替《か》えられたそうです。

この石《いし》は町石《ちょういし》と呼《よ》ばれ、慈尊院《じそんいん》から壇上伽藍《だんじょうがらん》の根本大塔《こんぽんだいとう》まで約《やく》22㎞の道中《どうちゅう》に180基《き》、さらに奥《おく》の院《いん》まで約《やく》4㎞の道中《どうちゅう》に36基《き》と、合計《ごうけい》216基《き》が置《お》かれています。町石《ちょういし》には壇上伽藍《だんじょうがらん》からの距離《きょり》や密教《みっきょう》の諸尊《しょそん》を表《あらわ》す梵字《ぼんじ》が彫《ほ》られています。

金剛峯寺《こんごうぶじ》

弘法大師空海《こうぼうだいしくうかい》が中国《ちゅうごく》（唐《とう》）からもたらした真言密教《しんごんみっきょう》の修禅道場《しゅぜんどうじょう》として816（弘仁《こうしん》7）年《ねん》に嵯峨天皇《さがてんのう》に願《ねが》い出《で》て創建《そうけん》した霊場《れいじょう》です。現在《げんざい》は「高野山真言宗《こうやさんしんごんしゅう》総本山金剛峯寺《そうほんざんこんごうぶじ》」という名称《めいしょう》になっています。

この総本山金剛峯寺《そうほんざんこんごうぶじ》は、高野山全体《こうやさんぜんたい》を指《さ》します。普通《ふつう》、お寺《てら》といえばひとつの建造物《けんぞうぶつ》を思《おも》い浮《う》かべます。またその敷地内《しきちない》は境内《けいだい》といいます。高野山《こうやさん》は「一山境内地《いっさんけいだいち》」と称《しょう》し、高野山《こうやさん》の至《いた》る所《ところ》がお寺《てら》の境内地《けいだいち》であり、高野山全体《こうやさんぜんたい》がお寺《てら》なのです。その中《なか》で壮大《そうだい》な伽藍《がらん》にそびえる「金堂《こんどう》」が一山《いっさん》の総本堂《そうほんどう》になります。高野山《こうやさん》の重要行事《じゅうようぎょうじ》のほとんどがここで行《おこな》われます。

なお、金剛峯寺《こんごうぶじ》の広大《こうだい》な4万《まん》8295坪《つぼ》（境内総坪数《けいだいそうつぼすう》）の面積《めんせき》の中《なか》には、現在《げんざい》117の寺院《じいん》があり、このうち約半分《やくはんぶん》は宿坊《しゅくぼう》となっています。

ポイント解説《かいせつ》

空海《くうかい》

空海《くうかい》（774～835年《ねん》）は讃岐国《さぬきのくに》（現在《げんざい》の香川県《かがわけん》）に生《う》まれ、幼《おさな》い頃《ころ》から勉学《べんがく》に励《はげ》み、優秀《ゆうしゅう》でありながら既成《きせい》の学問《がくもん》にあきたらず出家《しゅっけ》します。厳《きび》しい山岳修行《さんがくしゅぎょう》を重《かさ》ね、804（延暦《えんりゃく》23）年《ねん》、31歳《さい》の時《とき》に遣唐使船《けんとうしせん》で唐《とう》に渡《わた》ります。唐《とう》では恵果阿闍梨《けいかあじゃり》から真言密教《しんごんみっきょう》の奥義《おうぎ》をさずかり、806（元和元《げんわがん》）年《ねん》に帰国《きこく》します。その10年後《ねんご》に金剛峯寺《こんごうぶじ》を開《ひら》きました。

▲金堂《こんどう》
高野山《こうやさん》の総本堂《そうほんどう》として平安時代《へいあんじだい》の半《なか》ばから重要《じゅうよう》な役割《やくわり》を果《は》たしてきました。現在《げんざい》の建物《たてもの》は7度目《どめ》の再建《さいけん》で1932（昭和《しょうわ》7）年《ねん》に完成《かんせい》したものです

壇上伽藍《だんじょうがらん》

金剛峯寺《こんごうぶじ》には空海《くうかい》が建設《けんせつ》に着手《ちゃくしゅ》した壇上伽藍《だんじょうがらん》と呼《よ》ばれるエリアがあります。

真言密教《しんごんみっきょう》の教義《きょうぎ》を、金堂《こんどう》、根本大塔《こんぽんだいとう》、西塔《さいとう》、不動堂《ふどうどう》など16の建造物《けんぞうぶつ》や仏像《ぶつぞう》によって表《あらわ》すという、高野山《こうやさん》独自《どくじ》の伽藍《がらん》の形《かたち》を持《も》っており、日本《にほん》で最初《さいしょ》の密教伽藍《みっきょうがらん》であります。

※曼荼羅《まんだら》は仏教《ぶっきょう》（特《とく》に密教《みっきょう》）において、聖域《せいいき》、仏《ほとけ》の悟《さと》りの境地《きょうち》、世界観《せかいかん》などを仏像《ぶつぞう》、シンボル、文字《もじ》などを用《もち》いて視覚的《しかくてき》・象徴的《しょうちょうてき》に表《あらわ》したものです。

▲根本大塔《こんぽんだいとう》
真言密教《しんごんみっきょう》の根本道場《こんぽんどうじょう》におけるシンボルとして建立《こんりゅう》されたもので、堂内《どうない》そのものが立体《りったい》の曼荼羅《まんだら》として構成《こうせい》されています

▲不動堂《ふどうどう》
1197（建久《けんきゅう》8）年《ねん》に行勝上人《ぎょうしょうしょうにん》によって建立《こんりゅう》されました。現在《げんざい》の建物《たてもの》は14世紀前半《せいきぜんはん》に再建《さいけん》されたものです

▲西塔《さいとう》
根本大塔《こんぽんだいとう》の本尊《ほんぞん》が胎蔵大日如来《たいぞうだいにちにょらい》であるのに対《たい》し、金剛界大日如来《こんごうかいだいにちにょらい》と胎蔵界四仏《たいぞうかいしぶつ》が奉安《ほうあん》されています

ポイント解説《かいせつ》 真言密教《しんごんみっきょう》

真言密教《しんごんみっきょう》の教《おし》えのひとつに「即身成仏《そくしんじょうぶつ》」という言葉《ことば》があります。これは「この身体《しんたい》を持《も》って仏《ほとけ》の境地《きょうち》となる」という考《かんが》えです。弘法大師《こうぼうだいし》は「仏法《ぶっぽう》は自分《じぶん》の中《なか》にあり、とても近《ちか》いものだ。この体《からだ》を捨《す》てていったいどこに真理《しんり》を求《もと》めようとするのか。迷《まよ》いも悟《さと》りも自分《じぶん》も中《なか》にあるのだから、発心《ほっしん》さえすれば必《かなら》ず悟《さと》りにたどりつける…。」と説《と》いています。

文化《ぶんか》遺産《いさん》

石見銀山遺跡《いわみぎんざんいせき》とその文化的景観《ぶんかてきけいかん》

石見銀山遺跡《いわみぎんざんいせき》は、日本海《にほんかい》に面《めん》した島根県中央部《しまねけんちゅうおうぶ》の大田市《おおだし》にあります。ここは中世《ちゅうせい》から近代《きんだい》の約《やく》400年《ねん》にわたる銀山《ぎんざん》の全容《ぜんよう》が良好《りょうこう》に残《のこ》る、まれな産業遺跡《さんぎょういせき》です。登録対象資産《とうろくたいしょうしさん》は、石見銀《いわみぎん》の採掘《さいくつ》、精錬《せいれん》、運搬《うんぱん》、積《つ》み出《だ》しにいたるまでの鉱山開発《こうざんかいはつ》の全体《ぜんたい》を表《あらわ》す「銀鉱山跡《ぎんこうざんあと》と鉱山町《こうざんちょう》」、「港《みなと》と港町《みなとまち》」およびこれらをつなぐ「街道《かいどう》」の3つから構成《こうせい》されています。石見銀山遺跡《いわみぎんざんいせき》とその文化的景観《ぶんかてきけいかん》は「自然《しぜん》との共生《きょうせい》」も評価《ひょうか》され、2007年《ねん》に世界遺産《せかいいさん》リストに登録《とうろく》されました。なお石見銀山《いわみぎんざん》の銀生産《ぎんせいさん》の最盛期《さいせいき》は16~17世紀《せいき》、南米《なんべい》ボリビアのポトシ(世界遺産《せかいいさん》)と並《なら》ぶ世界《せかい》の二大鉱山《にだいこうざん》といわれていました。

登録内容《とうろくないよう》

遺産種別《いさんしゅべつ》	登録年《とうろくねん》	登録基準《とうろくきじゅん》	面積《めんせき》	登録対象資産《とうろくたいしょうしさん》	行政区分《ぎょうせいくぶん》
文化遺産《ぶんかいさん》	2007(平成《へいせい》19)年《ねん》	2、3、5	［コアゾーン］529.17ha、［バッファゾーン］3,133.83ha	【銀鉱山跡《ぎんこうざんあと》と鉱山町《こうざんちょう》】銀山柵内《ぎんざんさくのうち》、代官所跡《だいかんしょあと》、矢滝城跡《やたきじょうあと》、矢筈城跡《やはずじょうあと》、石見城跡《いわみじょうあと》、大森《おおもり》・銀山《ぎんざん》、宮ノ前《みやのまえ》、熊谷家住宅《くまがいけじゅうたく》、羅漢寺五百羅漢《らかんじごひゃくらかん》【街道《かいどう》】石見銀山街道鞆ケ浦道《いわみぎんざんかいどうともがうらどう》、石見銀山街道温泉津・沖泊道《いわみぎんざんかいどうゆのつおきどまりどう》【港と港町《みなとみなとまち》】鞆ケ浦《ともがうら》、沖泊《おきどまり》、温泉津《ゆのつ》	島根県《しまねけん》：大田市《おおだし》

石見銀山《いわみぎんざん》の価値《かち》とは

石見銀山遺跡《いわみぎんざんいせき》には、シンボルになるような建造物《けんぞうぶつ》はありません。自然《しぜん》を破壊《はかい》せずに採掘《さいくつ》を続《つづ》けた「自然《しぜん》との共生《きょうせい》」が評価《ひょうか》されました。つまり、自然《しぜん》に対《たい》して人《ひと》がどのように働《はたら》きかけて「銀《ぎん》生産《せいさん》」という産業《さんぎょう》を築《きず》き上《あ》げて、その銀生産《ぎんせいさん》がいかに衰退《すいたい》していったのか、その大《おお》きな流《なが》れを見《み》ることが石見《いわみ》銀山遺跡《ぎんざんいせき》の魅力《みりょく》を知《し》ることです。1527（大永《だいえい》7）年《ねん》に本格的《ほんかくてき》な採掘《さいくつ》が始《はじ》まり、1923年《ねん》の休山《きゅうざん》まで、約《やく》400年《ねん》にわたる銀山《ぎんざん》と町《まち》とそこで働《はたら》いていた人々《ひとびと》のドラマをじっくりと見《み》ることのできる遺跡《いせき》なのです。自然《しぜん》との共生《きょうせい》では、たとえば銀《ぎん》を作《つく》るための木材《もくざい》の伐採量《ばっさいりょう》の制限《せいげん》や積極的《せっきょくてき》な植林《しょくりん》に取《と》り組《く》んでいました。

石見銀山《いわみぎんざん》の歴史《れきし》

石見銀山《いわみぎんざん》がいつ発見《はっけん》されたのかという確《たし》かな資料《しりょう》は見《み》つかっていませんが、鎌倉時代《かまくらじだい》の末期《まっき》、1309（延慶《えんきょう》2）年《ねん》、大内弘幸《おおうちひろゆき》によって発見《はっけん》されたという伝承《でんしょう》があります。本格的《ほんかくてき》な開発《かいはつ》は1527（大永《だいえい》7）年《ねん》に博多《はかた》の商人《しょうにん》・神屋寿禎《かみやじゅてい》によって行《おこな》われます。神屋氏《かみやし》は1533（天文《てんぶん》2）年《ねん》に朝鮮半島《ちょうせんはんとう》で用《もち》いられていた「灰吹法《はいふきほう》」という精錬《せいれん》（鉱石《こうせき》から金属《きんぞく》を取《と》り出《だ》す過程《かてい》のこと）技術《ぎじゅつ》を導入《どうにゅう》し、銀《ぎん》の生産量《せいさんりょう》を飛《ひ》躍的《やくてき》に伸《の》ばしました。

銀《ぎん》は中国《ちゅうごく》や朝鮮《ちょうせん》に大量《たいりょう》に輸出《ゆしゅつ》されるようになり、朝鮮《ちょうせん》の記述《きじゅつ》によると1542年《ねん》（天文11《てんぶん》）には、銀《ぎん》8万両《まんりょう》（約《やく》3・2トン）という大量《たいりょう》の銀《ぎん》が持《も》ち込《こ》まれたということが残《のこ》っています。

またヨーロッパの1595年頃《ねんころ》の地図《ちず》・ティセラ日本図《にほんず》には、「銀鉱山《ぎんこうざん》　石見《いわみ》」が大《おお》きく表記《ひょうき》されています。大航海時代《だいこうかいじだい》を迎《むか》えたヨーロッパでは、ポルトガルが日本《にほん》の銀《ぎん》を軸《じく》とした中継貿易《ちゅうけいぼうえき》で栄《さか》えたのです。

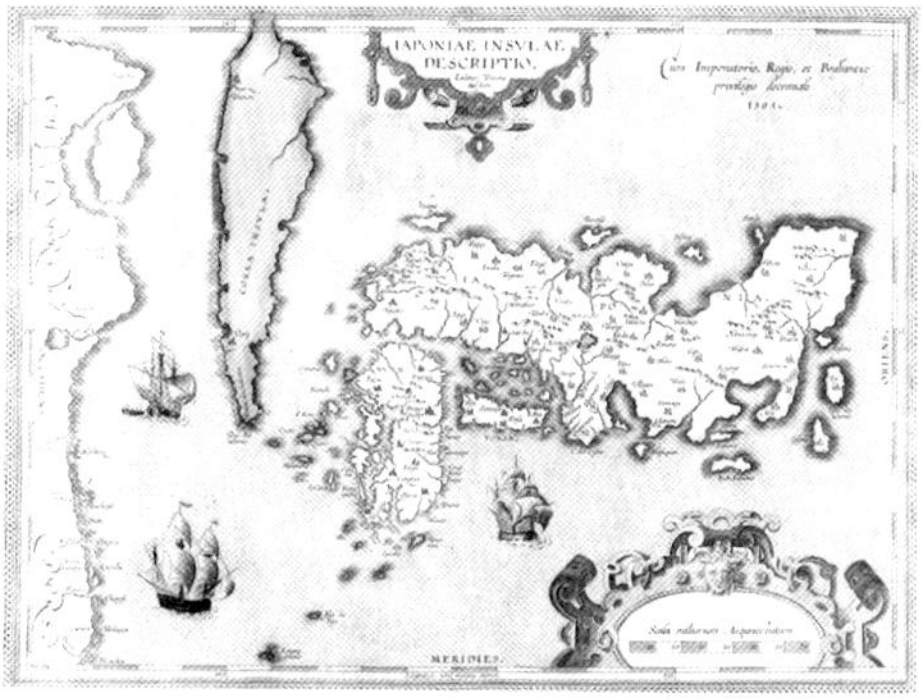

▲ティセラ日本図《にほんず》
蝦夷地《えぞち》（北海道《ほっかいどう》）は描《えが》かれていません。朝鮮《ちょうせん》は半島《はんとう》でなく、大《おお》きな島《しま》（日本《にほん》の左側《ひだりがわ》）として描《えが》かれています。石見《いわみ》は「Hivami」と記《しる》されています

▲空《そら》から見《み》た大森《おおもり》の町並《まちな》みと銀《ぎん》を産出《さんしゅつ》した山々《やまやま》

徳川幕府《とくがわばくふ》の時代《じだい》

銀貨《ぎんか》を作《つく》るために必要《ひつよう》な「銀《ぎん》」が大量《たいりょう》にとれる石見銀山《いわみぎんざん》は、時《とき》の支配者《しはいしゃ》にとっては常《つね》に重要《じゅうよう》な地域《ちいき》でした。1562(永禄《えいろく》5)年《ねん》に戦国武将《せんごくぶしょう》の毛利《もうり》元就《もとなり》が銀山《ぎんざん》と温泉津《ゆのつ》を直轄地《ちょっかつち》とし、その後《ご》、孫《まご》の毛利輝元《もうりてるもと》は全国統一《ぜんこくとういつ》した豊臣秀吉《とよとみひでよし》の大名《だいみょう》となります。

さらに、関《せき》が原《はら》の戦《たたか》い(1600年《ねん》)で勝利《しょうり》した徳川家康《とくがわいえやす》は、1603(慶長《けいちょう》8)年《ねん》江戸幕府《えどばくふ》を開《ひら》く前《まえ》の1601(慶長《けいちょう》6)年《ねん》に、家康《いえやす》の重臣《じゅうしん》・大久保長安《おおくぼながやす》を初代石見銀山奉行《しょだいいわみぎんざんぶぎょう》に任《にん》じています。

▶文禄石州丁銀《ぶんろくせきしゅうちょうぎん》
安土桃山時代《あづちももやまじだい》の銀貨《ぎんか》。豊臣秀吉《とよとみひでよし》が朝鮮出兵時《ちょうせんしゅっぺいじ》に多量《たりょう》の石見銀《いわみぎん》で銀貨《ぎんか》を造《つく》り、戦費《せんぴ》にあてたといわれています(島根県立古代出雲歴史博物館所蔵《しまねけんりつこだいいずもれきしはくぶつかんしょぞう》)

以来約《いらいやく》260年間《ねんかん》、石見《いわみ》銀山《ぎんざん》は幕府《ばくふ》が直接支配《ちょくせつしはい》する領地《りょうち》(天領《てんりょう》)となります。

銀《ぎん》の産出量《さんしゅつりょう》は、江戸時代《えどじだい》の初期《しょき》(寛永年間《かんえいねんかん》1624〜1644年《ねん》)を過《す》ぎると著《いちじる》しく減少《げんしょう》します。1673(延宝元《えんぽうがん》)年《ねん》の記録《きろく》では、それでも約《やく》1340kgの灰吹銀《はいふきぎん》が出《で》きましたが、江戸末期《えどまっき》の1830(天保元《てんぽうがん》)年《ねん》には約《やく》300kgになってしまいます。

明治時代《めいじじだい》も産出《さんしゅつ》は行《おこな》われましたが、1923(大正《たいしょう》12)年《ねん》には休山《きゅうざん》となります。

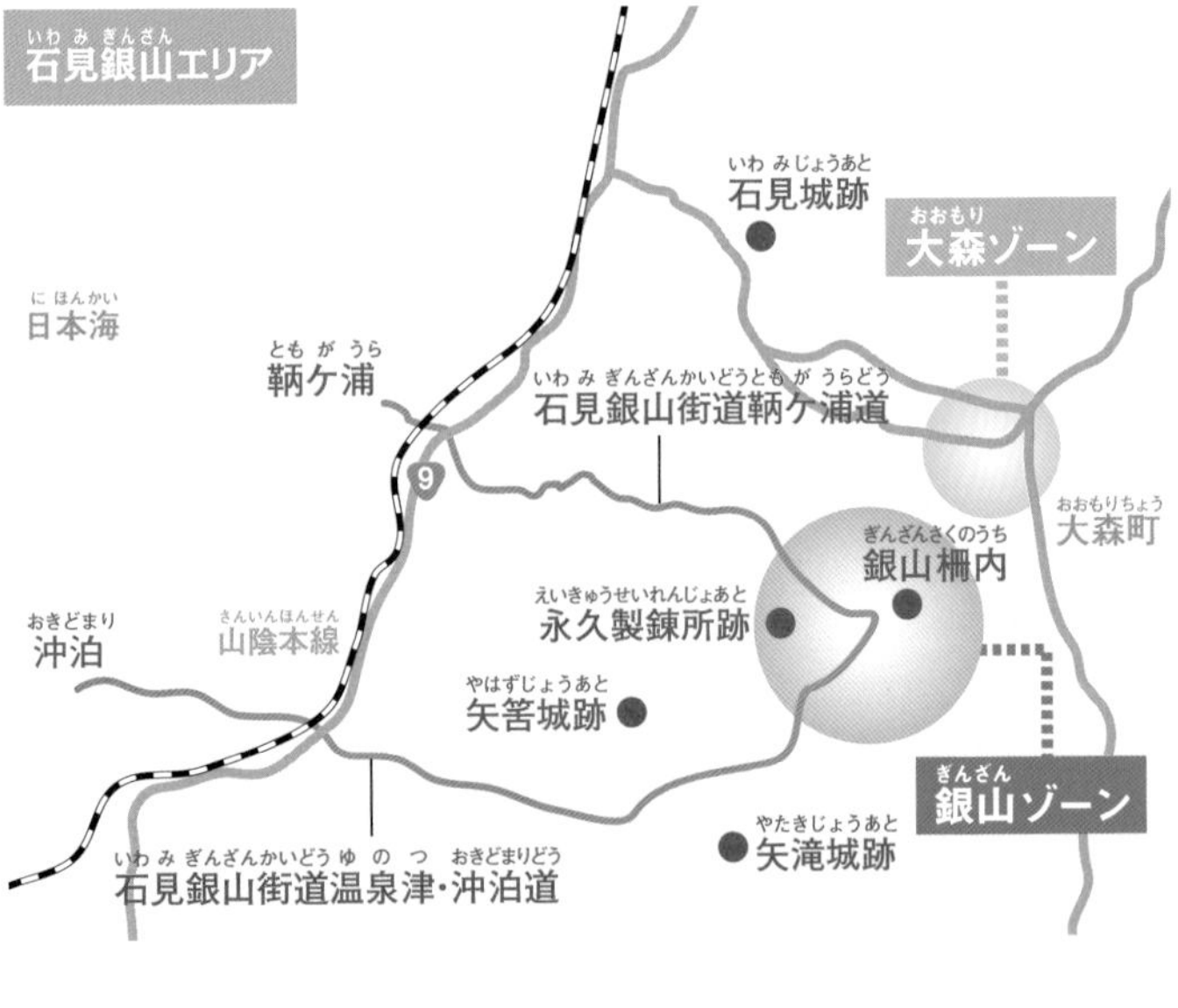

3つのゾーンに分けて見る石見銀山遺跡《いわみぎんざんいせき》とその文化的景観《ぶんかてきけいかん》

ここでは「石見銀山遺跡《いわみぎんざんいせき》とその文化《ぶんか》的景観《てきけいかん》」となっているエリアを大《おお》きく3つの「銀山《ぎんざん》」「大森《おおもり》」「周辺《しゅうへん》」のゾーンに分《わ》けて紹介《しょうかい》します。銀山《ぎんざん》ゾーンは蔵泉《ぞうぜん》寺口番所跡《じぐちばんしょあと》から龍源寺間歩《りゅうげんじまぶ》を含《ふく》む広《ひろ》い地域《ちいき》、大森《おおもり》ゾーンは代官所跡《だいかんしょあと》から羅《ら》漢寺五百羅漢《かんじごひゃくらかん》まで、周辺《しゅうへん》ゾーンは銀山《ぎんざん》ゾーンと大森《おおもり》ゾーンを除《のぞ》いた、銀《ぎん》の積《つ》み出《だ》しや資材《しざい》の輸送《ゆそう》に使《つか》われた港《みなと》や街道《かいどう》などがある広《ひろ》いエリアです。

銀山《ぎんざん》ゾーン

銀山山中《ぎんざんさんちゅう》には、大小《だいしょう》さまざまな間歩《まぶ》(鉱石《こうせき》を採掘《さいくつ》するための坑道《こうどう》)が900カ所以上残《しょいじょうのこ》っていますが、現在《げんざい》、内部《ないぶ》を見《み》られる間歩《まぶ》は2カ所《しょ》だけです。

江戸時代《えどじだい》には銀山《ぎんざん》に出入《でい》りする人《ひと》・物《もの》を監督《かんとく》するために銀山《ぎんざん》の周《まわ》りに番所《ばんしょ》を設《もう》け、これを「柵内《さくのうち》」と言《い》いました。

龍源寺間歩《りゅうげんじまぶ》

全長約《ぜんちょうやく》600mの間歩《まぶ》で、見学《けんがく》できるのは入《い》り口《ぐち》から157mの地点《ちてん》までのところです。現在《げんざい》、通年《つうねん》で公開《こうかい》されている唯一《ゆいいつ》の間歩《まぶ》です。

▲江戸時代《えどじだい》の香《かお》りを残《のこ》す大森町《おおもりちょう》の町並《まちな》み

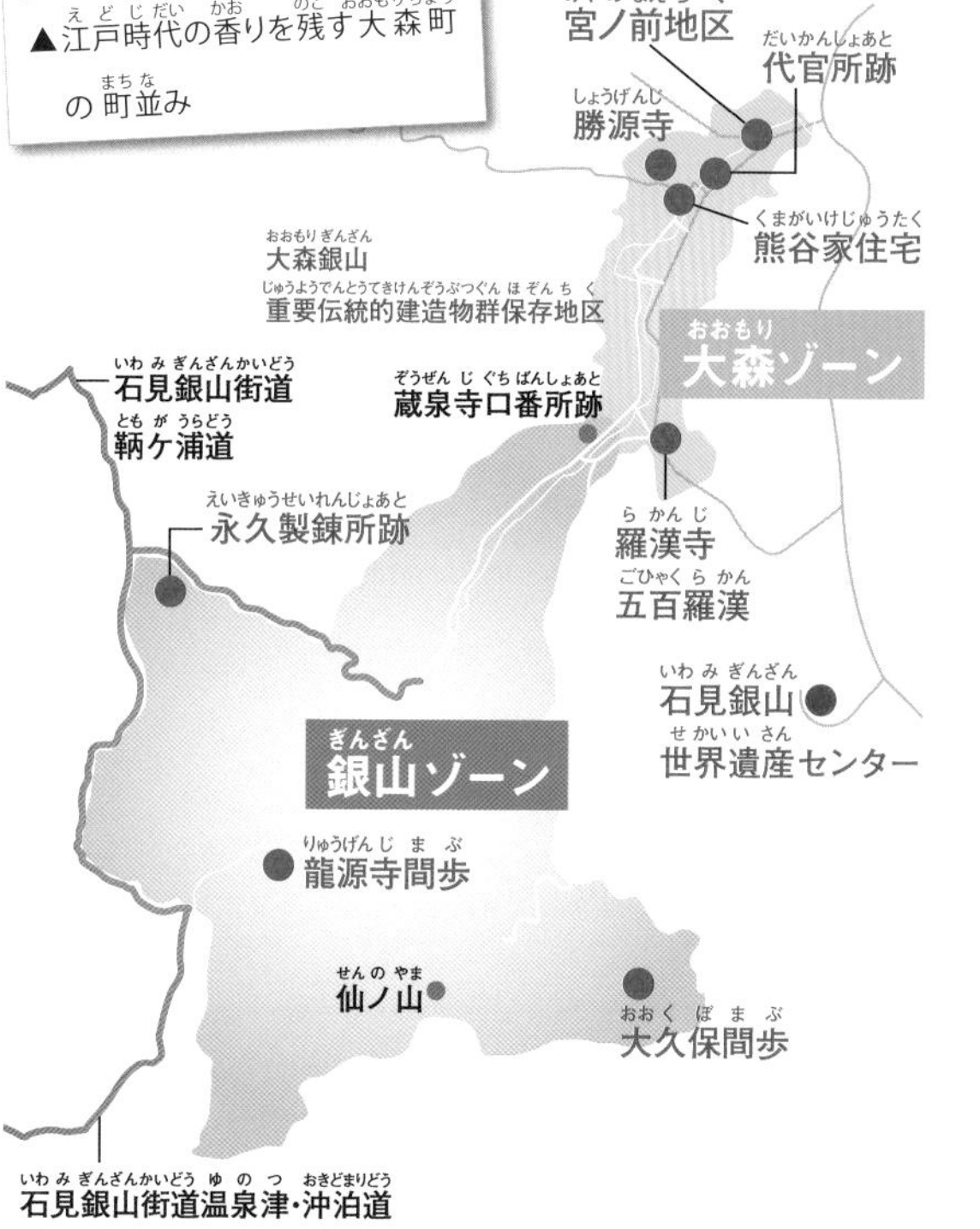

▲龍源寺間歩《りゅうげんじまぶ》の入《い》り口《ぐち》

▲間歩内部《まぶないぶ》の壁面《へきめん》には、当時《とうじ》のノミの跡《あと》がそのまま残《のこ》っています

大久保間歩《おおくぼまぶ》

2008年《ねん》4月《がつ》から一般公開《いっぱんこうかい》(期間限定《きかんげんてい》、事前予約《じぜんよやく》が必要《ひつよう》)となった、銀山最大級《ぎんざんさいだいきゅう》の規模《きぼ》を誇《ほこ》る間歩《まぶ》。初代石見《しょだいいわみ》銀山奉行《ぎんざんぶぎょう》の大久保長安《おおくぼながやす》の名《な》をとったものです。

▲大久保間歩《おおくぼまぶ》の入《い》り口《ぐち》

永久製錬所跡《えいきゅうせいれんじょあと》

明治時代《めいじじだい》から大正年間《たいしょうねんかん》にかけ、銀《ぎん》や銅生産《どうせいさん》の中心《ちゅうしん》となっていた場所《ばしょ》。当時《とうじ》の繁栄《はんえい》を伝《つた》える製錬所《せいれんじょ》、分析場《ぶんせきば》、煙道《えんどう》、選鉱場《せんこうじょう》、沈殿池《ちんでんいけ》などの鉱山遺跡《こうざんいせき》が残《のこ》っています。

▲身長《しんちょう》の何倍《なんばい》もある坑道《こうどう》が続《つづ》く、大久保間歩《おおくぼまぶ》

大森《おおもり》ゾーン

大森《おおもり》の町並《まちな》みは、江戸時代《えどじだい》に二代目《にだいめ》・奉行《ぶぎょう》の竹村丹後守《たけむらたんごのかみ》が現在《げんざい》の場所《ばしょ》に奉行所《ぶぎょうしょ》(後《のち》に代官所《だいかんじょ》)を設《もう》けてからつくられていきます。奉行所《ぶぎょうしょ》と関係《かんけい》のある建物《たてもの》、郷宿《ごうやど》(奉行所《ぶぎょうしょ》に来《き》た人《ひと》が泊《と》まる宿《やど》)、武家屋敷《ぶけやしき》、商家《しょうか》などの町家《まちや》、寺院《じいん》などが混在《こんざい》しています。

▲製錬所跡現地《せいれんじょあとげんち》には、今《いま》もなお溶鉱炉《ようこうろ》の跡《あと》が残《のこ》り、往時《おうじ》を伝《つた》えている

代官所跡《だいかんじょあと》

江戸《えど》時代《じだい》の銀山《ぎんざん》支配《しはい》の拠点《きょてん》である代官所《だいかんじょ》が建《た》っていた所《ところ》です。ここには、現在《げんざい》「石見銀山資料館《いわみぎんざんしりょうかん》」があります。

▲石見銀山資料館《いわみぎんざんしりょうかん》
石見銀山関連《いわみぎんざんかんれん》の文献資料《ぶんけんしりょう》や鉱山道具《こうざんどうぐ》などが展示《てんじ》されています

勝源寺《しょうげんじ》

1601（慶長《けいちょう》6）年《ねん》に創建《そうけん》されたと伝《つた》えられる浄土宗《じょうどしゅう》の寺院《じいん》で、二代目《にだいめ》・奉行《ぶぎょう》の竹村丹後守《たけむらたんごのかみ》が大旦那《おおだんな》（スポンサー）となりました。

熊谷家住宅《くまがいけじゅうたく》

石見銀山《いわみぎんざん》とともに繁栄《はんえい》した豪商《ごうしょう》の暮《く》らしぶりを今《いま》に伝《つた》える、重要文化《じゅうようぶんか》財指定《ざいしてい》の建造物《けんぞうぶつ》です。修復工事《しゅうふくこうじ》で江戸《えど》後期《こうき》の建物《たてもの》を復元《ふくげん》、2006年《ねん》から一般公開《いっぱんこうかい》されています。

▲勝源寺《しょうげんじ》
勝源寺《しょうげんじ》の山門《さんもん》には、版画家《はんがか》・棟方志功《むなかたしこう》が絶賛《ぜっさん》したという阿吽《あうん》の獣《けもの》や龍《りゅう》の彫《ほ》り物《もの》があります

大森町《おおもりちょう》の町並《まちな》み

代官所跡《だいかんじょあと》から南《みなみ》へ約《やく》1kmにわたって続《つづ》く町並《まちな》み。暮《く》らしの匂《にお》いを感《かん》じさせながら、周囲《しゅうい》の自然《しぜん》に包《つつ》み込《こ》まれるようにひっそりと残《のこ》されています。

▲熊谷家住宅《くまがいけじゅうたく》
家財道具《かざいどうぐ》など数百点《すうひゃくてん》が展示《てんじ》されているほか、台所《だいどころ》、婚礼家具《こんれいかぐ》、銀《ぎん》などを保管《ほかん》した地下《ちか》蔵《ぐら》など、当時《とうじ》の生活《せいかつ》を偲《しの》ぶことができます

▲赤《あか》いポストも町《まち》の雰囲気《ふんいき》に溶《と》け込《こ》んでいる、大森町《おおもりちょう》の町並《まちな》み

羅漢寺《らかんじ》 五百羅漢《ごひゃくらかん》

石窟《せっくつ》五百羅漢《ごひゃくらかん》は、銀山《ぎんざん》で働《はたら》いて亡《な》くなった人々《ひとびと》や祖先《そせん》を供養《くよう》するために、月海浄印《げっかいじょういん》が発願《ほつがん》し、25年《ねん》もの歳月《さいげつ》をかけ、1766（明和《めいわ》3）年《ねん》に完成《かんせい》。羅漢寺《らかんじ》はこの五百羅漢《ごひゃくらかん》を護《まも》るために建立《こんりゅう》されました。

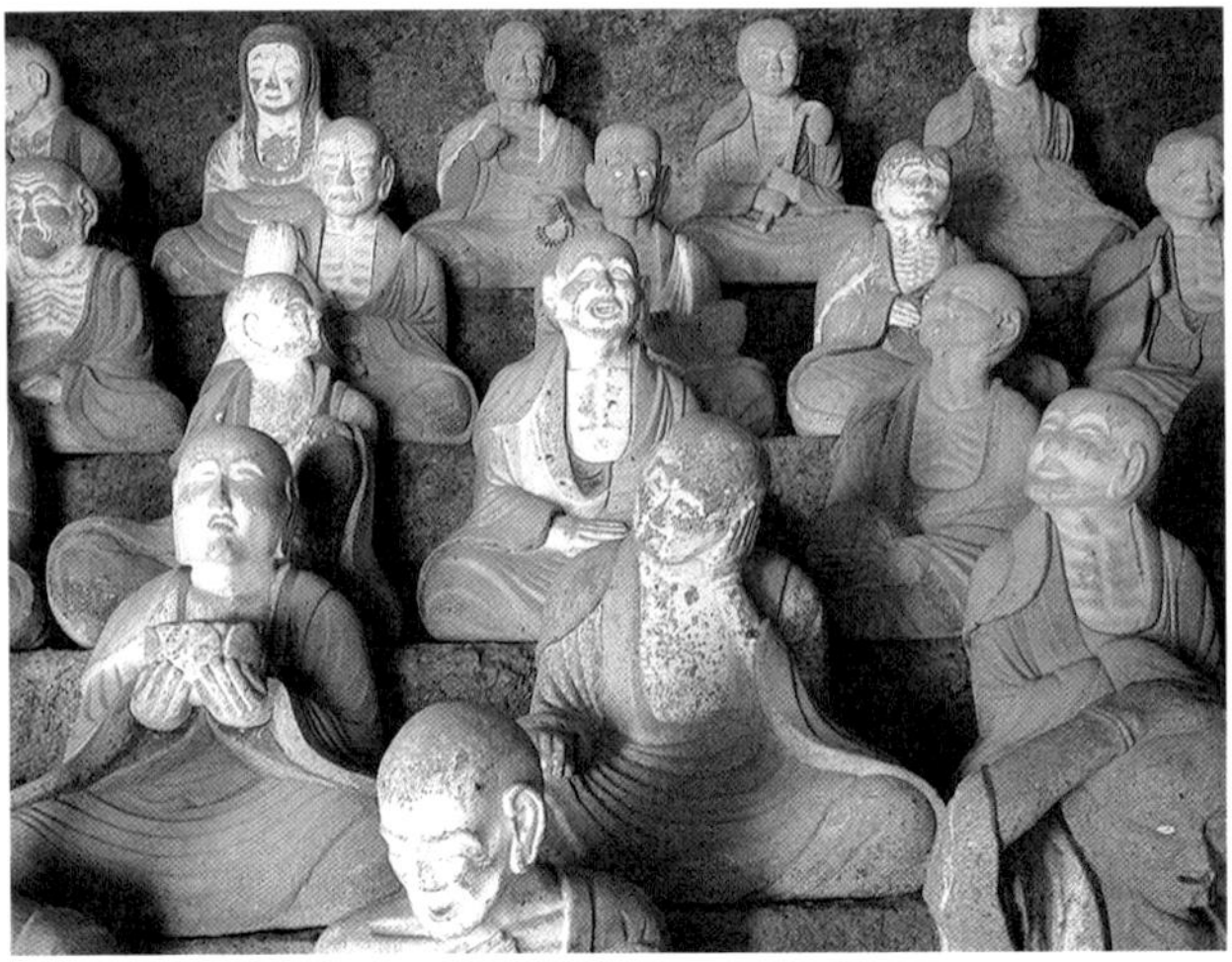

▲一体一体表情《いったいいったいひょうじょう》の違《ちが》う羅漢像《らかんぞう》。羅漢《らかん》は阿羅漢《あらかん》の略《りゃく》で仏陀《ぶっだ》の弟子《でし》を意味《いみ》します

▲この反《そ》り橋《ばし》を渡《わた》ると3つの石窟《せっくつ》が掘《ほ》られており、合計《ごうけい》501体《たい》の羅漢像《らかんぞう》が安置《あんち》されています

周辺《しゅうへん》ゾーン

銀《ぎん》の積《つ》み出《だ》しや物質《ぶっしつ》の輸送《ゆそう》に使《つか》われた港《みなと》も時代《じだい》によって変遷《へんせん》します。また、銀山街道《ぎんざんかいどう》と呼《よ》ばれる鞆ケ浦道《ともがうらどう》や温泉津《ゆのつ》沖泊道《おきどまりどう》も世界遺産《せかいいさん》の資産《しさん》になっています。

鞆ケ浦《ともがうら》

銀山《ぎんざん》のある仙ノ山《せんのやま》から直線距離《ちょくせんきょり》にして6・5㎞という最《もっと》も近《ちか》い港《みなと》で、戦国時代《せんごくじだい》の大内氏《おおうちし》が銀鉱石《ぎんこうせき》の積《つ》み出《だ》しに使《つか》っていた港《みなと》です。大内《おおうち》から毛利《もうり》の時代《じだい》になると、銀《ぎん》の積《つ》み出《だ》し港《こう》は温泉津《ゆのつ》に移《うつ》ります。

▲天然《てんねん》の防波堤《ぼうはてい》の役目《やくめ》を果《は》たす鵜《う》の島《しま》がある鞆ケ浦《ともがうら》

沖泊《おきどまり》

石見銀山《いわみぎんざん》・柵内《さくのうち》から延《の》びる温泉津《ゆのつ》沖泊道《おきどまりどう》の終点《しゅうてん》が沖泊《おきどまり》です。薪《たきぎ》や炭《すみ》、米《こめ》などを積《つ》んだ船《ふね》が港《みなと》に入《はい》ってきました。

▲リアス式海岸《しきかいがん》で水深《すいしん》も深《ふか》い沖泊《おきどまり》は、大型船《おおがたせん》の入港《にゅうこう》に最適《さいてき》でした

石見城跡《いわみじょうあと》

標高《ひょうこう》153mの岩山《いわやま》は険《けわ》しく、天然《てんねん》の地形《ちけい》を生《い》かし、敵《てき》から守《まも》りやすい所《ところ》につくった城《しろ》です。海岸部《かいがんぶ》との境界《きょうかい》を押《お》さえる役目《やくめ》を持《も》っていたようです。

温泉津《ゆのつ》の町並《まちな》み

温泉津《ゆのつ》は沖泊《おきどまり》と一体《いったい》となって発展《はってん》した港町《みなとまち》で、江戸時代《えどじだい》に賑《にぎ》わいを見《み》せた町《まち》の趣《おもむき》があちらこちらに今《いま》も残《のこ》っています。

▲石見城跡《いわみじょうあと》は、戦国大名《せんごくだいみょう》たちが銀山《ぎんざん》を支配《しはい》するために築《きず》いた城跡《しろあと》です

▲温泉町《おんせんまち》としては日本《にほん》で唯一《ゆいいつ》「重要伝統的建造物群保存地区《じゅうようでんとうてきけんぞうぶつぐんほぞんちく》」の選定《せんてい》を受《う》けている、温泉津《ゆのつ》の町《まち》

■石見銀山《いわみぎんざん》をもっと知《し》るために

石見銀山世界遺産《いわみぎんざんせかいいさん》センター

館内《かんない》には、石見銀山《いわみぎんざん》の歴史《れきし》と技術《ぎじゅつ》を紹介《しょうかい》する展示《てんじ》や体験学習《たいけんがくしゅう》ができるプログラムを用意《ようい》しています。また、石見銀山《いわみぎんざん》の調査《ちょうさ》・研究《けんきゅう》センターとして最新《さいしん》の調査結果《ちょうさけっか》を公開《こうかい》しています。

［所在地《しょざいち》］大田市大森町《おおだしおおもりちょう》1597-3
［TEL］0854-89-0183
［観覧料《かんらんりょう》］一般《いっぱん》310円《えん》（小《しょう》・中学生《ちゅうがくせい》150円《えん》）、外国人《がいこくじん》200円《えん》（小《しょう》・中学生《ちゅうがくせい》100円《えん》）
［開館時間《かいかんじかん》］8:30〜17:30、展示室観覧《てんじしつかんらん》 9:00〜17:30（最終受付《さいしゅううけつけ》17:00）※12月《がつ》〜2月《がつ》は30分《ぷん》短縮《たんしゅく》
［休館日《きゅうかんび》］毎月最終火曜《まいつきさいしゅうかよう》、年末年始《ねんまつねんし》

文化《ぶんか》
遺産《いさん》

平泉《ひらいずみ》—仏国土《ぶっこくど》（浄土《じょうど》）を表《あらわ》す建築《けんちく》・庭園《ていえん》及《およ》び考古学的遺跡群《こうこがくてきいせきぐん》—

奥州藤原氏《おうしゅうふじわらし》の三代《さんだい》が平泉町《ひらいずみちょう》に「浄土《じょうど》」を表《あらわ》す、寺《てら》や庭園《ていえん》を残《のこ》しました。それは平安時代後期《へいあんじだいこうき》（11～12世紀《せいき》）の約《やく》100年《ねん》の間《あいだ》のことです。「浄土《じょうど》」とは、簡単《かんたん》に言《い》えば「仏《ほとけ》の住《す》む場所《ばしょ》のこと」ですが、「仏国土《ぶっこくど》」ということもあります。そもそも「浄土《じょうど》」とは何《なん》であるかを考《かんが》えながら、それが平泉《ひらいずみ》のどういうところに表《あらわ》れているのかを見《み》ていきましょう。

登録内容《とうろくないよう》

遺産種別《いさんしゅべつ》	文化遺産《ぶんかいさん》
登録年《とうろくねん》	2011（平成《へいせい》23）年《ねん》
登録基準《とうろくきじゅん》	2、6
面積《めんせき》	〔コアゾーン〕176.2ha、〔バッファゾーン〕6008.8ha、
登録対象資産《とうろくたいしょうしさん》	中尊寺《ちゅうそんじ》、毛越寺《もうつうじ》、観自在王院跡《かんじざいおういんあと》、無量光院跡《むりょうこういんあと》、金鶏山《きんけいさん》
行政区分《ぎょうせいくぶん》	岩手県《いわてけん》：平泉町《ひらいずみちょう》

世界遺産《せかいいさん》に登録《とうろく》された5つの資産《しさん》と平泉《ひらいずみ》

「中尊寺《ちゅうそんじ》」は、奥州藤原氏《おうしゅうふじわらし》の初代《しょだい》・藤原清衡《ふじわらきよひら》が造《つく》った寺院《じいん》。その中《なか》で創建《そうけん》時《じ》の姿《すがた》をとどめる美《うつく》しい金色堂《こんじきどう》は、1124年《ねん》に完成《かんせい》されたとされていま

す。「毛越寺《もうつうじ》」は、二代《にだい》・藤原基衡《ふじわらもとひら》が清衡《きよひら》の遺志《いし》を継《つ》いで造《つく》った寺院《じいん》の跡《あと》で、境内《けいだい》には浄土思想《じょうどしそう》を表《あらわ》したとされる「浄土庭園《じょうどていえん》」があります。

「観自在王院跡《かんじざいおういんあと》」は毛越寺《もうつうじ》の東隣《ひがしどな》りにあり、基衡《もとひら》の妻《つま》である安倍宗任《あべのむねとう》の娘《むすめ》が建立《こんりゅう》した寺院《じいん》の跡《あと》です。「無量光院《むりょうこういん》跡《あと》」は三代《さんだい》・藤原秀衡《ふじはらひでひら》が京都《きょうと》の平等院《びょうどういん》をまねて建立《こんりゅう》した寺院《じいん》の跡《あと》で、「金鶏山《きんけいさん》」は浄土思想《じょうどしそう》の町《まち》・平泉《ひらいずみ》の神聖《しんせい》な信仰《しんこう》の山《やま》です。

東北《とうほく》の小《ちい》さな町《まち》・平泉《ひらいずみ》にある、これらの寺《てら》や庭園《ていえん》は日本的《にほんてき》な「浄土《じょうど》」という考《かんが》えを表《あらわ》すたいへん貴重《きちょう》なものです。

仏教《ぶっきょう》の教《おし》えと浄土《じょうど》

今《いま》から約《やく》2500年前《ねんまえ》、インドに生《う》まれたお釈迦様《しゃかさま》は、人《ひと》としてまぬがれない四《よっ》つの苦《くる》しみを「生老病死《しょうろうびょうし》」という言葉《ことば》で伝《つた》えました。たとえば、現代《げんだい》ならその苦《くる》しみは「おいしいものが食《た》べたい」「いい成績《せいせき》を残《のこ》したい」「美人《びじん》になりたい」などの欲《よく》によって起《お》こります。人間《にんげん》は生《う》まれた時《とき》からたくさんの欲《よく》（煩悩《ぼんのう》）を持《も》っています。これに対《たい》し、欲《よく》がない、清浄《せいじょう》な世界《せかい》を「浄土《じょうど》」といいます。

その浄土《じょうど》の中《なか》で最《もっと》も有名《ゆうめい》なのが阿弥《あみ》陀仏《だぶつ》の西方極楽浄土《さいほうごくらくじょうど》です。極楽浄土《ごくらくじょうど》とは阿弥陀仏《あみだぶつ》がいるとされる苦《くる》しみのない安楽《あんらく》の世界《せかい》です。それは西方十万億土《さいほうじゅうまんおくど》（果《は》てしなく遠《とお》く）の彼方《かなた》にある理想郷《りそうきょう》です。阿弥陀仏《あみだぶつ》を信《しん》じ、念仏《ねんぶつ》を唱《とな》えると死後《しご》ここに迎《むか》えられるというものです。

奥州藤原氏《おうしゅうふじわらし》の時代《じだい》は、戦《いくさ》があり、はやりの病気《びょうき》があるなど、常《つね》に「死《し》」というものが身近《みぢか》にあった時代《じだい》なのです。

▲中尊寺《ちゅうそんじ》の参道《さんどう》・月見《つきみ》坂《さか》
この道《みち》に続《つづ》く山《やま》の上《うえ》に金色堂《こんじきどう》があり、現世《げんせ》（この世《よ》）と極楽浄土《ごくらくじょうど》を結《むす》ぶ通《とお》り道《みち》ともいえます

▲毛越寺《もうつうじ》・常行堂《じょうぎょうどう》

ポイント解説《かいせつ》

生老病死《しょうろうびょうし》

生《う》まれること、年《とし》をとること、病気《びょうき》やケガをすること、死《し》ぬことは「苦《く》」であるという教《おし》え。この苦《く》には、「自分《じぶん》の思《おも》い通《どお》りにならないこと」という意味《いみ》があります。生《い》きることは大変《たいへん》です。その上《うえ》、年月《ねんげつ》はどんどんと過《す》ぎ、病気《びょうき》になるという不安《ふあん》をかかえ、最後《さいご》には「死《し》ぬ」という見《み》えない恐《こわ》さがあるということです。

中尊寺《ちゅうそんじ》

初代《しょだい》・清衡《きよひら》（1056〜1128年《ねん》）が1105年《ねん》から約《やく》20年《ねん》の歳月《さいげつ》をかけて造《つく》った天台宗東北大本山《てんだいしゅうとうほくだいほんざん》の寺院《じいん》です。奥州藤原氏《おうしゅうふじわらし》が1189年《ねん》に滅亡《めつぼう》したあとも中尊寺《ちゅうそんじ》は源頼朝《みなもとのよりとも》の庇護《ひご》を受《う》けて存続《そんぞく》しました。

▲中尊寺《ちゅうそんじ》というのは、この山全体《やまぜんたい》の総称《そうしょう》
本堂《ほんどう》はこの一山寺院《いっさんじいん》の中心《ちゅうしん》となる建物《たてもの》です

現在《げんざい》、中尊寺《ちゅうそんじ》には本堂《ほんどう》、不動堂《ふどうどう》、阿弥陀堂《あみだどう》、金色堂《こんじきどう》、経蔵《きょうぞう》、金色堂旧覆堂《こんじきどうきゅうおおいどう》などたくさんの寺院《じいん》と国宝《こくほう》・重要文化財《じゅうようぶんかざい》があります。

なかでも中尊寺境内《ちゅうそんじけいだい》の北西側《ほくせいがわ》に位置《いち》する金色堂《こんじきどう》は、当時《とうじ》の美術《びじゅつ》・工芸《こうげい》・建築《けんちく》の技術《ぎじゅつ》の粋《すい》が結集《けっしゅう》されています。清衡《きよひら》が阿弥陀如来《あみだにょらい》の住《す》む極楽浄土《ごくらくじょうど》をこの世《よ》につくろうとしたものといわれています。須弥壇《しゅみだん》の上《うえ》にはご本尊《ほんぞん》の阿弥陀如来《あみだにょらい》、その前《まえ》に観音菩薩《かんのんぼさつ》と勢至菩薩《せいしぼさつ》、さらに左右《さゆう》に3体《たい》ずつの地蔵菩薩《じぞうぼさつ》が一列《いちれつ》に並《なら》び、最前列《さいぜんれつ》には持国天《じこくてん》と増長天《ぞうちょうてん》がこの仏界《ぶっかい》を守護《しゅご》しています。須弥壇《しゅみだん》の中《なか》には藤原氏四代《ふじわらしよんだい》の遺体《いたい》や首級《しゅきゅう》（敵《てき》に討《う》ち取《と》られた首《くび》）がミイラとして安置《あんち》されています。ここに遺体《いたい》を保存《ほぞん》した理由《りゆう》は、奥州藤原氏四代《おうしゅうふじわらしよんだい》が極楽浄土《ごくらくじょうど》に無事《ぶじ》に往生《おうじょう》したことを目《め》に見《み》える形《かたち》で示《しめ》そうとしたものと考《かんが》えられます。

中尊寺《ちゅうそんじ》の歴史《れきし》をふりかえると、1337年《ねん》には金色堂以外《こんじきどういがい》は焼失《しょうしつ》、

▼1965年《ねん》に完成《かんせい》した金色堂覆堂《こんじきどうおおいどう》、
この中《なか》に光《ひか》り輝《かがや》く金色堂《こんじきどう》があります

▼堂《どう》の内外《ないがい》に金箔《きんぱく》が押《お》してある、創建当初《そうけんとうしょ》の姿《すがた》を今《いま》に伝《つた》える金色堂《こんじきどう》

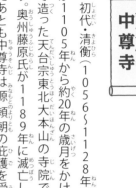

1909年《ねん》に本堂《ほんどう》を再建《さいけん》。1950年《ねん》に金色堂《こんじきどう》に安置《あんち》されていた遺体《いたい》に関《かん》する学術調査《がくじゅつちょうさ》が始《はじ》められ四代《よんだい》・泰衡《やすひら》の首級桶《しゅきゅうおけ》からは蓮《はす》の種《たね》が100個《こ》あまりも発見《はっけん》されました。その種《たね》は800年《ねん》ぶりに発芽《はつが》し、現在《げんざい》も「中尊寺《ちゅうそんじ》ハス」として境内《けいだい》に植《う》えられています。

ポイント解説《かいせつ》

奥州藤原氏《おうしゅうふじわらし》の歴史《れきし》

豪族安倍氏《ごうぞくあべし》と朝廷《ちょうてい》との間《あいだ》に1051年《ねん》「前九年《ぜんくねん》の役《えき》」が起《お》こり、初代《しょだい》・清衡《きよひら》の父《ちち》である経清《つねきよ》は安倍氏側《あべしがわ》に荷担《かたん》。そのため、安倍氏敗北《あべしはいぼく》とともに処刑《しょけい》されてしまいます。この時母《ときはは》が敵方《てきかた》の清原家《きよはらけ》に嫁《とつ》いだことから、清衡《きよひら》は生《い》き長《なが》らえました。

1083年《ねん》、清原家《きよはらけ》の相続争《そうぞくあらそ》い「後三年《ごさんねん》の役《えき》」が起《お》こり、再《ふたた》び清衡《きよひら》は死《し》の危機《きき》にさらされます。なんとか生《い》き延《の》びたものの、妻子《さいし》を異父弟《いふてい》に殺《ころ》されてしまうという悲劇《ひげき》に遭《あ》います。

こうした体験《たいけん》を経《へ》て、清衡《きよひら》は非戦《ひせん》を決意《けつい》し中尊寺《ちゅうそんじ》を建立《こんりゅう》。「中尊寺供養願文《ちゅうそんじくようがんぶん》」に次《つぎ》のように宣言《せんげん》しました。

「古来《こらい》、奥州《おうしゅう》では多《おお》くの者《もの》の命《いのち》が失《うしな》われてきた。中尊寺《ちゅうそんじ》のこの鐘《かね》を打《う》ち鳴《な》らすたびに、罪《つみ》なく命《いのち》を奪《うば》われた者《もの》たちの御霊《みたま》を慰《なぐさ》め、極楽浄土《ごくらくじょうど》に導《みちび》きたいと願《ねが》う」。その2年《ねん》後《ご》眠《ねむ》るように没《ぼっ》した清衡《きよひら》は、金色堂《こんじきどう》に葬《ほうむ》られました。

約《やく》100年《ねん》に渡《わた》り勢力《せいりょく》を誇《ほこ》った奥州《おうしゅう》藤原氏《ふじわらし》ですが、四代泰衡《よんだいやすひら》の時《とき》に源頼朝《みなもとのよりとも》・義経兄弟《よしつねきょうだい》の争《あらそ》いに巻《ま》き込《こ》まれます。頼朝《よりとも》を恐《おそ》れ、義経《よしつね》を自害《じがい》に追《お》い込《こ》んだものの、1189年《ねん》8月《がつ》には頼朝軍《よりともぐん》に攻《せ》め込《こ》まれ滅亡《めつぼう》しました。

■平泉《ひらいずみ》の歴史年表《れきしねんぴょう》

1051年《ねん》	前九年《ぜんくねん》の役《えき》(～62年《ねん》)
1083年《ねん》	後三年《ごさんねん》の役《えき》(～87年《ねん》)
1170年《ねん》	三代秀衡《さんだいひでひら》、鎮守府将軍《ちんじゅふしょうぐん》になる
1187年《ねん》	源義経《みなもとのよしつね》が平泉《ひらいずみ》に入《はい》る
1189年《ねん》	源頼朝《みなもとのよりとも》、奥州藤原氏《おうしゅうふじわらし》を滅《ほろ》ぼす

鎮守府将軍《ちんじゅふしょうぐん》／奈良時代《ならじだい》から平安時代《へいあんじだい》にかけて北辺《ほくへん》の防衛《ぼうえい》のためにおかれた将軍《しょうぐん》

■奥州藤原氏《おうしゅうふじわらし》 歴代当主《れきだいとうしゅ》の在位期間《ざいいきかん》

[初代《しょだい》] 清衡《きよひら》(1089～1128年《ねん》)
[二代《にだい》] 基衡《もとひら》(1128～1157年《ねん》)
[三代《さんだい》] 秀衡《ひでひら》(1157～1187年《ねん》)
[四代《よんだい》] 泰衡《やすひら》(1187～1189年《ねん》)

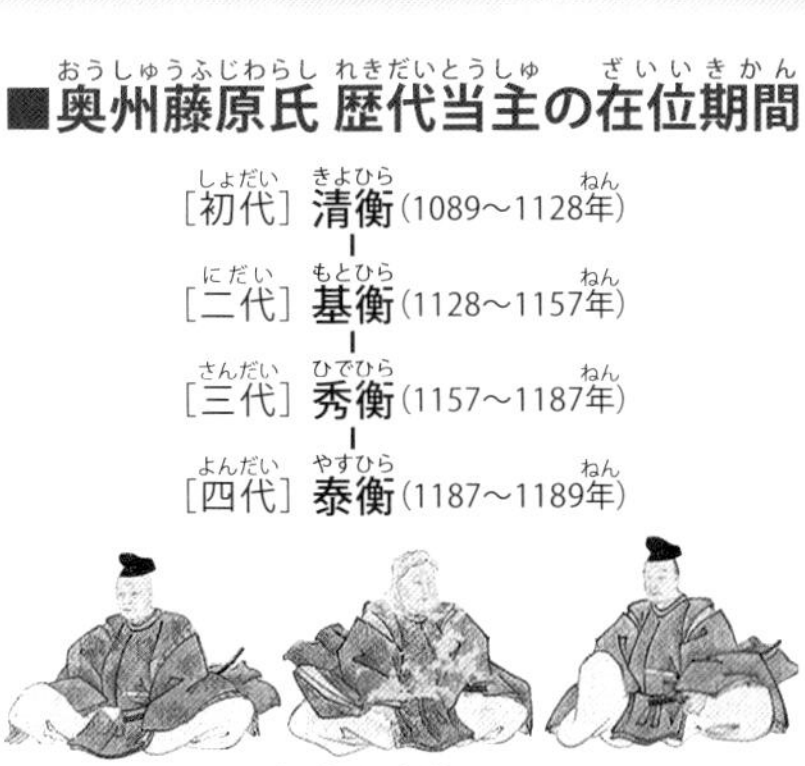

▲奥州藤原氏三代《おうしゅうふじわらしさんだい》の肖像《しょうぞう》

毛越寺《もうつうじ》

二代《にだい》・藤原基衡《ふじわらもとひら》の遺産《いさん》、「毛越寺《もうつうじ》」。浄土思想《じょうどしそう》に基《もと》づき、現世《げんせ》に仏国土《ぶっこくど》（浄土《じょうど》）を実現《じつげん》できると考《かんが》えていた時代《じだい》の表《あらわ》れのひとつが毛越寺《もうつうじ》の庭園《ていえん》です。しかも、日本《にほん》に昔《むかし》からある「自然崇拝《しぜんすうはい》」とも融《と》けあって、独特《どくとく》の日本《にほん》の仏教《ぶっきょう》の形《かたち》を見《み》せてくれる貴重《きちょう》な資産《しさん》です。

浄土庭園《じょうどていえん》の中心《ちゅうしん》は東西約《とうざいやく》１８０ｍ、南北約《なんぼくやく》90ｍの大泉《おおいずみ》が池《いけ》です。池《いけ》のほぼ中央《ちゅうおう》に勾玉状《まがたまじょう》の中島《なかしま》があり、池《いけ》の周辺《しゅうへん》や中島《なかじま》にはすべて玉石《たまいし》が敷《し》かれています。

庭園《ていえん》の景観《けいかん》は、平安時代《へいあんじだい》に書《か》かれた日本最古《にほんさいこ》の庭園書《ていえんしょ》に基《もと》づいてつくられたもので、８００有余年《ゆうよねん》を過《す》ぎた今《いま》も、日本人《にほんじん》の心《こころ》に自然《しぜん》と入《はい》り込《こ》んでくる美《うつく》しさを保《たも》ち続《つづ》けています。

また、寺院内《じいんない》にある常行堂《じょうぎょうどう》で行《おこな》われる、奉納《ほうのう》の舞《まい》である「延年《えんねん》の舞《まい》」は８００年余《ねんあま》り続《つづ》いている、国《くに》の重要《じゅうよう》無《む》形民俗文化財《けいみんぞくぶんかざい》です。

▲浄水《じょうすい》をたたえる浄土庭園《じょうどていえん》・大泉《おおいずみ》が池《いけ》

▲写真《しゃしん》の左側《ひだりがわ》にある石《いし》・池中立石《ちちゅうたていし》は高《たか》さ約《やく》2m。ここは荒磯風《ありそふう》の出島《でじま》（水辺《みずべ》から水中《すいちゅう》へと石組《いしぐみ》が突《つ》き出《だ》している）の先端《せんたん》にあたる飛《と》び島《しま》で、庭《にわ》のシンボルであり池全体《いけぜんたい》を引《ひ》き締《し》めています

▼本堂《ほんどう》は毛越寺一山《もうつうじいっさん》の根本道場《こんぽんどうじょう》。平安時代《へいあんじだい》につくられた薬師如来《やくしにょらい》が本尊《ほんぞん》として祀《まつ》られています

観自在王院跡《かんじざいおういんあと》

毛越寺《もうつうじ》に隣接《りんせつ》する庭園《ていえん》、観自在王院跡《かんじざいおういんあと》。舞鶴《まいづる》ヶ池《がいけ》を中心《ちゅうしん》に荒磯風《ありそふう》の石組《いしぐ》み、州浜《すはま》、中島《なかじま》、池《いけ》の北岸《ほくがん》には大阿弥陀堂跡《だいあみだどうあと》、小阿弥陀堂跡《こあみだどうあと》があります。大阿弥陀堂《だいあみだどう》には阿弥陀如来《あみだにょらい》、観音《かんのん》、勢至菩薩《せいしぼさつ》の三尊《さんそん》を安置《あんち》し、堂内《どうない》の四壁《よんへき》には洛陽《らくよう》の名所地《めいしょち》を描《えが》き、仏壇《ぶつだん》は銀《ぎん》、高欄《こうらん》は磨《みが》かれた金《きん》で出来《でき》ていたと言《い》われ、華麗《かれい》な造《つく》りであったことがうかがわれます。

▲観自在王院跡《かんじざいおういんあと》の舞鶴《まいづる》ヶ池《がいけ》
浄土伽藍《じょうどがらん》の遺跡《いせき》として、また平安時代《へいあんじだい》の庭園遺構《ていえんいこう》として高《たか》く評価《ひょうか》されています。※伽藍《がらん》とは、寺院《じいん》の主要《しゅよう》な建物群《たてものぐん》のことであり、その並《なら》び方《かた》を意味《いみ》することもあります

学術発掘調査《がくじゅつはっくつちょうさ》（1954～1956年《ねん》）や整備事業《せいびじぎょう》に伴《ともな》う発掘調査《はっくつちょうさ》（1972～1977年《ねん》）によって、敷地《しきち》の規模《きぼ》、配置《はいち》された建物《たてもの》や庭園《ていえん》などの諸施設《しょしせつ》について概略《がいりゃく》が明《あき》らかになっています。観自在王院跡《かんじざいおういんあと》の全容《ぜんよう》は東西《とうざい》約《やく》120メートル、南北約《なんぼくやく》240メートルで南北《なんぼく》に長《なが》い長方形《ちょうほうけい》です。南門《みなみもん》を入って北《きた》には今《いま》も残《のこ》る「舞鶴《まいづる》ヶ池《がいけ》」。池《いけ》は東西《とうざい》、南北《なんぼく》ともに約《やく》90メートルでほぼ正方形《せいほうけい》です。池《いけ》の中央《中央》南寄《みなみよ》りには中島《なかじま》があり、池西岸《いけせいがん》に荒磯風《あらいそふう》の石組《いしぐみ》。その北側《きたがわ》には巨大《きょだい》な川石《かわいし》の石組《いしぐみ》があり、ここから滝《たき》のように水《みず》が流《なが》れていました。このように舞鶴《まいづる》ヶ池《がいけ》」は平安《へいあん》時代《じだい》の『作庭記《さくていき》』の作法《さほう》通《どお》りに作《つく》られていたと言《い》われています。

現在《げんざい》の姿《すがた》は、庭園《ていえん》の本質的《ほんしつてき》な価値《かち》をはっきりと表《あらわ》すように、修復《しゅうふく》・整備《せいび》されています。

▲庭園《ていえん》の景色《けしき》
境内《けいだい》は長《なが》い間《あいだ》水田《すいでん》となっていましたが、発掘《はっくつ》調査《ちょうさ》に基《もと》づいて平安末期《へいあんまっき》の庭園《ていえん》が復元《ふくげん》されています

▼荒磯風《あらいそふう》の石組《いしぐみ》
舞鶴《まいづる》ヶ池《がいけ》を中心《ちゅうしん》に、巨石《きょせき》を組《く》み上《あ》げて荒磯《あらいそ》の風景《ふうけい》を表《あらわ》した石組《いしぐみ》

無量光院跡《むりょうこういんあと》

三代秀衡《さんだいひでひら》が西方極楽浄土《さいほうごくらくじょうど》を意識《いしき》して造《つく》ったと思《おも》われる無量光院《むりょうこういん》。度重《たびかさ》なる火災《かさい》によって建物《たてもの》はすべて消失《しょうしつ》し、現在《げんざい》は、池跡《いけあと》と礎石《そせき》（建物《たてもの》の土台《どだい》となって柱《はしら》を支《ささ》える石《いし》）などが残《のこ》っているだけです。京都《きょうと》の宇治平等院《うじびょうどういん》をモデルに造《つく》られましたが、実際《じっさい》の規模《きぼ》は平等院《びょうどういん》より大《おお》きかったことが発掘調査《はっくつちょうさ》により確認《かくにん》されています。また、当時《とうじ》の寺院《じいん》を復元《ふくげん》したCGをVRで見《み》る事《こと》ができます。

1952年《ねん》の発掘調査《はっくつちょうさ》の結果《けっか》、その伽藍《がらん》は見事《みごと》に西方極楽浄土《さいほうごくらくじょうど》の考《かんが》えを表《あらわ》しています。東門跡《ひがしもんあと》に立《た》つと、池《いけ》に浮《う》かぶ中島《なかじま》には拝所《はいしょ》があり、その西《にし》には本堂《ほんどう》の阿弥陀如来《あみだにょらい》、さらに西側《にしがわ》には金鶏山《きんけいさん》が望《のぞ》め、これらが一直線《いっちょくせん》に並《なら》ぶように造《つく》られています。

秀衡《ひでひら》が金鶏山《きんけいさん》の頂上《ちょうじょう》に落《お》ちてゆく夕陽《ゆうひ》を見《み》ながら、阿弥陀如来《あみだにょらい》を拝《おが》み、極楽往生《ごくらくおうじょう》の世界《せかい》を体験《たいけん》していたのではないかという想像《そうぞう》も十分《じゅうぶん》にできます。

▲浄土庭園《じょうどていえん》の跡《あと》である無量光院跡《むりょうこういんあと》。そこに宇治《うじ》の平等院鳳凰堂《びょうどういんほうおうどう》の姿《すがた》を重《かさ》ね合《あ》わせることができます

▲コンピューターグラフィックで再現《さいげん》した「無量光院《むりょうこういん》」
資料提供《しりょうていきょう》／平泉町教育委員会《ひらいずみちょうきょういくいいんかい》
復元考証《ふくげんこうしょう》／京都大学大学院教授《きょうとだいがくだいがくいんきょうじゅ》 冨島義幸《とみしまよしゆき》
CG作成《さくせい》／共同研究者《きょうどうけんきゅうしゃ》 竹川浩平《たけかわこうへい》

▲建物《たてもの》の背後《はいご》にそびえる金鶏山《きんけいさん》の山頂《さんちょう》へと沈《しず》みゆく夕陽《ゆうひ》が眺《なが》められました

金鶏山《きんけいさん》

中尊寺《ちゅうそんじ》と毛越寺《もうつうじ》の間《あいだ》にある標高《ひょうこう》98・6mの金鶏山《きんけいさん》は、町《まち》づくりの基準《きじゅん》となった山《やま》です。平泉《ひらいずみ》を守《まも》るために雌雄一対《しゅういっつい》の黄金《おうごん》の鶏《にわとり》を埋《う》めたという伝説《でんせつ》が残《のこ》っています。山頂《さんちょう》には歴代《れきだい》の藤原氏《ふじわらし》により経塚《きょうづか》(仏教《ぶっきょう》の経典《きょうてん》を地下《ちか》に埋《う》め、土《つち》を盛《も》ったもの)が設《もう》けられています。

▲写真手前《しゃしんてまえ》が金鶏山《きんけいさん》

■平泉《ひらいずみ》をもっと知《し》るためのガイドについて

平泉文化遺産《ひらいずみぶんかいさん》センター

平泉《ひらいずみ》の文化遺産《ぶんかいさん》の概要《がいよう》を分《わ》かりやすく紹介《しょうかい》するガイダンス施設《しせつ》として、平泉《ひらいずみ》の歴史文化《れきしぶんか》を幅広《はばひろ》く紹介《しょうかい》しています。また、発掘調査《はっくつちょうさ》で出土《しゅつど》した重要《じゅうよう》な考古資料《こうこしりょう》が数多《かずおお》く展示《てんじ》されています。

[所在地《しょざいち》] 岩手県《いわてけん》西磐井郡《にしいわいぐん》平泉町《ひらいずみちょう》平泉字花立《あざはなだて》44
[TEL] 0191-46-4012
[入館《にゅうかん》] 無料《むりょう》
[開館時間《かいかんじかん》] 9:00〜17:00(最終入館《さいしゅうにゅうかん》16:30)、
年末年始休館《ねんまつねんしきゅうかん》

▲エントランス全体《ぜんたい》

▲展示室《てんじしつ》

岩手県立平泉世界遺産《いわてけんりつひらいずみせかいいさん》ガイダンスセンター

柳之御所遺跡《やなぎのごしょいせき》は、奥州藤原氏《おうしゅうふじわらし》の政治拠点《せいじきょてん》「平泉館《ひらいずみのたち》」の跡《あと》と推定《すいてい》されています。その広大《こうだい》な敷地《しきち》から大量《たいりょう》に出土《しゅつど》した、貴重《きちょう》な考古資料《こうこしりょう》と充実《じゅうじつ》した解説《かいせつ》パネルで、遺跡《いせき》の概要《がいよう》をわかりやすく紹介《しょうかい》しています。(P206-207参照《さんしょう》)

[所在地《しょざいち》] 岩手県《いわてけん》西磐井郡《にしいわいぐん》平泉町《ひらいずみちょう》平泉《ひらいずみ》字《あざ》伽羅楽《からく》108-1
[TEL] 0191-34-7377
[入館《にゅうかん》] 無料《むりょう》
[開館時間《かいかんじかん》] 9:00〜17:00(11〜3月は9:00〜16:30)
[休館日《きゅうかんび》] 毎月末日《まいつきまつじつ》、年末年始《ねんまつねんし》(12月《がつ》29日《にち》〜1月《がつ》3日《か》)

▲世界遺産展示《せかいいさんてんじ》

▲平泉館《ひらいずみのたち》ジオラマ

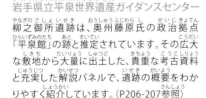

文化《ぶんか》遺産《いさん》

富士山《ふじさん》──信仰《しんこう》の対象《たいしょう》と芸術《げいじゅつ》の源泉《げんせん》

日本《にほん》で最《もっと》も有名《ゆうめい》な山《やま》ともいえる「富士山《ふじさん》」。世界《せかい》の人々《ひとびと》から日本を象徴《しょうちょう》する一《ひと》つとして見《み》られることもあります。富士山《ふじさん》は今《いま》から約《やく》1300年前《ねんまえ》の奈良《なら》時代《じだい》には「信仰《しんこう》の山《やま》」として人々《ひとびと》に崇拝《すうはい》されたといわれています。また万葉集《まんようしゅう》の中《なか》で歌《うた》に詠《よ》まれてからも、俳人《はいじん》、詩人《しじん》、作家《さっか》、画家《がか》、写真家《しゃしんか》などさまざまな芸術《げいじゅつ》分野《ぶんや》で活躍《かつやく》する人々《ひとびと》の題材《だいざい》になっています。

登録内容《とうろくないよう》

遺産種別《いさんしゅべつ》	文化遺産《ぶんかいさん》
登録年《とうろくねん》	2013(平成《へいせい》25)年《ねん》
登録基準《とうろくきじゅん》	3、6
面積《めんせき》	[コアゾーン]20,702.1ha、[バッファゾーン]49,627.7ha
構成資産《こうせいしさん》	富士山域《ふじさんいき》/山頂《さんちょう》の信仰遺跡群《しんこういせきぐん》、大宮《おおみや》・村山口登山道《むらやまぐちとざんどう》、須山口登山道《すやまぐちとざんどう》、須走口登山道《すばしりぐちとざんどう》、吉田口登山道《よしだぐちとざんどう》、北口本宮冨士浅間神社《きたぐちほんぐうふじせんげんじんじゃ》、西湖《さいこ》、精進湖《しょうじこ》、本栖湖《もとすこ》 富士山本宮浅間大社《ふじさんほんぐうせんげんたいしゃ》、山宮浅間神社《やまみやせんげんじんじゃ》、村山浅間神社《むらやませんげんじんじゃ》、須山浅間神社《すやませんげんじんじゃ》、冨士浅間神社《ふじせんげんじんじゃ》(須走浅間神社《すばしりせんげんじんじゃ》)、河口浅間神社《かわぐちあさまじんじゃ》、冨士御室浅間神社《ふじおむろせんげんじんじゃ》、御師住宅《おしじゅうたく》(旧外川家住宅《きゅうとがわけじゅうたく》)、御師住宅《おしじゅうたく》(小佐野家住宅《おさのけじゅうたく》)、山中湖《やまなかこ》、河口湖《かわぐちこ》、忍野八海《おしのはっかい》(出口池《でぐちいけ》)、忍野八海《おしのはっかい》(お釜池《かまいけ》)、忍野八海《おしのはっかい》(底抜池《そこなしいけ》)、忍野八海《おしのはっかい》(銚子池《ちょうしいけ》)、忍野八海《おしのはっかい》(湧池《わくいけ》)、忍野八海《おしのはっかい》(濁池《にごりいけ》)、忍野八海《おしのはっかい》(鏡池《かがみいけ》)、忍野八海《おしのはっかい》(菖蒲池《しょうぶいけ》)、船津胎内樹型《ふなつたいないじゅけい》、吉田胎内樹型《よしだたいないじゅけい》、人穴富士講遺跡《ひとあなふじこういせき》、白糸ノ滝《しらいとのたき》、三保松原《みほのまつばら》
行政区分《ぎょうせいくぶん》	山梨県《やまなしけん》:富士吉田市《ふじよしだし》、富士河口湖町《ふじかわぐちこまち》、身延町《みのぶちょう》、山中湖村《やまなかこむら》、忍野村《おしのむら》、鳴沢村《なるさわむら》 静岡県《しずおかけん》:静岡市《しずおかし》、富士宮市《ふじのみやし》、富士市《ふじし》、御殿場市《ごてんばし》、裾野市《すそのし》、小山町《おやまちょう》

信仰《しんこう》と芸術《げいじゅつ》の文化遺産《ぶんかいさん》

平安時代初期《へいあんじだいしょき》（9世紀《せいき》）に、山麓《さんろく》に富士山《ふじさん》の噴火《ふんか》を鎮《しず》めるための「浅間《せんげん》神社《じんじゃ》」が建《た》てられました。12世紀《せいき》には修験者《しゅげんじゃ》（P122修験道参照《しゅげんどうさんしょう》）が富士山《ふじさん》に登《のぼ》ったとされています。さらに室町時代末期《むろまちじだいまっき》に現《あらわ》れた長谷川角行《はせがわかくぎょう》を開祖《かいそ》とする「富士講《ふじこう》」が盛《さか》んになり、江戸《えど》時代《じだい》には多《おお》くの人《ひと》が登《と》拝《はい》するようになりました。

一方《いっぽう》、芸術面《げいじゅつめん》では山部赤人《やまべのあかひと》が「田子《たご》の浦《うら》に　うち出《い》でてみれば　白妙《しろたえ》の　富士《ふじ》の高嶺《たかね》に　雪《ゆき》は降《ふ》りつつ」（小倉百人一首《おぐらひゃくにんいっしゅ》の4番目《ばんめ》）と歌《うた》い、江戸時代《えどじだい》の浮世絵《うきよえ》師《し》・葛飾北斎《かつしかほくさい》は富士山《ふじさん》の版画《はんが》を残《のこ》しています。ほかにも芸術《げいじゅつ》の題材《だいざい》として日本画《にほんが》、油《あぶら》絵《え》などに描《えが》かれ、写真《しゃしん》に写《うつ》される富士山《ふじさん》は数《かぞ》え切《き》れないほどあるでしょう。

▲茶畑《ちゃばたけ》の向《む》こうにそびえる富士山《ふじさん》。遠《とお》くから拝《おが》むことも信仰《しんこう》の現《あらわ》れ

▼葛飾北斎《かつしかほくさい》、富嶽三十六景《ふがくさんじゅうろくけい》の中《なか》の一枚《いちまい》、凱風快晴《がいふうかいせい》（赤富士《あかふじ》）

文化遺産《ぶんかいさん》を構成《こうせい》する「25」の資産《しさん》

リストの1の1から1の5までは、山頂《さんちょう》を含《ふく》めた登山道《とざんどう》そのものが構成《こうせい》資産《しさん》となっています。その登山道《とざんどう》に関連《かんれん》する、浅間神社《せんげんじんじゃ》（「7」河口浅間《かわぐちあさま》

神社《じんじゃ》のみ浅間《あさま》）や大社《たいしゃ》が8つ選《えら》ばれています。浅間神社《せんげんじんじゃ》は、噴火《ふんか》（奈良《なら》・平安時代《へいあんじだい》）を繰《く》り返《かえ》す神《かみ》そのものであった富士《ふじ》山《さん》を崇《あが》め、世《よ》の中《なか》の平和《へいわ》を守《まも》るための神社《じんじゃ》として建立《こんりゅう》されたのが始《はじ》まりです。

現在《げんざい》も、富士山《ふじさん》に登《のぼ》る前《まえ》に安全《あんぜん》を祈願《きがん》する登山者《とざんしゃ》が訪《おとず》れます。忍野八海《おしのはっかい》はその名《な》の通《とお》り、「8カ所《かしょ》」に池《いけ》があります。「17」「湧池《わくいけ》」を中心《ちゅうしん》に7つの池《いけ》を回《まわ》る人《ひと》も多《おお》いです。ここからは「忍野富士《おしのふじ》」と呼《よ》ばれる、美《うつく》しい富士山《ふじさん》を眺《なが》めることができます。

■構成資産一覧《こうせいしさんいちらん》

NO		名称《めいしょう》	所在県《しょざいけん》及《およ》び所在市町村《しょざいしちょうそん》
1		富士山域《ふじさんいき》	山梨県《やまなしけん》・静岡県《しずおかけん》
	1-1	山頂《さんちょう》の信仰遺跡群《しんこういせきぐん》	山梨県《やまなしけん》・静岡県《しずおかけん》
	1-2	大宮《おおみや》・村山口登山道《むらやまぐちとざんどう》	静岡県《しずおかけん》／富士宮市《ふじのみやし》
	1-3	須山口登山道《すやまぐちとざんどう》	静岡県《しずおかけん》／御殿場市《ごてんばし》
	1-4	須走口登山道《すばしりぐちとざんどう》	静岡県《しずおかけん》／小山町《おやまちょう》
	1-5	吉田口登山道《よしだぐちとざんどう》	山梨県《やまなしけん》／富士吉田市《ふじよしだし》・富士河口湖町《ふじかわぐちこまち》
	1-6	北口本宮冨士浅間神社《きたぐちほんぐうふじせんげんじんじゃ》	山梨県《やまなしけん》／富士吉田市《ふじよしだし》
	1-7	西湖《さいこ》	山梨県《やまなしけん》／富士河口湖町《ふじかわぐちこまち》
	1-8	精進湖《しょうじこ》	山梨県《やまなしけん》／富士河口湖町《ふじかわぐちこまち》
	1-9	本栖湖《もとすこ》	山梨県《やまなしけん》／身延町《みのぶちょう》・富士河口湖町《ふじかわぐちこまち》
2		富士山本宮浅間大社《ふじさんほんぐうせんげんたいしゃ》	静岡県《しずおかけん》／富士宮市《ふじのみやし》
3		山宮浅間神社《やまみやせんげんじんじゃ》	静岡県《しずおかけん》／富士宮市《ふじのみやし》
4		村山浅間神社《むらやませんげんじんじゃ》	静岡県《しずおかけん》／富士宮市《ふじのみやし》
5		須山浅間神社《すやませんげんじんじゃ》	静岡県《しずおかけん》／裾野市《すそのし》
6		富士浅間神社《ふじせんげんじんじゃ》（須走浅間神社《すばしりせんげんじんじゃ》）	静岡県《しずおかけん》／小山町《おやまちょう》
7		河口浅間神社《かわぐちあさまじんじゃ》	山梨県《やまなしけん》／富士河口湖町《ふじかわぐちこまち》
8		富士御室浅間神社《ふじおむろせんげんじんじゃ》	山梨県《やまなしけん》／富士河口湖町《ふじかわぐちこまち》
9		御師住宅《おしじゅうたく》（旧外川家住宅《きゅうとがわけじゅうたく》）	山梨県《やまなしけん》／富士吉田市《ふじよしだし》
10		御師住宅《おしじゅうたく》（小佐野家住宅《おさのけじゅうたく》）	山梨県《やまなしけん》／富士吉田市《ふじよしだし》
11		山中湖《やまなかこ》	山梨県《やまなしけん》／山中湖村《やまなかこむら》
12		河口湖《かわぐちこ》	山梨県《やまなしけん》／富士河口湖町《ふじかわぐちこまち》
13		忍野八海《おしのはっかい》（出口池《でぐちいけ》）	山梨県《やまなしけん》／忍野村《おしのむら》
14		忍野八海《おしのはっかい》（お釜《かま》池《いけ》）	山梨県《やまなしけん》／忍野村《おしのむら》
15		忍野八海《おしのはっかい》（底抜池《そこなしいけ》）	山梨県《やまなしけん》／忍野村《おしのむら》
16		忍野八海《おしのはっかい》（銚子池《ちょうしいけ》）	山梨県《やまなしけん》／忍野村《おしのむら》
17		忍野八海《おしのはっかい》（湧池《わくいけ》）	山梨県《やまなしけん》／忍野村《おしのむら》
18		忍野八海《おしのはっかい》（濁池《にごりいけ》）	山梨県《やまなしけん》／忍野村《おしのむら》
19		忍野八海《おしのはっかい》（鏡池《かがみいけ》）	山梨県《やまなしけん》／忍野村《おしのむら》
20		忍野八海《おしのはっかい》（菖蒲池《しょうぶいけ》）	山梨県《やまなしけん》／忍野村《おしのむら》
21		船津胎内樹型《ふなつたいないじゅけい》	山梨県《やまなしけん》／富士河口湖町《ふじかわぐちこまち》
22		吉田胎内樹型《よしだたいないじゅけい》	山梨県《やまなしけん》／富士吉田市《ふじよしだし》
23		人穴富士講遺跡《ひとあなふじこういせき》	静岡県《しずおかけん》／富士宮市《ふじのみやし》
24		白糸ノ滝《しらいとのたき》	静岡県《しずおかけん》／富士宮市《ふじのみやし》
25		三保松原《みほのまつばら》	静岡県《しずおかけん》／静岡市《しずおかし》

文化《ぶんか》遺産《いさん》

富士山《ふじさん》―信仰《しんこう》の対象《たいしょう》と芸術《げいじゅつ》の源泉《げんせん》

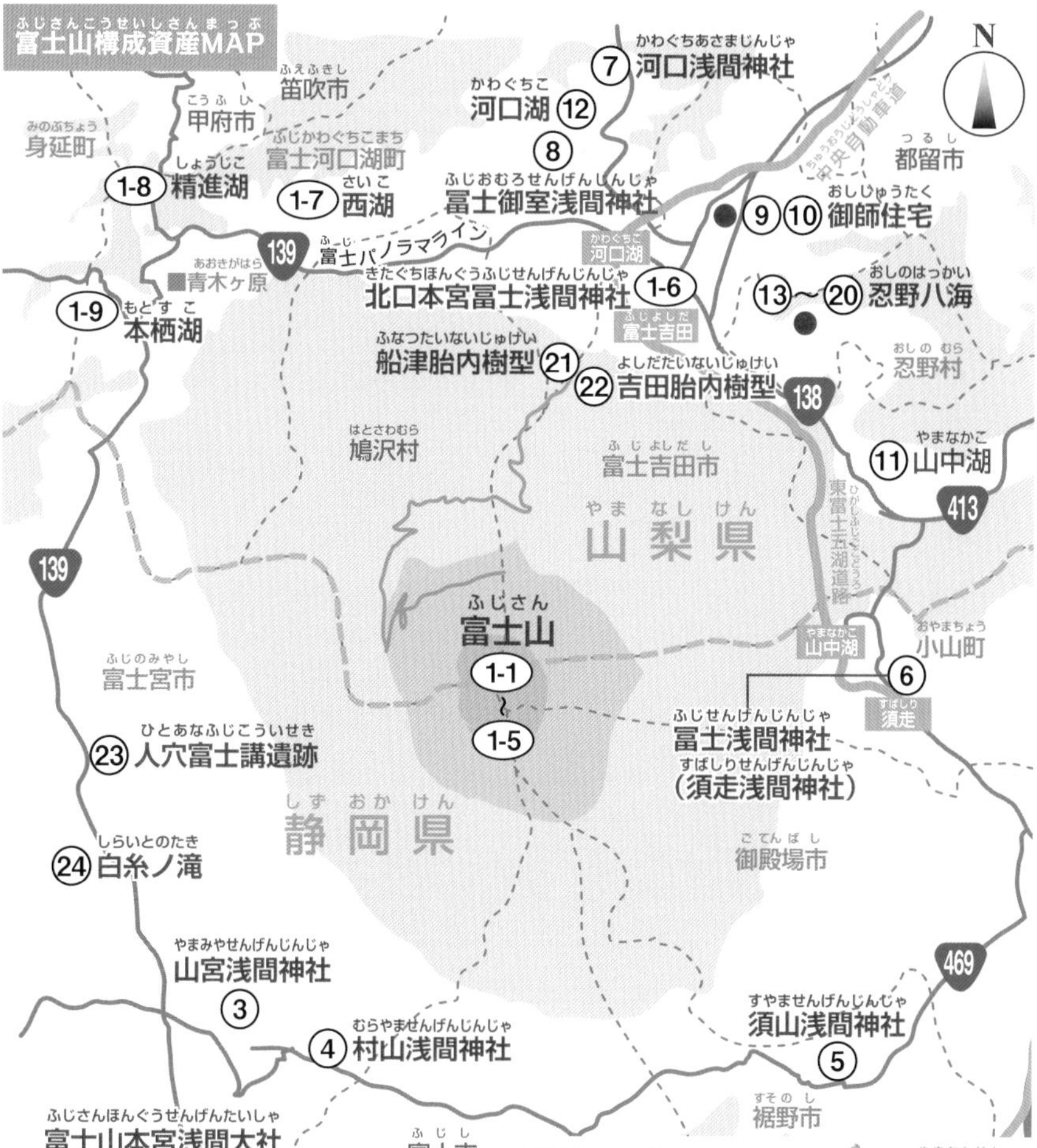

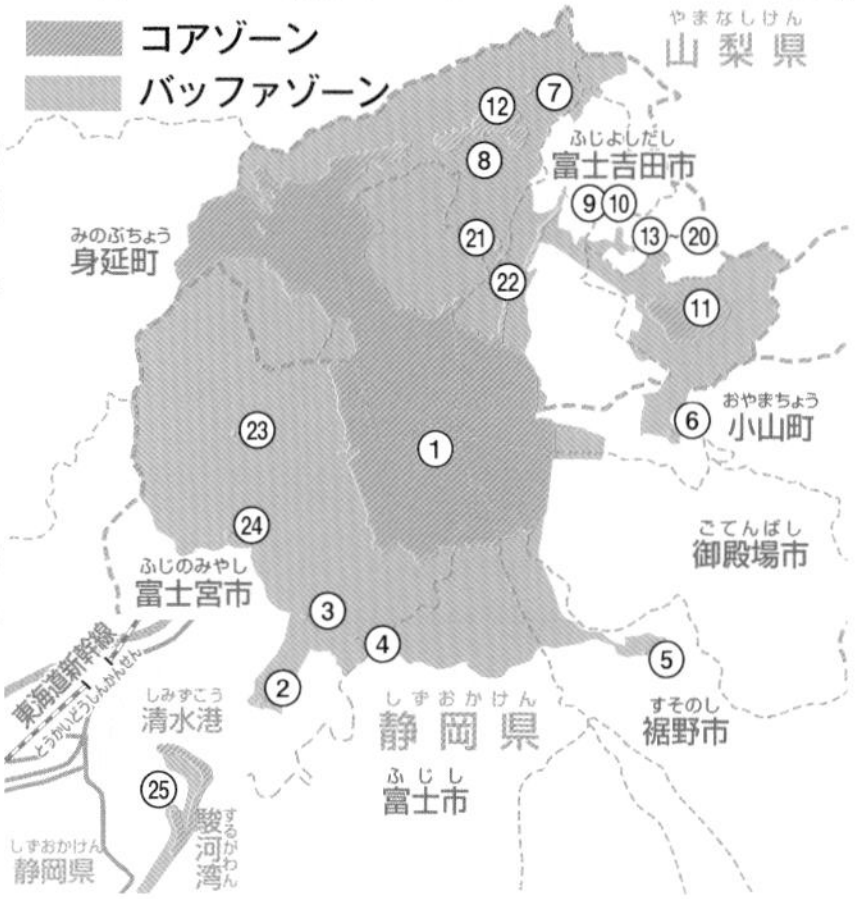

自然《しぜん》遺産《いさん》

■富士山《ふじさん》と信仰《しんこう》・芸術《げいじゅつ》の関連遺産群《かんれんいさんぐん》 構成資産《こうせいしさん》（一部《いちぶ》）

北口本宮冨士浅間神社《きたぐちほんぐうふじせんげんじんじゃ》[1-6]

781（天応元《てんおうがん》）年《ねん》の富士山《ふじさん》の大噴火《だいふんか》のあと、788（延暦《えんりゃく》7）年《ねん》に創建《そうけん》。1730年代《ねんだい》に富士講《ふじこう》（※）の指導者《しどうしゃ》・村上光清《むらかみこうせい》によって、修復工事《しゅうふくこうじ》。

富士山本宮浅間大社《ふじさんほんぐうせんげんたいしゃ》[2]

富士山《ふじさん》を浅間大神《あさまのおおかみ》として祀《まつ》ったことを起源《きげん》とする神社《じんじゃ》は全国《ぜんこく》に約《やく》1300社《しゃ》、その総本宮《そうほんぐう》です。現在《げんざい》の社殿《しゃでん》は徳川家康《とくがわいえやす》の保護《ほご》を受《う》けて造営《ぞうえい》。

山宮浅間神社《やまみやせんげんじんじゃ》[3]

社伝《しゃでん》によれば富士山本宮浅間大社《ふじさんほんぐうせんげんたいしゃ》[2]の前身《ぜんしん》で、日本武尊《やまとたけるのみこと》の創建《そうけん》とされています。本殿《ほんでん》はなく、富士山《ふじさん》を望《のぞ》む遥拝所《ようはいじょ》を設《もう》ける造《つく》りになっています。

村山浅間神社《むらやませんげんじんじゃ》[4]

平安時代末期《へいあんじだいまっき》に末代上人《まつだいしょうにん》など山中修行《さんちゅうしゅぎょう》で修行する人《ひと》によって開《ひら》かれたと伝《つた》えられています。鎌倉時代《かまくらじだい》の末期《まっき》には富士山《ふじさん》における修験道《しゅげんどう》が確立《かくりつ》されています。

冨士浅間神社《ふじせんげんじんじゃ》（須走浅間神社《すばしりせんげんじんじゃ》）[6]

須走口登山道《すばしりぐちとざんどう》の起点《きてん》となる神社《じんじゃ》で807（大同《だいどう》2）年《ねん》の造営《ぞうえい》と伝《つた》えられています。1718（享保《きょうほう》3）年《ねん》に再建《さいけん》されています。

冨士御室浅間神社《ふじおむろせんげんじんじゃ》[8]

富士山中《ふじさんちゅう》に最《もっと》も早《はや》く祀《まつ》られた神社《じんじゃ》という文献《ぶんけん》もあり、河口浅間神社《かわぐちあさまじんじゃ》[7]とともに富士山信仰《ふじさんしんこう》の拠点《きょてん》になっています。

※富士講《ふじこう》…人穴《ひとあな》で修行《しゅぎょう》した長谷川角行《はせがわかくぎょう》が富士山《ふじさん》の信仰《しんこう》を教義《きょうぎ》としてまとめました。その教《おし》えは弟子《でし》へと引《ひ》き継《つ》がれ、やがて富士山《ふじさん》への登拝《とはい》を目的《もくてき》とする「講《こう》」が組織《そしき》されました。

■長谷川角行《はせがわかくぎょう》(※)に関連《かんれん》した構成資産《こうせいしさん》

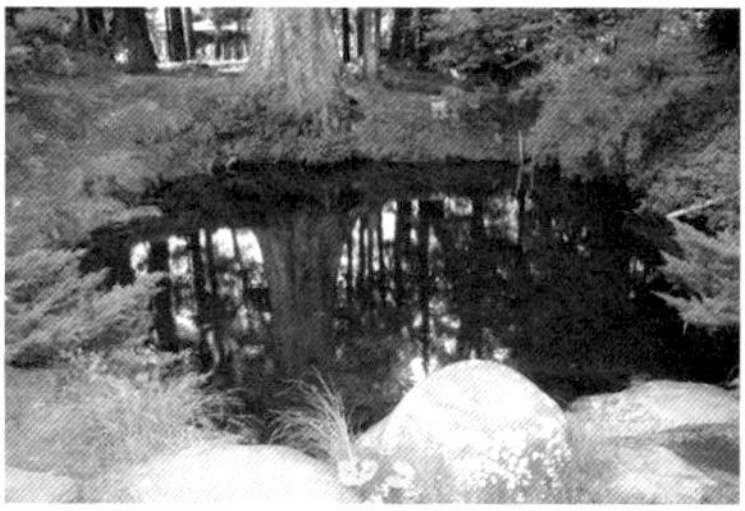

忍野八海《おしのはっかい》[13-20]

忍野八海《おしのはっかい》とは富士山《ふじさん》の伏流水《ふくりゅうすい》が水源《すいげん》といわれる湧水地《ゆうすいいけ》のこと。忍野湖《おしのこ》が干上《ひあ》がって池《いけ》になったといいます。長谷川角行《はせがわかくぎょう》が行《おこな》った富士八海《ふじはっかい》修行《しゅぎょう》になぞらえ「富士山根元八湖《ふじさんねもとはっこ》」と名付《なづ》けられた古跡《こせき》の霊場《れいじょう》と伝《つた》えられています。

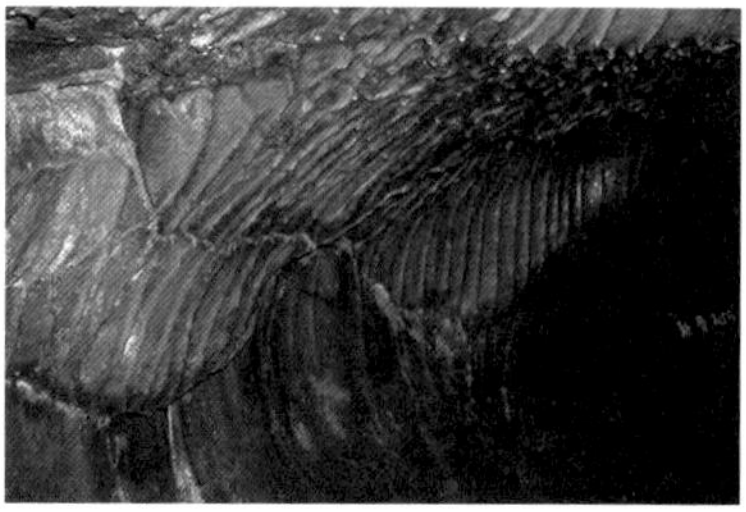

船津胎内樹型《ふなつたいないじゅけい》[21]

1617年《ねん》、長谷川角行《はせがわかくぎょう》が富士登拝《ふじとはい》したおり、北麓《ほくろく》に洞穴《どうけつ》を発見《はっけん》し、浅間大神《あさまのおおかみ》を祀《まつ》りました。これが1673年《ねん》に発見《はっけん》されています。なお1892年《ねん》には吉田胎内樹型《よしだたいないじゅけい》[22]が新《あら》たに整備《せいび》されています。

人穴富士講遺跡《ひとあなふじこういせき》[23]

長谷川角行《はせがわかくぎょう》が16～17世紀《せいき》に修行《しゅぎょう》し、入定《にゅうじょう》したと伝《つた》えられる聖地《せいち》。富士講信者《ふじこうしんじゃ》には記念碑《きねんひ》を奉納《ほうのう》する文化《ぶんか》があり、境内《けいだい》には「富士講碑《ふじこうひ》」と呼《よ》ばれる230基《き》が残《のこ》っています。

※長谷川角行《はせがわかくぎょう》(1541－1646年)…生没年《せいぼつねん》は、伝記《でんき》によるものです。戦国末期《せんごくまっき》から江戸初期《えどしょき》の富士行者《ふじぎょうじゃ》。富士講《ふじこう》の開祖《かいそ》として崇拝《すうはい》された人物《じんぶつ》です。

ポイント解説《かいせつ》 現在《げんざい》の富士山《ふじさん》までの形成《けいせい》

富士山《ふじさん》の活動《かつどう》は現在《げんざい》の富士山《ふじさん》を形《かたち》づくる「新富士《しんふじ》」の前身《ぜんしん》である「古富士《こふじ》」として約《やく》10万年前《まんねんまえ》に始《はじ》まりました。これらの火山《かざん》の下《した》には数《すう》10万年《まんねん》から10万年前《まんねんまえ》に活動《かつどう》した「先小御岳《せんこみたけ》」と「小御岳《こみたけ》」が埋《う》もれており、愛鷹山《あしたかやま》とともに噴火《ふんか》をくり返《かえ》しました。富士山《ふじさん》は少なくとも4階建《かいだ》て火山《かざん》といえます。

■風景画《ふうけいが》・浮世絵《うきよえ》に見《み》る、富士山《ふじさん》と芸術性《げいじゅつせい》

葛飾北斎《かつしかほくさい》(※)とドビュッシー(※)

葛飾北斎《かつしかほくさい》の『冨嶽三十六景《ふがくさんじゅうろくけい》』は、各地《かくち》から望《のぞ》む景観《けいかん》を描《えが》いたものです。1831(天保《てんぽ》2)年《ねん》から1835年頃《ねんころ》にかけて刊行《かんこう》されたものと考《かんが》えられています。その中《なか》の「神奈川沖浪裏《かながわおきなみうら》」をドビュッシーが部屋《へや》に飾《かざ》っていたという写真《しゃしん》があります。ドビュッシーが富士山《ふじさん》と波《なみ》を見《み》て何《なに》を感《かん》じたかはわかりませんが、1905年《ねん》に「海《うみ》」という管弦楽曲《かんげんがっきょく》を作曲《さっきょく》しています。交響詩《こうきょうし》「海《うみ》」とも呼《よ》ばれる曲《きょく》のスコア(総譜《そうふ》)の表紙《ひょうし》には「神奈川沖浪裏《かながわおきなみうら》」の波《なみ》が使《つか》われています。

▲葛飾北斎《かつしかほくさい》「神奈川沖浪裏《かながわおきなみうら》」

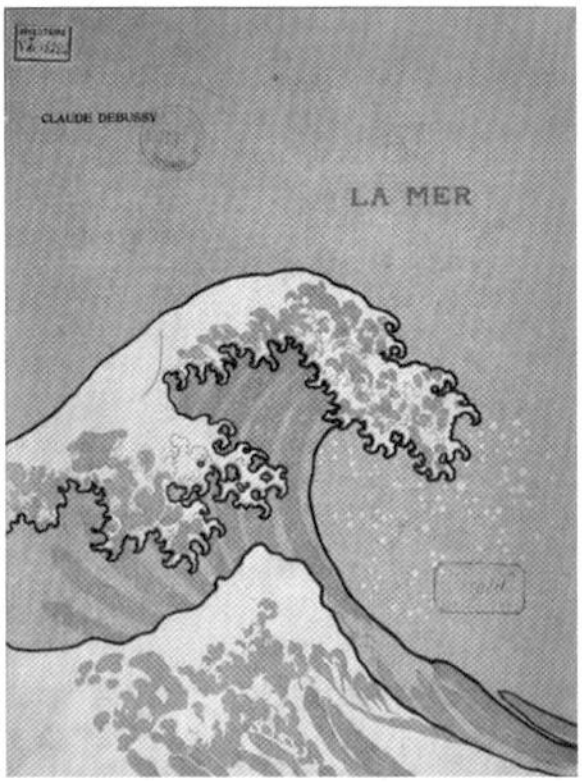

▶交響詩《こうきょうし》「海《うみ》」のスコア・表紙《ひょうし》

※葛飾北斎《かつしかほくさい》…宝暦《ほうれき》10年《ねん》9月《がつ》23日《にち》(1760年《ねん》10月《がつ》31日《にち》)?～嘉永《かえい》2年《ねん》4月《がつ》18日《にち》(1849年《ねん》5月《がつ》10日《か》)。森羅万象《しんらばんしょう》を描《えが》き、生涯《しょうがい》に3万点《まんてん》を超《こ》える作品《さくひん》を発表《はっぴょう》します。版画《はんが》のほか肉筆浮世絵《にくひつうきよえ》にも傑出《けっしゅつ》。富士山《ふじさん》を題材《だいざい》にした「冨嶽三十六景《ふがくさんじゅうろくけい》」で不動《ふどう》の地位《ちい》を確立《かくりつ》します。

※ドビュッシー…クロード・アシル・ドビュッシー、1862年《ねん》8月《がつ》22日《にち》～1918年《ねん》3月《がつ》25日《にち》。フランスの作曲家《さっきょくか》。自由《じゆう》な和声法《わせいほう》などをもちいて独自《どくじ》の作曲《さっきょく》を実行《じっこう》し、19世紀後半《せいきこうはん》から20世紀初頭《せいきしょとう》にかけて最《もっと》も影響力《えいきょうりょく》を持《も》った作曲家《さっきょくか》の一人《ひとり》です。代表作《だいひょうさく》には「海《うみ》」や「夜想曲《やそうきょく》」など。

歌川広重《うたがわひろしげ》の富士山《ふじさん》、「する賀《が》てふ」

広重初代《ひろしげしょだい》と二代目《にだいめ》が、1856(安政《あんせい》3)年《ねん》から2年《ねん》かけて制作《せいさく》した『名所江戸百景《めいしょえどひゃっけい》』。その第八景《だいはっけい》が「する賀《が》てふ」(駿河町《するがちょう》)。この場所《ばしょ》は現在《げんざい》の東京日本橋《とうきょうにほんばし》の三越《みつこし》のあたりで、駿河町《するがちょう》の名《な》は富士山《ふじさん》のある駿河国《するがこく》に由来《ゆらい》します。当時《とうじ》、その通《とお》りから富士山《ふじさん》が見《み》えたのです。

▶歌川広重《うたがわひろしげ》「する賀《が》てふ」

富士登山《ふじとざん》と山開《やまびら》き

富士山《ふじさん》の開山期間《かいさんきかん》は、かつてはどのルートも旧暦《きゅうれき》6月1日《がつついたち》からの2カ月間《げつかん》とされてきましたが、近代以降《きんだいいこう》はバラバラです。近年《きんねん》は吉田《よしだ》ルートは7月1日《がつついたち》に、富士宮《ふじのみや》、須走《すばしり》、御殿場《ごてんば》ルートは7月《がつ》10日《とうか》に山開《やまびら》きをしています。(開山期間《かいさんきかん》は年《とし》によって変《か》わるおそれがありますので、必《かなら》ず確認《かくにん》しましょう)

登山《とざん》のベストシーズンは梅雨明《つゆあ》けの7月下旬《がつげじゅん》(7月《がつ》20日《はつか》ころ)から9月《がつ》上旬《じょうじゅん》になります。7月前半《がつぜんはん》はまだ梅雨《つゆ》の最中《さいちゅう》のため、晴《は》れている日《ひ》にタイミングよく登山日《とざんび》を調整《ちょうせい》することがむずかしくなります。週末《しゅうまつ》やお盆《ぼん》は登《と》山道《ざんどう》が混《こ》み合《あ》いますので、なるべく平日《へいじつ》に登山《とざん》しましょう。

4つの登山道《とざんどう》は現役《げんえき》の登山《とざん》ルート

北口本宮冨士浅間神社《きたぐちほんぐうふじせんげんじんじゃ》を起点《きてん》とし、山頂《さんちょう》を目指《めざ》す吉田口登山道《よしだぐちとざんどう》(吉田《よしだ》ルート)は、登山者《とざんしゃ》の約《やく》6割《わり》が利用《りよう》するというルートです。登山道《とざんどう》もよく整備《せいび》されており、山小屋《やまごや》の数《かず》も多《おお》いです。

大宮《おおみや》・村山口登山道《むらやまぐちとざんどう》(富士宮《ふじのみや》ルート)は、標高《ひょうこう》2400mから出発《しゅっぱつ》する最短《さいたん》コースです。

須走口登山道《すばしりぐちとざんどう》(須走《すばしり》ルート)は、6合目付近《ごうめふきん》までコメツガやカンバなどの樹林帯《じゅりんたい》の中《なか》を歩《ある》くルートです。須《す》山口登山道《やまぐちとざんどう》(御殿場《ごてんば》ルート)は、荒涼《こうりょう》とした砂礫《されき》の道《みち》が続《つづ》くルートで、標《ひょう》高差《こうさ》、距離《きょり》とも4ルートの中《なか》でも最《さい》大《だい》となっています。

▶吉田口登山道《よしだぐちとざんどう》

▶大宮《おおみや》・村山口登山道《むらやまぐちとざんどう》

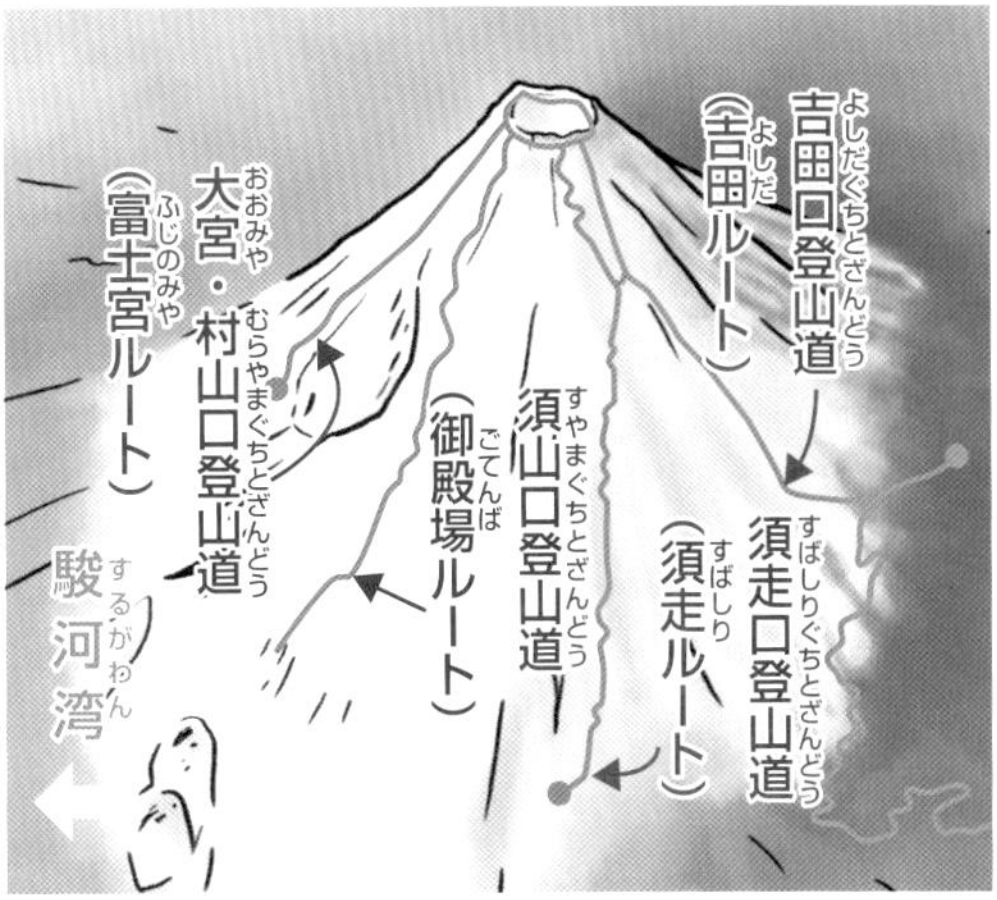

文化《ぶんか》遺産《いさん》

富岡製糸場《とみおかせいしじょう》と絹産業遺産群《きぬさんぎょういさんぐん》

富岡製糸場《とみおかせいしじょう》と絹産業遺産群《きぬさんぎょういさんぐん》は、高品質《こうひんしつ》な生糸《きいと》の大量生産《たいりょうせいさん》を実現《じつげん》した「技術革新《ぎじゅつかくしん》」と世界《せかい》と日本《にほん》との間《あいだ》の「技術交流《ぎじゅつこうりゅう》」を主題《しゅだい》とした近代《きんだい》の絹産業《きぬさんぎょう》に関《かん》する遺産《いさん》です。富岡製糸場《とみおかせいしじょう》は明治《めいじ》5年《ねん》に操業《そうぎょう》を開始《かいし》した日本《にほん》で最初《さいしょ》の官営模範器械製糸場《かんえいもはんきかいせいしじょう》です。フランスから繰糸器《そうしき》を導入《どうにゅう》し、器械製糸技術《きかいせいしぎじゅつ》を日本全国《にほんぜんこく》に広《ひろ》めました。製糸場《せいしじょう》の中心《ちゅうしん》をなす繰糸所《そうしじょ》は繰糸器《そうしき》300釜《かま》を擁《よう》した巨大建造物《きょだいけんぞうぶつ》です。

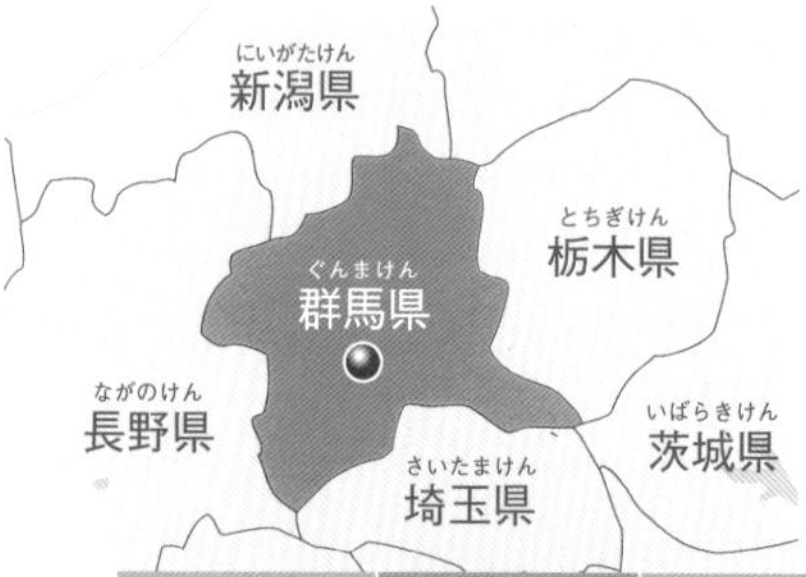

登録内容《とうろくないよう》

遺産種別《いさんしゅべつ》	登録年《とうろくねん》	登録基準《とうろくきじゅん》	面積《めんせき》	登録対象資産《とうろくたいしょうしさん》	行政区分《ぎょうせいくぶん》
文化遺産《ぶんかいさん》	2014（平成《へいせい》26）年《ねん》	2、4	[コアゾーン] 7.20ha、[バッファゾーン] 415ha	富岡製糸場《とみおかせいしじょう》、田島弥平旧宅《たじまやへいきゅうたく》、高山社跡《たかやましゃあと》、荒船風穴《あらふねふうけつ》	群馬県《ぐんまけん》：富岡市《とみおかし》、伊勢崎市《いせさきし》、藤岡市《ふじおかし》、下仁田町《しもにたまち》

富岡製糸場《とみおかせいしじょう》の「製糸《せいし》」の持《も》つ奥深《おくぶか》さ

ここは明治《めいじ》5年《ねん》に作《つく》られた生糸《きいと》（絹《きぬ》の元《もと》となる糸《いと》）を作《つく》る工場《こうじょう》です。「繭《まゆ》から生糸《きいと》を作《つく》る」（つまり「製糸《せいし》」）はたった10文字《もじ》足《た》らずの言葉《ことば》ですが、その過程《かてい》や時代《じだい》による技術《ぎじゅつ》の進歩《しんぽ》は、世界中《せかいじゅう》に影響《えいきょう》を与《あた》えています。

まず私《わたし》たちはカイコという昆虫《こんちゅう》をよく知《し》らないでしょう。見《み》たこともない人《ひと》がほとんどではないでしょうか。

このカイコという生《い》きものが繭《まゆ》になるという不思議《ふしぎ》を認識《にんしき》した上《うえ》で、その繭《まゆ》が生糸《きいと》になるまでのプロセスを想像《そうぞう》することによって世界遺産《せかいいさん》としての価値《かち》を感《かん》じることができるでしょう。

ポイント解説《かいせつ》

カイコから生糸《きいと》へ、さらに製糸《せいし》から織物《おりもの》へ

養蚕《ようさん》とはカイコを飼《か》って繭《まゆ》を作《つく》らせることです。この繭《まゆ》から生糸《きいと》を作《つく》ることを製糸《せいし》といいます。製糸《せいし》を行《おこな》う機械《きかい》が繰糸機《そうしき》です。絹織物《きぬおりもの》に使《つか》う糸《いと》のもとは生糸《きいと》です。写真《しゃしん》のカイコが繭《まゆ》となり絹織物《きぬおりもの》になる過程《かてい》のポイントに製糸技術《せいしぎじゅつ》があります。

▲一見《いっけん》気持《きも》ちの悪《わる》いカイコがきらびやかで美《うつく》しい絹《きぬ》の源《みなもと》です。なおカイコは完全変態《かんぜんへんたい》の昆虫《こんちゅう》で、卵《たまご》からふ化《か》した幼虫《ようちゅう》は約《やく》25日間《にちかん》かけて4回《かい》の脱皮《だっぴ》を繰《く》り返《かえ》します

繭《まゆ》から生糸《きいと》を作《つく》って販売《はんばい》する産業《さんぎょう》が製糸業《せいしぎょう》です。繭《まゆ》から生糸《きいと》を作《つく》る過程《かてい》は、繭《まゆ》を煮《に》ることから始《はじ》まり、数個《すうこ》の繭《まゆ》からほぐれた繭糸《まゆいと》をよりあわせ、1本《ぽん》の生糸《きいと》にして巻《ま》き取《と》る作業《さぎょう》などがあります。さらにいくつかの作業《さぎょう》を経《へ》てこの生糸《きいと》は織物《おりもの》に使《つか》える糸《いと》になります。

このように手間《てま》のかかる製糸《せいし》において富岡《とみおか》製糸場《せいしじょう》は、手作業《てさぎょう》から器械化《きかいか》へのきっかけとなった場所《ばしょ》でした。

◀カイコの繭《まゆ》
カイコは2〜3日間《にちかん》かけて約《やく》1300〜1500mの繭糸《まゆいと》を吐《は》き続《つづ》け、繭《まゆ》になります

▲錦絵《にしきえ》に見《み》る富岡製糸場《とみおかせいしじょう》（全景《ぜんけい》）　（富岡市立美術博物館《とみおかしりつびじゅつはくぶつかん》・福沢一郎記念美術館《ふくざわいちろうきねんびじゅつかん》 所蔵《しょぞう》）

富岡製糸場《とみおかせいしじょう》の建物《たてもの》

主《おも》な建築方法《けんちくほうほう》

創業当時《そうぎょうとうじ》の富岡製糸場《とみおかせいしじょう》の建造物《けんぞうぶつ》は、フランス人《じん》のオーギュスト・バスティアンが図面《ずめん》を引《ひ》き、日本人《にほんじん》によって建《た》てられました。

主要《しゅよう》な建物《たてもの》では、木《き》で骨組《ほねぐ》みを造《つく》り、壁《かべ》に煉瓦《れんが》を用《もち》いた「木骨煉瓦造《もっこつれんがぞう》」という西洋《せいよう》の建築方法《けんちくほうほう》で建《た》てられましたが、屋根《やね》は日本瓦《にほんかわら》で葺《ふ》くなど、日本《にほん》と西洋《せいよう》の技術《ぎじゅつ》を見事《みごと》に融合《ゆうごう》させた建物《たてもの》です。

建造物《けんぞうぶつ》の主要資材《しゅようしざい》は石《いし》、木《き》、煉瓦《れんが》、瓦《かわら》で構成《こうせい》され、鉄枠《てつわく》のガラス窓《まど》や観音開《かんのんびら》きのドアの蝶番《ちょうばん》などはフランスより輸入《ゆにゅう》されました。

長《なが》さ約《やく》140mの繰糸所《そうしじょ》

繰糸所《そうしじょ》は富岡製糸場《とみおかせいしじょう》の中心的《ちゅうしんてき》な建物《たてもの》で桁行《けたゆき》（長《なが》さ）140・4m、梁間《はりま》（幅《はば》）12・3mの「木骨煉瓦造《もっこつれんがぞう》」です。建物《たてもの》の中央《ちゅうおう》に柱《はしら》のない大空間《だいくうかん》の造《つく》りになっています。繰糸《そうし》は手許《てもと》を明《あか》るくする必要性《ひつようせい》があったためフランスから輸入《ゆにゅう》した大《おお》きなガラス窓《まど》によって光《ひかり》をとり入《い》れています。この巨大《きょだい》な作業場《さぎょうば》に300釜《かま》のフランス式《しき》繰糸器《そうしき》が設置《せっち》されました。当時《とうじ》、世界《せかい》の製糸工場《せいしこうじょう》の多《おお》くで繰糸器《そうしき》は50釜《かま》から150釜程度《かまていど》とされており、富岡《とみおか》製糸場《せいしじょう》は当時《とうじ》としては世界《せかい》最大規模《さいだいきぼ》でありました。

▲「木骨煉瓦造《もっこつれんがぞう》」の繰糸所《そうしじょ》の美《うつく》しい外観《がいかん》

また単《たん》なる輸入品《ゆにゅうひん》ではなく、日本《にほん》の工女《こうじょ》たちの座高《ざこう》に合《あ》わせて高《たか》さを調整《ちょうせい》をしています。さらに日本《にほん》の気候《きこう》に合《あ》わせて揚返器《あげかえしき》（一度繭《いちどまゆ》から小枠《こわく》に巻《ま》き取《と》った糸《いと》をさらに大《おお》きな枠《わく》に巻《ま》き直《なお》す工程《こうてい》）も

繰糸所《そうしじょ》の内部《ないぶ》は中央《ちゅうおう》に柱《はしら》がないのでかなり広《ひろ》く感《かん》じる ▶

設置《せっち》しています。

富岡製糸場《とみおかせいしじょう》に導入《どうにゅう》された器械製糸技術《きかいせいしぎじゅつ》は、1873年《ねん》から1879年《ねん》の間《あいだ》に実《じつ》に全国《ぜんこく》26の製糸工場《せいしこうじょう》に導入《どうにゅう》されました。

東置繭所《ひがしおきまゆじょ》

主《おも》に繭《まゆ》を貯蔵《ちょぞう》していた建物《たてもの》です。2階《かい》に乾燥《かんそう》させた繭《まゆ》を貯蔵《ちょぞう》し、1階《かい》は事務所《じむしょ》・作業場《さぎょうじょう》として使《つか》っていました。長《なが》さおよそ104m、幅《はば》12mにもおよぶ巨大《きょだい》な繭倉庫《まゆそうこ》です。

◀東置繭所《ひがしおきまゆじょ》の正面《しょうめん》

▲煉瓦《れんが》が美《うつく》しい斜《なな》めから見《み》た東置繭所《ひがしおきまゆじょ》

ポイント解説《かいせつ》

日本《にほん》・中国《ちゅうごく》・イタリアの生糸輸出量《きいとゆしゅつりょう》

1872(明治《めいじ》5)年《ねん》に富岡製糸場《とみおかせいしじょう》が操業《そうぎょう》、それから37年後《ねんご》の1909(明治《めいじ》42)年《ねん》に、日本《にほん》は世界一《せかいいち》の生糸輸出国《きいとゆしゅつこく》になっています。これは産業面《さんぎょうめん》における貢献《こうけん》だけではなく、裕福《ゆうふく》な人《ひと》しか着《き》ることのできなかった「絹《きぬ》」が一般《いっぱん》の人《ひと》の手《て》にも届《とど》くものになりました。富岡製糸場《とみおかせいしじょう》は世界《せかい》の人々《ひとびと》のファッションや文化《ぶんか》を豊《ゆた》かにする源《みなもと》ともなったのです。

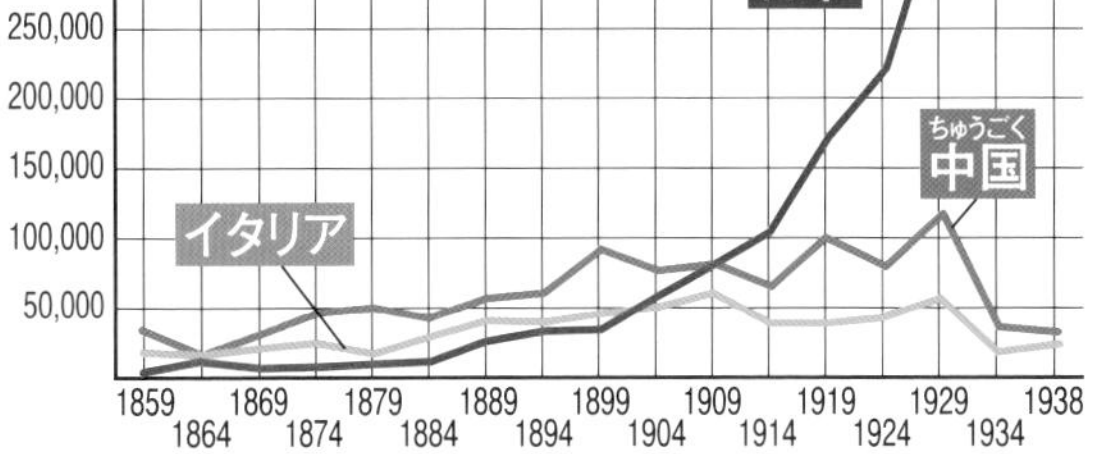

※154、155ページの写真《しゃしん》は全《すべ》て富岡市提供《とみおかしていきょう》

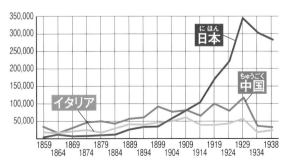

西置繭所《にしおきまゆじょ》

東置繭所《ひがしおきまゆじょ》と同《おな》じように2階《かい》は繭《まゆ》を貯蔵《ちょぞう》していた建物《たてもの》です。大《おお》きさ・構造《こうぞう》は東置繭所《ひがしおきまゆじょ》とほぼ同《おな》じですが、1階《かい》の北半分《きたはんぶん》は官営期《かんえいき》に蒸気機関《じょうききかん》を動《うご》かすための石炭置《せきたんお》き場《ば》として使《つか》われていたためその東面《ひがしめん》には当初《とうしょ》は煉瓦壁《れんがかべ》がありませんでした。

首長館《しゅちょうかん》

指導者《しどうしゃ》として雇《やと》われたフランス人《じん》ポール・ブリュナが家族《かぞく》と暮《く》らしていた住居《じゅうきょ》です。コロニアル様式《ようしき》で、床《ゆか》が高《たか》く、建物《たてもの》の四方《しほう》にベランダが回《まわ》り、窓《まど》にはよろい戸《ど》を付《つ》けた風通《かぜとお》しのよい造《つく》りになっています。ブリュナが去《さ》った後《あと》は工女《こうじょ》の宿舎《しゅくしゃ》や教育《きょういく》・娯楽《ごらく》の場《ば》として利用《りよう》されました。

▲桜《さくら》とコロニアル様式《ようしき》の首長館《しゅちょうかん》

検査人館《けんさにんかん》

生糸《きいと》の検査《けんさ》などを担当《たんとう》したフランス人男性技術者《じんだんせいぎじゅつしゃ》の住居《じゅうきょ》です。首長館《しゅちょうかん》と同様《どうよう》、コロニアル様式《ようしき》が採用《さいよう》され風通《かぜとお》しのよい造《つく》りになっています。後《のち》に改修《かいしゅう》され現在《げんざい》は事務所《じむしょ》として使用《しよう》されています。2階《かい》には政府《せいふ》の役人《やくにん》や皇族《こうぞく》が訪《おとず》れた際《さい》に使用《しよう》された「貴賓室《きひんしつ》」があります。

▲西側《にしがわ》から見《み》た検査人館《けんさにんかん》

女工館《じょこうかん》

日本人工女《にほんじんこうじょ》に器械製糸《きかいせいし》の糸取《いとと》りの技術《ぎじゅつ》を教《おし》えるために雇《やと》われたフランス人女性教師《じんじょせいきょうし》の住居《じゅうきょ》です。首長館《しゅちょうかん》と同様《どうよう》、コロニアル様式《ようしき》が採用《さいよう》され風《かぜ》通《とお》しのよい造《つく》りになっています。後《のち》に改修《かいしゅう》され食堂《しょくどう》や会議室《かいぎしつ》として使用《しよう》されました。

▲フランス人女性教師《じんじょせいきょうし》のために建《た》てられた女工館《じょこうかん》

※156ページの写真《しゃしん》は全《すべ》て富岡市提供《とみおかしていきょう》

田島弥平旧宅《たじまやへいきゅうたく》

風通《かぜとお》し＝換気《かんき》をよくしたカイコの飼育法《しいくほう》「清涼育《せいりょういく》」を大成《たいせい》した、田島弥《たじまや》平《へい》が1863（文久《ぶんきゅう》3）年《ねん》に建《た》てた養蚕農家住宅《ようさんのうかじゅうたく》です。

間口約《まぐちやく》25m、奥行約《おくゆきやく》9mの瓦葺《かわらぶ》きの総《そう》2階建《かいだ》てで、初《はじ》めて屋根《やね》に換気《かんき》用《よう》の越屋根《こしやね》がつけられました。この住居兼蚕室《じゅうきょけんさんしつ》の構造《こうぞう》は日本《にほん》の近代養蚕《きんだいようさん》農家建物《のうかたてもの》の原型《げんけい》となりました。主屋《おもや》、井戸屋等《いどやなど》の外観《がいかん》や桑場《くわば》を見学《けんがく》できます。

▲「清涼育《せいりょういく》」に基《もと》づいた主屋《おもや》

▲2階《かい》にある養蚕室《ようさんしつ》

高山社跡《たかやましゃあと》

高山長五郎《たかやまちょうごろう》は、1883（明治《めいじ》16）年《ねん》に通風《つうふう》と温湿度管理《おんしつどかんり》を調和《ちょうわ》させた「清温育《せいおんいく》」というカイコの飼育法《しいくほう》を確立《かくりつ》しました。翌年《よくねん》、この地《ち》に設立《せつりつ》された養蚕教育機関《ようさんきょういくきかん》・高山社《たかやましゃ》はその技術《ぎじゅつ》を全国《ぜんこく》および世界《せかい》に広《ひろ》め、「清温育《せいおんいく》」は全国標準《ぜんこくひょうじゅん》の養蚕法《ようさんほう》となりました。1891（明治《めいじ》24）年《ねん》に建《た》てられた住居《じゅうきょ》兼蚕室《けんさんしつ》では多《おお》くの実習生《じっしゅうせい》が学《まな》びました。

荒船風穴《あらふねふうけつ》

地元養蚕農家《じもとようさんのうか》の庭屋静太郎《にわやせいたろう》により建設された蚕種貯蔵施設《さんしゅちょぞうしせつ》。岩《いわ》の隙間《すきま》から吹《ふ》き出《だ》す冷風《れいふう》を利用《りよう》して蚕種《てんしゅ》（蚕《かいこ》の卵《たまご》）を冷蔵貯蔵《れいぞうちょぞう》し、当時年《とうじねん》1回だった養蚕《ようさん》を複数回《ふくすうかい》できるようにしました。1905（明治《めいじ》38）年《ねん》から1914（大正《たいしょう》3）年頃《ねんごろ》にかけて造《つく》られ、貯蔵能力《ちょぞうのうりょく》は国内最《こくないさい》大規模《だいきぼ》でした。現在《げんざい》でも大《おお》きな石積《いしづ》みが残《のこ》っており、夏《なつ》でも2℃～3℃の冷《つめ》たい風《かぜ》が吹《ふ》き出《だ》しています。

▼3基《き》の貯蔵庫跡《ちょぞうこあと》の石積《いしづ》み（下仁田町歴史館所蔵《しもにたまちれきしかんしょぞう》）
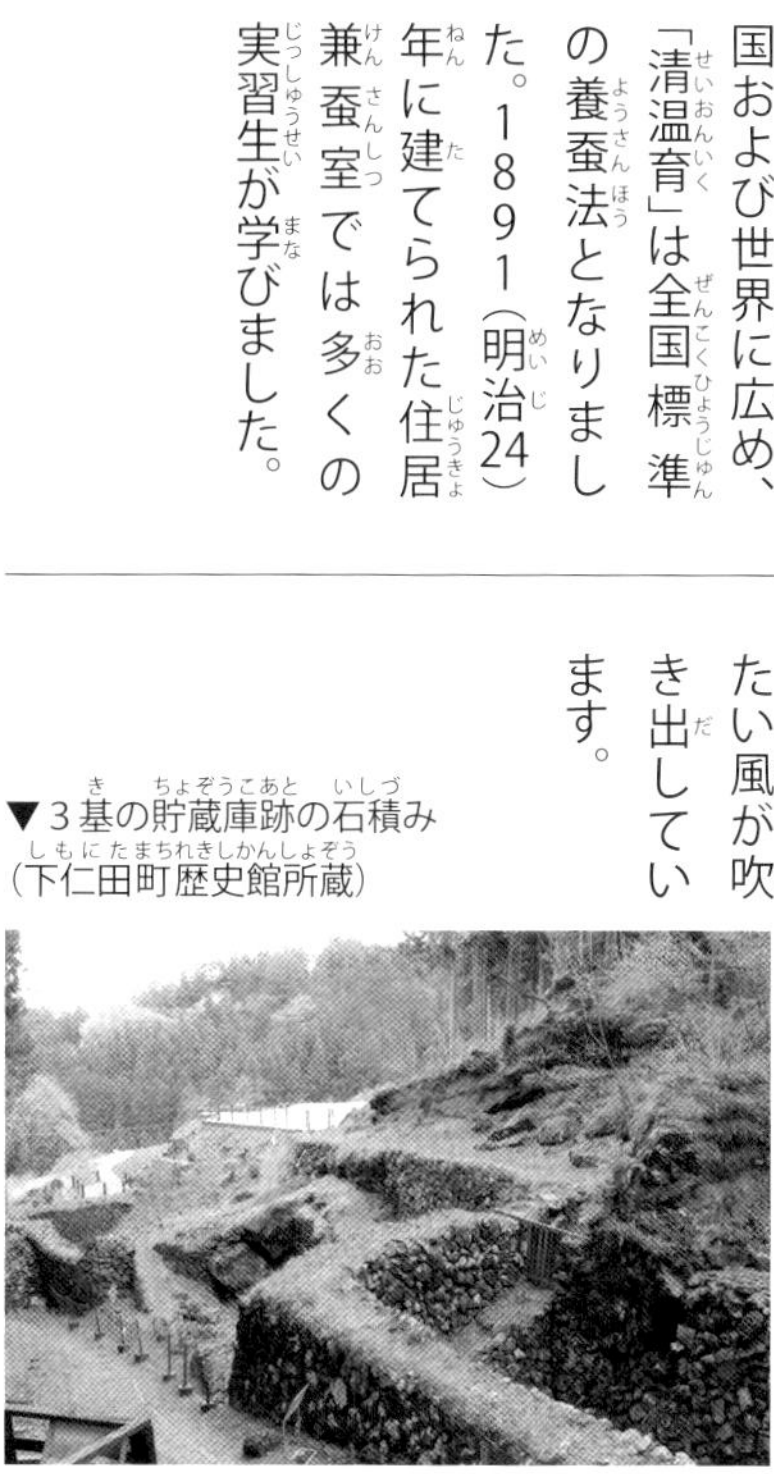

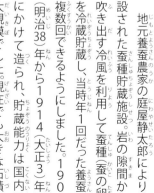

文化《ぶんか》遺産《いさん》

明治日本《めいじにほん》の産業革命遺産《さんぎょうかくめいいさん》 製鉄《せいてつ》・製鋼《せいこう》、造船《ぞうせん》、石炭産業《せきたんさんぎょう》

日本《にほん》の産業遺産《さんぎょういさん》としては、「石見銀山遺跡《いわみぎんざんいせき》とその文化的景観《ぶんかてきけいかん》」と「富岡製糸場《とみおかせいしじょう》と絹産業遺産群《きぬさんぎょういさんぐん》」に続《つづ》く3番目《ばんめ》の産業遺産《さんぎょういさん》ですが、23の資産《しさん》が8県《けん》に点在《てんざい》する大《おお》きなスケールを誇《ほこ》っています。

この遺産《いさん》の価値《かち》は歴史上《れきしじょう》の重要《じゅうよう》な段階《だんかい》を伝《つた》える建造物《けんぞうぶつ》などの集合体《しゅうごうたい》であることです。日本《にほん》は長《なが》い鎖国状態《さこくじょうたい》のあと、明治《めいじ》という新《あたら》しい時代《じだい》に入《はい》って産業革命《さんぎょうかくめい》（機械《きかい》による生産《せいさん》システムを取《と》り入《い》れたことで、社会《しゃかい》や経済《けいざい》の仕組《しく》みが劇的《げきてき》に変《か》わった出来事《できごと》）を起《お》こします。アジアでは一番早《いちばんはや》く、約《やく》50年《ねん》（1850年代《ねんだい》から1910年《ねん》、幕末《ばくまつ》～明治時代《めいじじだい》）という短期間《たんきかん》で飛躍的《ひやくてき》な経済的発展《けいざいてきはってん》を成《な》し遂《と》げたことを本遺産《ほんいさん》が物語《ものがた》っています。

登録内容《とうろくないよう》

遺産種別《いさんしゅべつ》	文化遺産《ぶんかいさん》
登録年《とうろくねん》	2015（平成《へいせい》27）年《ねん》
登録基準《とうろくきじゅん》	2、4
面積《めんせき》	［コアゾーン］307ha、［バッファゾーン］2,408ha
登録対象資産《とうろくたいしょうしさん》	1萩反射炉《はぎはんしゃろ》、2恵美須ケ鼻造船所跡《えびすがはなぞうせんじょあと》、3大板山《おおいたやま》たたら製鉄遺跡《せいてついせき》、4萩城下町《はぎじょうかまち》、5松下村塾《しょうかそんじゅく》（エリア1）、6旧集成館《きゅうしゅうせいかん》、7寺山炭窯跡《てらやますみがまあと》、8関吉《せきよし》の疎水溝《そすいこう》（エリア2）、9韮山反射炉《にらやまはんしゃろ》（エリア3）、10橋野鉄鉱山《はしのてっこうざん》（エリア4）、11三重津海軍所跡《みえつかいぐんしょあと》（エリア5）、12小菅修船場跡《こすげしゅうせんばあと》、13三菱長崎造船所第三船渠《みつびしながさきぞうせんじょだいさんせんきょ》、14三菱長崎造船所《みつびしながさきぞうせんじょ》ジャイアント・カンチレバークレーン、15三菱長崎造船所旧木型場《みつびしながさきぞうせんじょきゅうきがたば》、16三菱長崎造船所占勝閣《みつびしながさきぞうせんじょせんしょうかく》、17高島炭坑《たかしまたんこう》、18端島炭坑《はしまたんこう》、19旧《きゅう》グラバー住宅《じゅうたく》（エリア6）、20三池炭鉱《みいけたんこう》・三池港《みいけこう》、21三角西港《みすみにしこう》（エリア7）、22官営八幡製鐵所《かんえいやはたせいてつじょ》、23遠賀川《おんががわ》水源地《すいげんち》ポンプ室《しつ》（エリア8）
行政区分《ぎょうせいくぶん》	福岡県《ふくおかけん》：北九州市《きたきゅうしゅうし》、大牟田市《おおむたし》、中間市《なかまし》、佐賀県《さがけん》：佐賀市《さがし》、長崎県《ながさきけん》：長崎市《ながさきし》、熊本県《くまもとけん》：荒尾市《あらおし》、宇城市《うきし》、鹿児島県《かごしまけん》：鹿児島市《かごしまし》、山口県《やまぐちけん》：萩市《はぎし》、岩手県《いわてけん》：釜石市《かまいしし》、静岡県《しずおかけん》：伊豆《いず》の国市《くにし》

鉄《てつ》〈製鉄《せいてつ》・製鋼業《せいこうぎょう》〉

反射炉《はんしゃろ》

鉄《てつ》は人《ひと》にとって最《もっと》も利用価値《りようかち》のある金属《きんぞく》の一《ひと》つです。特《とく》に、産業革命以降《さんぎょうかくめいいこう》は産業《さんぎょう》の中核《ちゅうかく》をなす材料《ざいりょう》になっています。「産業《さんぎょう》の米《こめ》」などとも呼《よ》ばれ、「鉄《てつ》は国家《こっか》なり」と呼《よ》ばれるほど、鉄鋼《てっこう》の生産量《せいさんりょう》は国力《こくりょく》の指針《ししん》ともなりました。

萩反射炉《はぎはんしゃろ》

西洋式《せいようしき》の鉄製大砲鋳造《てっせいたいほうちゅうぞう》をめざした萩藩《はぎはん》が、1856（安政《あんせい》3）年《ねん》に試作的《しさくてき》に建設《けんせつ》した反《はん》射炉《しゃろ》の遺跡《いせき》です。各藩《かくはん》は、わずかな蘭書《らんしょ》の知識《ちしき》などを頼《たよ》りに自力《じりき》で、射程距離《しゃていきょり》の長《なが》い鉄製大砲《てっせいたいほう》や大型《おおがた》の軍艦《ぐんかん》を建造《けんぞう》しようと試行錯誤《しこうさくご》します。当時《とうじ》は鉄製大砲《てっせいたいほう》を建造《けんぞう》するには、衝撃《しょうげき》に弱《よわ》い硬《かた》い鉄《てつ》を粘《ねば》り気《け》のある軟《やわ》らかい鉄《てつ》に溶解《ようかい》する必要《ひつよう》があり、その装置《そうち》として反射炉《はんしゃろ》を用《もち》いていました。高《たか》さ10・5mの煙突《えんとつ》にあたる部分《ぶぶん》が残《のこ》っています。

▲1924（大正《たいしょう》13）年《ねん》に国史跡《くにしせき》に指定《してい》された萩反射炉《はぎはんしゃろ》は、煙突部分《えんとつぶぶん》が現存《げんそん》（萩市《はぎし》）

登録資産《とうろくしさん》MAP《まっぷ》

韮山反射炉《にらやまはんしゃろ》

江戸湾海防《えどわんかいぼう》の実務責任者《じつむせきにんしゃ》であった幕末期《ばくまつき》の代官《だいかん》・江川英龍《えがわひでたつ》(坦庵《たんあん》)〈1801~1855年《ねん》〉が手《て》がけ、跡《あと》を継《つ》いだ息子《むすこ》の英敏《ひでとし》が1857(安政《あんせい》4)年《ねん》に完成《かんせい》させました。

炉体《ろたい》と煙突《えんとつ》の部分《ぶぶん》を合《あ》わせた高《たか》さは約《やく》15・7m、実際《じっさい》に稼働《かどう》した反射炉《はんしゃろ》が残《のこ》っているのは日本《にほん》ではここだけです。稼働当時《かどうとうじ》、反射炉《はんしゃろ》の周囲《しゅうい》には各種《かくしゅ》の作業小屋《さぎょうごや》や倉庫《そうこ》などが建《た》ちならび、多《おお》くの職人《しょくにん》が働《はたら》いていました。

▲韮山反射炉《にらやまはんしゃろ》では、1864(元治元《げんじがん》)年《ねん》に幕府直営《ばくふちょくえい》反射炉《はんしゃろ》としての役割《やくわり》を終《お》えるまでに、鉄製《てつせい》18ポンドカノン砲《ほう》や青銅製野戦砲《せいどうせいやせんほう》などの西洋式大砲《せいようしきたいほう》が鋳造《ちゅうぞう》されました。(伊豆《いず》の国市《くにし》)

旧集成館《きゅうしゅうせいかん》の反射炉跡《はんしゃろあと》

薩摩藩《さつまはん》の藩主《はんしゅ》となった島津斉彬《しまづなりあきら》が、仙巌園敷地《せんがんえんしきち》の竹林《ちくりん》を切《き》り開《ひら》いて反射《はんしゃ》炉《ろ》の建設《けんせつ》を始《はじ》めたのは、1851(嘉《か》永《えい》4)年《ねん》です。

ここは1857(安政《あんせい》4)年《ねん》に建設《けんせつ》された反射炉《はんしゃろ》で、現在《げんざい》は薩摩在来《さつまざいらい》の石組《いしぐ》み技術《ぎじゅつ》で精密《せいみつ》に造《つく》られた2号炉《ごうろ》の下部構造《かぶこうぞう》が残《のこ》っています。

ポイント解説《かいせつ》

反射炉《はんしゃろ》とは

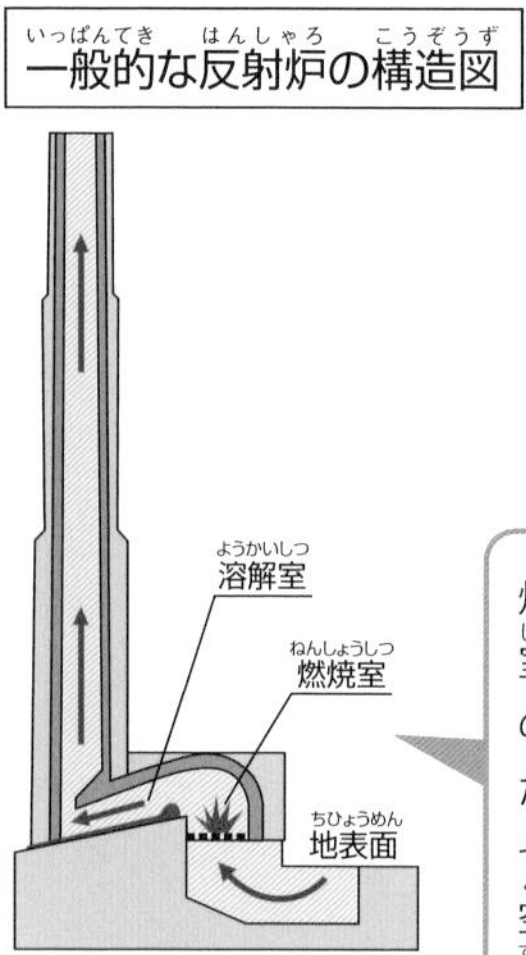

▲鉄製《てつせい》24ポンドカノン砲《ほう》〔複製《ふくせい》〕(佐賀県立《さがけんりつ》佐賀城本丸《さがじょうほんまる》歴史館蔵《れきしかんぞう》)

炉《ろ》と煙突《えんとつ》に大《おお》きく分《わ》けられます。燃焼室《ねんしょうしつ》で焚《た》いた燃料《ねんりょう》の熱《ねつ》を浅《あさ》いドーム形《がた》の天井《てんじょう》に反射《はんしゃ》させて、溶解室《ようかいしつ》に置《お》いた原料鉄《げんりょうてつ》に熱《ねつ》を集中《しゅうちゅう》させて溶解《ようかい》させます。高《たか》い煙突《えんとつ》を利用《りよう》して大量《たいりょう》の空気《くうき》を送《おく》り込《こ》み、炉内《ろない》の温度《おんど》を千《せん》数百度《すうひゃくど》にして、鉄《てつ》に含《ふく》まれる炭素《たんそ》の量《りょう》を減《へ》らし、鉄製大砲《てっせいたいほう》に必要《ひつよう》な軟《やわ》らかくて粘《ねば》りのある鉄《てつ》に変《か》えます。

反射炉《はんしゃろ》とは、鉄《てつ》を溶《と》かして大砲《たいほう》を作《つく》る炉《ろ》のことです。炉《ろ》の内部《ないぶ》の天井《てんじょう》に熱《ねつ》を反射《はんしゃ》させて高《たか》い温度《おんど》を作《つく》り出《だ》し、鉄《てつ》を溶《と》かしたことからこの名前《なまえ》がつきました。溶《と》かした鉄《てつ》は、大砲《たいほう》の型《かた》に入《い》れて冷《ひ》やし固《かた》めたあと、中《なか》をくりぬくという大変《たいへん》な作業《さぎょう》であったそうです。今《いま》は、反射炉《はんしゃろ》しか残《のこ》っていませんが、大砲《たいほう》を作《つく》っていたときには、周《まわ》りには、大砲工場《たいほうこうじょう》がありました。当時《とうじ》の日本《にほん》としては、最先端技術《さいせんたんぎじゅつ》の工場《こうじょう》でした。

▲反射炉跡《はんしゃろあと》、かつては、この上に高《たか》さ16mほどの煙突《えんとつ》がそびえ立《た》っていました（鹿児島市《かごしまし》）
写真提供《しゃしんていきょう》／公益社団法人《こうえきしゃだんほうじん》 鹿児島観光連盟《かごしまかんこうれんめい》

江戸《えど》・明治《めいじ》の製鉄業《せいてつぎょう》

大板山《おおいたやま》たたら製鉄遺跡《せいてついせき》

日本《にほん》の伝統的《でんとうてき》な製鉄方法《せいてつほうほう》である「たたら製鉄《せいてつ》」。ここは砂鉄《さてつ》を原料《げんりょう》に、木炭《もくたん》を燃焼《ねんしょう》させて鉄《てつ》を作《つく》っていた江戸時代《えどじだい》の製鉄所《せいてつじょ》の跡《あと》です。なお恵美須ケ鼻造船所《えびすがはなぞうせんじょ》で建造《けんぞう》した1隻目《せきめ》の西洋式帆船《せいようしきはんせん》「丙辰丸《へいしんまる》」を建造《けんぞう》する際《さい》に、ここで製鉄《せいてつ》されたものが船釘《ふなくぎ》などに利用《りよう》されています。

▲建物跡《たてものあと》などの遺構《いこう》が露出《ろしゅつ》した形《かたち》で整備《せいび》されています（萩市《はぎし》）

橋野鉄鉱山《はしのてっこうざん》

岩手県釜石市《いわてけんかまいしし》にある橋野鉄鉱山《はしのてっこうざん》は、1858（安政《あんせい》）5年《ねん》に日本《にほん》で初《はじ》めて洋式高炉《ようしきこうろ》による出銑《しゅっせん》に成功《せいこう》した盛岡藩士《もりおかはんし》の大島高任《おおしまたかとう》が同年《どうねん》に建設《けんせつ》に着手《ちゃくしゅ》し、完成《かんせい》しています。現存《げんぞん》する日本最古《にほんさいこ》の洋式高炉跡《ようしきこうろあと》（3基《き》）が残《のこ》っています。

官営八幡製鐵所旧本事務所《かんえいやはたせいてつじょきゅうほんじむしょ》

明治政府《めいじせいふ》はここ八幡《やはた》に1901（明治《めいじ》34）年《ねん》に官営製鐵所《かんえいせいてつじょ》を操業《そうぎょう》します。鋼材《こうざい》の自国生産《じこくせいさん》という使命《しめい》とともに、日本《にほん》の鉄鋼生産技術《てっこうせいさんぎじゅつ》がより重要《じゅうよう》な段階《だんかい》に入《はい》りました。この初代《しょだい》本事務所《ほんじむしょ》は、創業《そうぎょう》の2年前《ねんまえ》に竣工《しゅんこう》し、製鐵所《せいてつじょ》の中枢機関《ちゅうすうきかん》として様々《さまざま》な経営《けいえい》戦略《せんりゃく》が練《ね》られました。

▲中央《ちゅうおう》にドームを持《も》つ左右対称形《さゆうたいしょうけい》の赤《あか》煉瓦建造物《れんがけんぞうぶつ》（北九州市《きたきゅうしゅうし》）
※一般《いっぱん》には非公開《ひこうかい》の施設《しせつ》です
写真提供《しゃしんていきょう》／日本製鉄《にほんせいてつ》（株《かぶ》）九州製鉄所《きゅうしゅうせいてつじょ》

船《ふね》〈造船業《ぞうせんぎょう》〉

徳川幕府《とくがわばくふ》は、大名統制《だいみょうとうせい》のため江戸《えど》時代初期《じだいしょき》に軍艦《ぐんかん》などの建造《けんぞう》を禁止《きんし》する大船建造禁止令《おおぶねけんぞうきんしれい》を制定《せいてい》しました。しかし、ペリーの黒船《くろふね》が来航《らいこう》した1853(嘉永《かえい》6)年《ねん》、幕府《ばくふ》は禁止令《きんしれい》を解禁《かいきん》します。明治《めいじ》に入《はい》り、日本《にほん》は本格的《ほんかくてき》な造船業《ぞうせんぎょう》をスタート。船《ふね》をつくるための各種《かくしゅ》の部品製造《ぶひんせいぞう》が、機械工業《きかいこうぎょう》などその他《ほか》の重工業《じゅうこうぎょう》の発展《はってん》をうながすことになり、造船業《ぞうせんぎょう》は重要《じゅうよう》な役割《やくわり》を果《は》たします。

恵美須ケ鼻造船所跡《えびすがはなぞうせんじょあと》

萩藩《はぎはん》が設《もう》けた造船所《ぞうせんじょ》の遺跡《いせき》で、幕末《ばくまつ》に2隻《せき》の西洋式木造帆船《せいようしきもくぞうはんせん》を建造《けんぞう》しました。

この造船所《ぞうせんじょ》が建設《けんせつ》された1856(安政《あんせい》3)年《ねん》には、「丙辰丸《へいしんまる》」が進水《しんすい》します。さらに1860(万延元《まんえんがん》)年《ねん》には2隻目《せきめ》の西洋式帆船《せいようしきはんせん》「庚申丸《こうしんまる》」が進水《しんすい》。この帆船《はんせん》には長崎海軍伝《ながさきかいぐんでん》習所《しゅうじょ》でオランダ人教官《じんきょうかん》が教《おし》えた技術《ぎじゅつ》が用《もち》いられました。

▲恵美須ヶ鼻造船所跡《えびすがはなぞうせんじょあと》(萩市《はぎし》)

三重津海軍所跡《みえつかいぐんしょあと》

1855(安政《あんせい》2)年《ねん》に幕府《ばくふ》が「長崎海軍伝習所《ながさきかいぐんでんしゅうじょ》」を開設《かいせつ》すると、佐賀藩《さがはん》は多《おお》くの藩士《はんし》を派遣《はけん》して海軍《かいぐん》に関《かん》する知識《ちしき》を学《まな》ばせました。その後《ご》、長崎海軍伝習所《ながさきかいぐんでんしゅうじょ》で習得《しゅうとく》した知識《ちしき》を藩内《はんない》に広《ひろ》めるために、1858(安政《あんせい》5)年《ねん》、三重津《みえつ》に「御船手稽古所《おふなてけいこしょ》」を設置《せっち》しました。その翌年《よくとし》、長崎海軍伝習所《ながさきかいぐんでんしゅうじょ》が閉《へい》鎖《さ》されると、独自《どくじ》に海軍伝習《かいぐんでんしゅう》を行《おこな》うようになり、これにともない「海軍稽古《かいぐんけいこ》場《ば》」や「調練場《ちょうれんば》」などさまざまな施設《しせつ》が整備《せいび》されていきました。

また、蒸気艦船《じょうきかんせん》の建造《けんぞう》もめざし、1865(慶応元《けいおうがん》)年《ねん》に田中久重《たなかひさしげ》らによる日本初《にほんはつ》の本格的《ほんかくてき》な蒸気船《じょうきせん》「凌風《りょうふう》丸《まる》」を完成《かんせい》させました。

▲「凌風丸絵図《りょうふうまるえず》」(佐嘉神社所蔵《さがじんじゃしょぞう》)
日本初《にほんはつ》の本格的《ほんかくてき》な蒸気船《じょうきせん》「凌風丸《りょうふうまる》」

三重津海軍所跡《みえつかいぐんしょあと》の全景(佐賀市《さがし》)▶
写真提供《しゃしんていきょう》/佐賀市《さがし》

小菅修船場跡《こすげしゅうせんばあと》

日本《にほん》最古《さいこ》の蒸気機関《じょうききかん》を動力《どうりょく》とする曳揚《ひきあ》げ装置《そうち》を整備《せいび》した洋式《ようしき》スリップ・ドックが小菅修船場《こすげしゅうせんば》です。

船《ふね》をボイラー型蒸気機関《がたじょうききかん》の力《ちから》で曳《ひ》き揚《あ》げるために設置《せっち》されたレール上《じょう》の船《ふね》を載《の》せる台《だい》（船架《せんか》、現存《げんそん》しない）がそろばん状《じょう》に見《み》えたため、通称《つうしょう》「ソロバンドック」の名《な》で親《した》しまれています。

▲1869（明治元《めいじがん》）年《ねん》に完成《かんせい》、曳揚《ひきあ》げ小屋《ごや》は日本最古《にほんさいこ》の煉瓦造《れんがづく》り建築《けんちく》（長崎市《ながさきし》）

三菱長崎造船所第三船渠《みつびしながさきぞうせんじょだいさんせんきょ》

背後《はいご》の崖《がけ》を削《けず》り、海《うみ》を埋《う》め立《た》てるなど5年《ねん》におよぶ難工事《なんこうじ》を経《へ》て、三菱《みつびし》合資会社三菱造船所時代《ごうしがいしゃみつびしぞうせんじょじだい》の1905年《ねん》に完成《かんせい》した、当時《とうじ》としては東洋最大《とうようさいだい》の大型乾船渠《おおがたかんせんきょ》（ドライドック）です。

この第三船渠《だいさんせんきょ》は、竣工《しゅんこう》から100年《ねん》以上経《いじょうた》った今《いま》でも乾船渠《かんせんきょ》（ドライドック）の機能《きのう》を維持《いじ》している現役《げんえき》の稼働《かどう》施設《しせつ》です。

▲非公開施設《ひこうかいしせつ》の第三船渠《だいさんせんきょ》（長崎市《ながさきし》）
写真提供《しゃしんていきょう》／三菱重工業株式会社《みつびしじゅうこうぎょうかぶしきがいしゃ》

三菱長崎造船所《みつびしながさきぞうせんじょ》 ジャイアント・カンチレバークレーン

長崎港《ながさきこう》の中央《ちゅうおう》にそびえる、同型《どうがた》としては日本《にほん》に初《はじ》めて建設《けんせつ》された電動《でんどう》クレーンです。150tの吊上能力《つりあげのうりょく》を持《も》ち、電気《でんき》モーターで駆動《くどう》。現在《げんざい》も製品《せいひん》を出荷《しゅっか》する際《さい》に活躍《かつやく》する現役《げんえき》の施設《しせつ》です。※非公開施設《ひこうかいしせつ》

▲対岸《たいがん》のグラバー園《えん》からはその勇壮《ゆうそう》な姿《すがた》を見《み》ることができます（長崎市《ながさきし》）
写真提供《しゃしんていきょう》／三菱重工業株式会社《みつびしじゅうこうぎょうかぶしきがいしゃ》

炭鉱《たんこう》〈石炭業《せきたんぎょう》〉

石炭《せきたん》を燃料《ねんりょう》とする動力革命《どうりょくかくめい》はジェームス・ワットによる蒸気機関《じょうききかん》の発明《はつめい》（1769年《ねん》）によってもたらされました。紡績《ぼうせき》などの機械工業《きかいこうぎょう》の発展《はってん》、鉄道《てつどう》や汽船《きせん》、これらの素材《そざい》としての鉄鋼業《てっこうぎょう》の大規模化《だいきぼか》、そして、これらの燃料《ねんりょう》や原料《げんりょう》として石炭《せきたん》の大量生産《たいりょうせいさん》・大量消費《たいりょうしょうひ》へと進《すす》んでいきます。第《だい》2次世界大戦《じせかいたいせん》の直前《ちょくぜん》には、石炭《せきたん》は世界《せかい》のエネルギー源《げん》の約《やく》80%を占《し》めるまでに拡大《かくだい》しました。

高島炭坑《たかしまたんこう》

高島《たかしま》では、佐賀藩《さがはん》により19世紀《せいき》はじめから商品生産《しょうひんせいさん》としての採炭《さいたん》が行《おこな》われていました。1869（明治《めいじ》2）年《ねん》には、日本最初《にほんさいしょ》の蒸気機関《じょうききかん》による竪坑《たてこう》が開坑《かいこう》されました。1876（明治《めいじ》9）年《ねん》まで稼働《かどう》しましたが、日本《にほん》における初期《しょき》の近代的炭坑施設《きんだいてきたんこうしせつ》として評価《ひょうか》されています。

端島炭坑《はしまたんこう》

小《ち》さな海底炭坑《かいていたんこう》の島《しま》は、岸壁《がんぺき》が島《しま》全体《ぜんたい》を囲《かこ》い、高層鉄筋《こうそうてっきん》コンクリートが立《た》ち並《なら》ぶその外観《がいかん》が軍艦《ぐんかん》「土佐《とさ》」に似《に》ているところから「軍艦島《ぐんかんじま》」と呼《よ》ばれるようになりました。最盛期《さいせいき》の1960（昭和《しょうわ》35）年《ねん》には約《やく》5300人《にん》もの人《ひと》が住《す》んでいました。端島炭坑《はしまたんこう》の石炭《せきたん》はとても良質《りょうしつ》でしたが、主要《しゅよう》エネルギーが石炭《せきたん》から石油《せきゆ》へと移行《いこう》したことにより1974（昭和《しょうわ》49）年《ねん》に閉山《へいざん》、島《しま》は無人《むじん》となりました。

▼現在《げんざい》、多《おお》くの人《ひと》が軍艦島《ぐんかんじま》上陸《じょうりく》ツアーに参加《さんか》して、この島《しま》を訪《おとず》れています（長崎市《ながさきし》）
写真提供《しゃしんていきょう》／長崎市観光《ながさきしかんこう》推進課《すいしんか》

三池炭鉱《みいけたんこう》・三池港《みいけこう》

三池炭鉱《みいけたんこう》・宮原坑《みやのはらこう》

第一竪坑《だいいちたてこう》は1898（明治《めいじ》31）年《ねん》、第二竪坑《だいにたてこう》は1901（明治《めいじ》34）年《ねん》に完成《かんせい》しました。掘《ほ》った石炭《せきたん》を地上《ちじょう》に運《はこ》んだり、坑内《こうない》の水《みず》を排水《はいすい》したりする役割《やくわり》を持《も》ち、年間《ねんかん》40～50万《まん》トンを出炭《しゅったん》していましたが、1931（昭和《しょうわ》6）年《ねん》に閉坑《へいこう》しました。現在《げんざい》は第二竪坑《だいにたてこう》の櫓《やぐら》と、煉瓦造《れんがづく》りの巻揚機室《まきあげきしつ》が残《のこ》っています。

▲第二竪坑《だいにたてこう》の櫓《やぐら》と巻揚機室《まきあげきしつ》（大牟田市《おおむたし》）
写真提供《しゃしんていきょう》／大牟田市《おおむたし》

三池炭鉱《みいけたんこう》・万田坑《まんだこう》

第一竪坑櫓《だいいちたてこうやぐら》は1899(明治《めいじ》32)年《ねん》、第二竪坑櫓《だいにたてこうやぐら》は1908(明治《めいじ》41)年《ねん》に完成《かんせい》しました。これらの坑口施設《こうぐちしせつ》の完成《かんせい》にともない、巻揚機室《まきあげきしつ》、汽罐場《きかんじょう》、選炭場《せんたんじょう》、事務所《じむしょ》などの諸施設《しょしせつ》が完成《かんせい》し、1902(明治《めいじ》35)年《ねん》から出炭《しゅったん》を開始《かいし》しました。

▲坑内《こうない》で使用《しよう》する機械類《きかいるい》は日本製《にほんせい》のほか、多《おお》くの外国製《がいこくせい》の機械《きかい》を導入《どうにゅう》(荒尾市《あらおし》) 写真提供《しゃしんていきょう》/荒尾市《あらおし》

三池港《みいけこう》

三池炭鉱《みいけたんこう》で産出《さんしゅつ》された石炭《せきたん》を、直接大型船《ちょくせつおおがたせん》に乗《の》せて運搬《うんぱん》するために建設《けんせつ》された港《みなと》で、1908(明治《めいじ》41)年《ねん》に完成《かんせい》しました。港《みなと》は、現在《げんざい》も重要港湾《じゅうようこうわん》として使《つか》われています。

◀三池港《みいけこう》の空撮《くうさつ》、南西《なんせい》より(大牟田市《おおむたし》) 写真提供《しゃしんていきょう》/大牟田市《おおむたし》

■明治日本《めいじにほん》の産業革命遺産《さんぎょうかくめいいさん》 製鉄《せいてつ》・製鋼《せいこう》、造船《ぞうせん》、石炭産業《せきたんさんぎょう》 資産《しさん》の一部《いちぶ》

萩城下町《はぎじょうかまち》・萩市《はぎし》

幕末《ばくまつ》に日本《にほん》が産業化《さんぎょうか》をめざした当時《とうじ》の地域社会《ちいきしゃかい》をあらわす資産《しさん》

旧集成館《きゅうしゅうせいかん》の旧鹿児島紡績所技師館《きゅうかごしまぼうせきじょぎしかん》・鹿児島市《かごしまし》

日本《にほん》で最《もっと》も初期《しょき》の洋風建築《ようふうけんちく》、国《くに》の重要文化財《じゅうようぶんかざい》

松下村塾《しょうかそんじゅく》・萩市《はぎし》

幕末《ばくまつ》にあった私塾《しじゅく》で、吉田松陰《よしだしょういん》が指導《しどう》した門下生《もんかせい》などが明治《めいじ》新政府《しんせいふ》で活躍《かつやく》

旧《きゅう》グラバー住宅《じゅうたく》・長崎市《ながさきし》

現存《げんぞん》する日本最《にほんさい》古《こ》の木造洋風《もくぞうようふう》建築《けんちく》、国《くに》の重要《じゅうよう》文化財《ぶんかざい》

写真提供《しゃしんていきょう》/長崎市《ながさきし》観光推進課《かんこうすいしんか》

文化《ぶんか》遺産《いさん》

ル・コルビュジエの建築作品《けんちくさくひん》 ―近代建築運動《きんだいけんちくうんどう》への顕著《けんちょ》な貢献《こうけん》―

国立西洋美術館《こくりつせいようびじゅつかん》～世界《せかい》7カ国《かこく》にある17資産《しさん》（建築物《けんちくぶつ》）の一《ひと》つ

登録資産《とうろくしさん》になっているル・コルビュジエの17ある建築作品《けんちくさくひん》のうち、東《ひがし》アジアで唯一《ゆいいつ》の作品《さくひん》となる国立西洋美術館《こくりつせいようびじゅつかん》。1920年代初期《ねんだいしょき》から60年代半《ねんだいなか》ばにかけて設計《せっけい》・建築《けんちく》されたル・コルビュジエの建築作品《けんちくさくひん》は、半世紀《はんせいき》にわたる「近代《きんだい》建築運動《けんちくうんどう》」（※）の歴史《れきし》を証明《しょうめい》するものであり、20世紀《せいき》の建築《けんちく》に大《おお》きな影響《えいきょう》を与《あた》えました。また奈良《なら》や京都《きょうと》などにあるような歴史的建造物《れきしてきけんぞうぶつ》ではなく、戦後《せんご》に建《た》てられた建築物《けんちくぶつ》が世界遺産《せかいいさん》の資産《しさん》になっていることも特筆《とくひつ》すべきことです。

※19世紀以前《せいきいぜん》の様式建築《ようしきけんちく》を批判《ひはん》し、近代社会《きんだいしゃかい》にあった建築《けんちく》をつくろうとする運動《うんどう》。

登録内容《とうろくないよう》

遺産種別《いさんしゅべつ》	文化遺産《ぶんかいさん》
登録年《とうろくねん》	2016（平成《へいせい》28）年《ねん》
登録基準《とうろくきじゅん》	1、2、6
登録対象《とうろくたいしょう》資産《しさん》	日本《にほん》を含《ふく》むフランス・ドイツ・アルゼンチン・ベルギー・インド・スイスの三大陸《さんたいりく》にまたがる7カ国《かこく》17の資産《しさん》が世界遺産《せかいいさん》に登録《とうろく》

◀外観《がいかん》の正面《しょうめん》

©国立西洋美術館

国立西洋美術館《こくりつせいようびじゅつかん》、誕生《たんじょう》までの経緯《けいい》

国立西洋美術館《こくりつせいようびじゅつかん》の開館《かいかん》は1959(昭和《しょうわ》34)年《ねん》6月《がつ》です。ル・コルビュジエは1955(昭和《しょうわ》30)年《ねん》11月《がつ》に日本《にほん》を訪問《ほうもん》し、上野公園内《うえのこうえんない》の建設予定地《けんせつよていち》を調査《ちょうさ》しました。

ル・コルビュジエがつくった設計図《せっけいず》をもとに、彼《かれ》の弟子《でし》である前川國男《まえかわくにお》、坂倉準三《さかくらじゅんぞう》、吉阪隆正《よしざかたかまさ》の3人《にん》が協力《きょうりょく》して美術館《びじゅつかん》の建設《けんせつ》を進《すす》め、1959(昭和《しょうわ》34)年《ねん》3月《がつ》に完成《かんせい》しました。

この美術館《びじゅつかん》の完成《かんせい》までには「松方《まつかた》コレクション」(1910~20年代《ねんだい》にかけてヨーロッパ各地《かくち》で美術作品《びじゅつさくひん》を収集《しゅうしゅう》した、松方幸次郎《まつかたこうじろう》氏《し》の所蔵品《しょぞうひん》)の存在《そんざい》があります。

第二次世界大戦後《だいにじせかいたいせんご》、一時《いちじ》フランス政府《せいふ》の所有《しょゆう》となった松方《まつかた》コレクションは、1953(昭和《しょうわ》28)年《ねん》、新《あたら》しい美術館《びじゅつかん》をつくることを条件《じょうけん》に日本《にほん》へ寄贈返還《きぞうへんかん》されることになったのです。

■ル・コルビュジエの17の登録資産一覧《とうろくしさんいちらん》

フランス〈10資産《しさん》〉

- ラ・ロッシュ=ジャンヌレ邸《てい》
- サヴォア邸《てい》と庭師小屋《にわしこや》
- ペサックの集合住宅《しゅうごうじゅうたく》
- カップ・マルタンの休暇小屋《きゅうかごや》
- ポルト・モリトーの集合住宅《しゅうごうじゅうたく》
- マルセイユのユニテ・ダビタシオン
- ロンシャンの礼拝堂《れいはいどう》
- ラ・トゥーレットの修道院《しゅうどういん》
- サン・ディエの工場《こうじょう》
- フィルミニの文化《ぶんか》の家《いえ》

日本〈1資産《しさん》〉

- 国立西洋美術館《こくりつせいようびじゅつかん》

ドイツ〈1資産《しさん》〉

- ヴァイセンホフ・ジードルングの住宅《じゅうたく》

スイス〈2資産《しさん》〉

- レマン湖畔《こはん》の小《ちい》さな家《いえ》
- イムーブル・クラルテ

ベルギー〈1資産《しさん》〉

- ギエット邸《てい》

アルゼンチン〈1資産《しさん》〉

- クルチェット邸《てい》

インド〈1資産《しさん》〉

- チャンディガールのキャピトル・コンプレックス

ポイント解説《かいせつ》

ル・コルビュジエ

1887年《ねん》スイス生《う》まれ、のちにフランス国籍《こくせき》を取得《しゅとく》、1965年没《ねんぼつ》。本名《ほんみょう》はシャルル=エドゥアール・ジャンヌレ=グリ。「ル・コルビュジエ」は雑誌《ざっし》の中《なか》で使《つか》ったペンネームです。時計《とけい》の文字盤職人《もじばんしょくにん》の父《ちち》とピアノ教師《きょうし》の母《はは》の次男《じなん》として生《う》まれます。家業《かぎょう》を継《つ》ぐために時計職人《とけいしょくにん》を養成《ようせい》する地元《じもと》の装飾美術学校《そうしょくびじゅつがっこう》で彫刻《ちょうこく》と彫金《ちょうきん》を学《まな》びます。1907年《ねん》、在学中《ざいがくちゅう》にル・コルビュジエの才能《さいのう》を見《み》いだした校長《こうちょう》のシャルル・レプラトゥニエのすすめで建築《けんちく》の道《みち》に入《はい》ります。さらにパリやドイツの事務所《じむしょ》で建築《けんちく》を学《まな》びます。1925年《ねん》のパリ万博《ばんぱく》で異彩《いさい》を放《はな》つなど建築家《けんちくか》として活躍《かつやく》し、「近代建築《きんだいけんちく》の三大巨匠《さんだいきょしょう》」として位置《いち》づけられています。

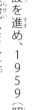

近代建築《きんだいけんちく》の5原則《げんそく》

ル・コルビュジエによって提唱《ていしょう》された近代建築《きんだいけんちく》の原則《げんそく》とされているのが、次《つぎ》の5つです。「新《あたら》しい建築《けんちく》の5つの要点《ようてん》」と訳《やく》されることもあります。

1：ピロティ
2：屋上庭園《おくじょうていえん》
3：自由《じゆう》な平面《へいめん》
4：横長《よこなが》の窓《まど》（水平連続窓《すいへいれんぞくまど》）
5：自由《じゆう》な立面《りつめん》（ファサード）

▲空《そら》から見《み》た国立西洋美術館《こくりつせいようびじゅつかん》　©国立西洋美術館

ル・コルビュジエと国立西洋美術館《こくりつせいようびじゅつかん》の見《み》どころ

ピロティ（柱《はしら》だけで支えられた屋外空間《おくがいくうかん》）

創建時《そうけんじ》は広々《ひろびろ》とした空間《くうかん》には彫刻《ちょうこく》が展示《てんじ》されていました。現在《げんざい》は正面《しょうめん》の柱《はしら》1列《れつ》を残《のこ》して、室内化《しつないか》されています。

建物《たてもの》を柱《はしら》で持《も》ち上《あ》げてできた地上《ちじょう》部分《ぶぶん》の吹《ふ》き抜《ぬ》け空間《くうかん》が合理的《ごうりてき》・機能的《きのうてき》でありながら特異《とくい》な美《うつく》しさをかもしだしています。

ここは、美術《びじゅつ》館《かん》の入口《いりぐち》の横《よこ》にもあたるスペースです。

▲ピロティ　©国立西洋美術館

19世紀《せいき》ホール

天井部分《てんじょうぶぶん》はトップライト（三角形《さんかっけい》にあけられた「明《あか》り取《と》り」の窓《まど》）があり、自然光《しぜんこう》を取《と》り入《い》れることができます。ここは本館《ほんかん》の中央《ちゅうおう》に位置《いち》するホールです。

▲19世紀《せいき》ホール　©国立西洋美術館

本館《ほんかん》2階展示室《かいてんじしつ》

本館《ほんかん》2階展示室《かいてんじしつ》の天井《てんじょう》は高《たか》い部分《ぶぶん》と低《ひく》い部分《ぶぶん》が組《く》み合《あ》わせられています。

低《ひく》い天井《てんじょう》はモデュロール(ル・コルビュジエが人体《じんたい》の寸法《すんぽう》と黄金比《おうごんひ》からつくった建造物《けんぞうぶつ》の基準寸法《きじゅんすんぽう》)で定《さだ》められた226㎝で、高《たか》い天井《てんじょう》はその2倍《ばい》にバルコニーの床《ゆか》の厚《あつ》さを加《くわ》えた寸法《すんぽう》です。

創建時《そうけんじ》には「タブローテーク」という絵画《かいが》がかけられた絵画《かいが》ラックが備《そな》えられていました。

◀本館《ほんかん》2階展示室《かいてんじしつ》

©国立西洋美術館

◀独立柱《どくりつばしら》

©国立西洋美術館

◀外観左側《がいかんひだりがわ》

©国立西洋美術館

独立柱《どくりつばしら》/柱《はしら》と柱《はしら》の間隔《かんかく》

この建物《たてもの》は多《おお》くの円柱《えんちゅう》で支《ささ》えられています。柱《はしら》は姫小松《ひめこまつ》の木《き》の型枠《かたわく》にコンクリートを流《なが》し込《こ》んでつくっているため、木目《もくめ》が美《うつく》しく浮《う》き出《で》ています。柱《はしら》と柱《はしら》の間隔《かんかく》はモデュロールで定《さだ》められています。

■国立西洋美術館《こくりつせいようびじゅつかん》をもっと知《し》るために

この美術館《びじゅつかん》はフランス政府《せいふ》から寄贈返還《きぞうへんかん》された松方《まつかた》コレクション(印象派《いんしょうは》の絵画《かいが》およびロダンの彫刻《ちょうこく》を中心《ちゅうしん》とするフランス美術《びじゅつ》コレクション)をベースに、西洋美術《せいようびじゅつ》に関《かん》する作品《さくひん》を数多《かずおお》く展示《てんじ》する施設《しせつ》です。

クロード・モネ《睡蓮》1916年　油彩、カンヴァス
国立西洋美術館 松方コレクション

◀フランス印象派《いんしょうは》の代表《だいひょう》、モネの《睡蓮《すいれん》》が展示《てんじ》されている美術館《びじゅつかん》としても有名《ゆうめい》です

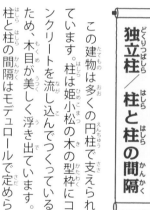

■弟子《でし》の前川國男《まえかわくにお》が作《つく》った新館《しんかん》

国立西洋美術館《こくりつせいようびじゅつかん》設立《せつりつ》20周年《しゅうねん》の記念《きねん》すべき年《とし》、1979（昭和《しょうわ》54）年《ねん》に、ル・コルビュジエの設計《せっけい》した本館《ほんかん》から中庭《なかにわ》をはさんで一体《いったい》に機能《きのう》するように新館《しんかん》を増築《ぞうちく》しました。本館《ほんかん》2階《かい》の展示《てんじ》は14世紀《せいき》の古《ふる》い絵画《かいが》から始《はじ》まり、順番《じゅんばん》に見《み》ていくと時代《じだい》が進《すす》んで行《い》きます。そこから渡《わた》り廊下《ろうか》を通《とお》って新館《しんかん》に入ると、近代絵画《きんだいかいが》の巨匠《きょしょう》モネ、ゴッホ、ピカソなどが展示《てんじ》されています。その新館《しんかん》を設計《せっけい》したのがル・コルビュジエの弟子《でし》である前川國男《まえかわくにお》です。

美術館《びじゅつかん》はもちろん美術作品《びじゅつさくひん》が主役《しゅやく》ですが、その名画《めいが》の数々《かずかず》が収《おさ》められているのが、世界文化遺産《せかいぶんかいさん》のル・コルビュジエ建築《けんちく》とその弟子《でし》である前川國男《まえかわくにお》が手掛《てが》けた空間《くうかん》という点《てん》が国立西洋美術館《こくりつせいようびじゅつかん》の大《おお》きな特徴《とくちょう》です。周囲《しゅうい》には「東京文化会館《とうきょうぶんかかいかん》」、「東京都美術館《とうきょうとびじゅつかん》」という２つの前川國男作品《まえかわくにおさくひん》があるので、合《あ》わせてそちらにも足《あし》を伸《の》ばして建物鑑賞《たてものかんしょう》が楽《たの》しめます。

▲新館《しんかん》１階展示室《かいてんじしつ》　©国立西洋美術館

◀新館《しんかん》２階展示室《かいてんじしつ》　©国立西洋美術館

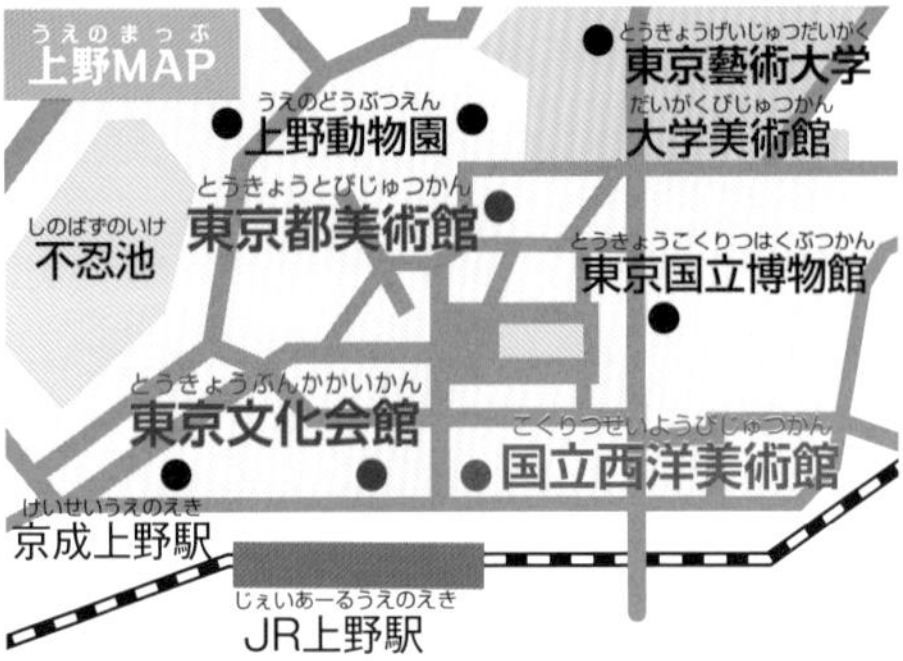

［館名《かんめい》］国立西洋美術館《こくりつせいようびじゅつかん》

［所在地《しょざいち》］東京都台東区上野公園《とうきょうとたいとうくうえのこうえん》7番《ばん》7号《ごう》

［TEL］03-5777-8600（ハローダイヤル）

［常設展観覧料《じょうせつてんかんらんりょう》］一般《いっぱん》500円《えん》、大学生《だいがくせい》250円《えん》

※高校生以下《こうこうせいいか》および18歳未満《さいみまん》、65歳以上《さいいじょう》、心身《しんしん》に障害《しょうがい》のある方《かた》および付添者《つきそいしゃ》1名《めい》は無料《むりょう》

［開館時間《かいかんじかん》］9:30〜17:30、金《きん》・土曜《どよう》／9:30〜20:00

※入館《にゅうかん》は閉館《へいかん》の30分前《ぶんまえ》まで。

※その他《た》、時間延長期間《じかんえんちょうきかん》があります。詳細《しょうさい》はHPへ。

［休館日《きゅうかんび》］月曜《げつよう》（祝日《しゅくじつ》の場合《ばあい》は翌日《よくじつ》）、年末年始《ねんまつねんし》

［URL］https://www.nmwa.go.jp/

自然遺産《しぜんいさん》

白神山地《しらかみさんち》

白神山地《しらかみさんち》は、青森県南西部《あおもりけんなんせいぶ》と秋田県北西部《あきたけんほくせいぶ》の県境《けんざかい》にまたがる広大《こうだい》な山岳地帯《さんがくちたい》の総称《そうしょう》です。標高《ひょうこう》は２００ｍから１２００ｍ余《あま》り、広《ひろ》さは13万《まん》ｈａに及《およ》びます。このうち、ほとんど手《て》つかずのブナを主体《しゅたい》とする区域《くいき》が、世界遺産《せかいいさん》（自然遺産《しぜんいさん》）になっています。世界最大級《せかいさいだいきゅう》の広大《こうだい》なブナ原生林《げんせいりん》の美《うつく》しさと生命力《せいめいりょく》は緩衝地域《かんしょうちいき》とその周辺《しゅうへん》を含《ふく》め人類《じんるい》の宝物《たからもの》といえるものです。

登録内容《とうろくないよう》

遺産種別《いさんしゅべつ》	自然遺産《しぜんいさん》
登録年《とうろくねん》	1993（平成《へいせい》5）年《ねん》
登録基準《とうろくきじゅん》	9
面積《めんせき》	［コアゾーン］11,139ha、［バッファゾーン］6,832ha
行政区分《ぎょうせいくぶん》	青森県《あおもりけん》：鰺ケ沢町《あじがさわまち》、深浦町《ふかうらまち》、西目屋村《にしめやむら》 秋田県《あきたけん》：藤里町《ふじさとまち》、八峰町《はっぽうちょう》、能代市《のしろし》

8000年《ねん》近《ちか》い歴史《れきし》を持《も》つ、白神山地《しらかみさんち》のブナ林《りん》

白神山地《しらかみさんち》にブナが姿《すがた》を現《あらわ》したのは、今《いま》から8000〜9000年前《ねんまえ》といわれています。時代《じだい》でいえば縄文時代《じょうもんじだい》にあたります。以来《いらい》、ブナは新旧交代《しんきゅうこうたい》を繰《く》り返《かえ》し、そこに棲《す》む動物《どうぶつ》や植物《しょくぶつ》とともに脈々《みゃくみゃく》と生《い》きながらえています。

ブナ林《ばやし》は全国《ぜんこく》に分布《ぶんぷ》しますが、白《しら》神山地《かみさんち》ほど広範囲《こうはんい》に原生林《げんせいりん》としてブナ林《ばやし》が現存《げんぞん》するところは見当《みあ》たりません。さらに、さまざまな動植物《どうしょくぶつ》を育《はぐく》み続《つづ》ける母《はは》のような森《もり》であることも大《おお》きな特徴《とくちょう》の一《ひと》つで、約《やく》500種《しゅ》という植物《しょくぶつ》が生育《せいいく》しています。

豊《ゆた》かな植生《しょくせい》は豊《ゆた》かな生態系《せいたいけい》をつくります。山地《さんち》にはツキノワグマやニホンカモシカなどのほ乳類《にゅうるい》をはじめ、イヌワシ、クマゲラなど94種《しゅ》の鳥類《ちょうるい》、昆虫類《こんちゅうるい》は2000種《しゅ》以上《いじょう》が生息《せいそく》しています。

最高峰《さいこうほう》である向白神岳《むかいしらかみだけ》・標高《ひょうこう》1250mや白神岳《しらかみだけ》、天狗岳《てんぐだけ》、二ツ森《ふたもり》など1000m級《きゅう》の山《やま》が連《つら》なっています。豊《ゆた》かな山々《やまやま》は、保水力《ほすいりょく》の高いブナの森《もり》と豊《ゆた》かな川《かわ》を抱《かか》えています。

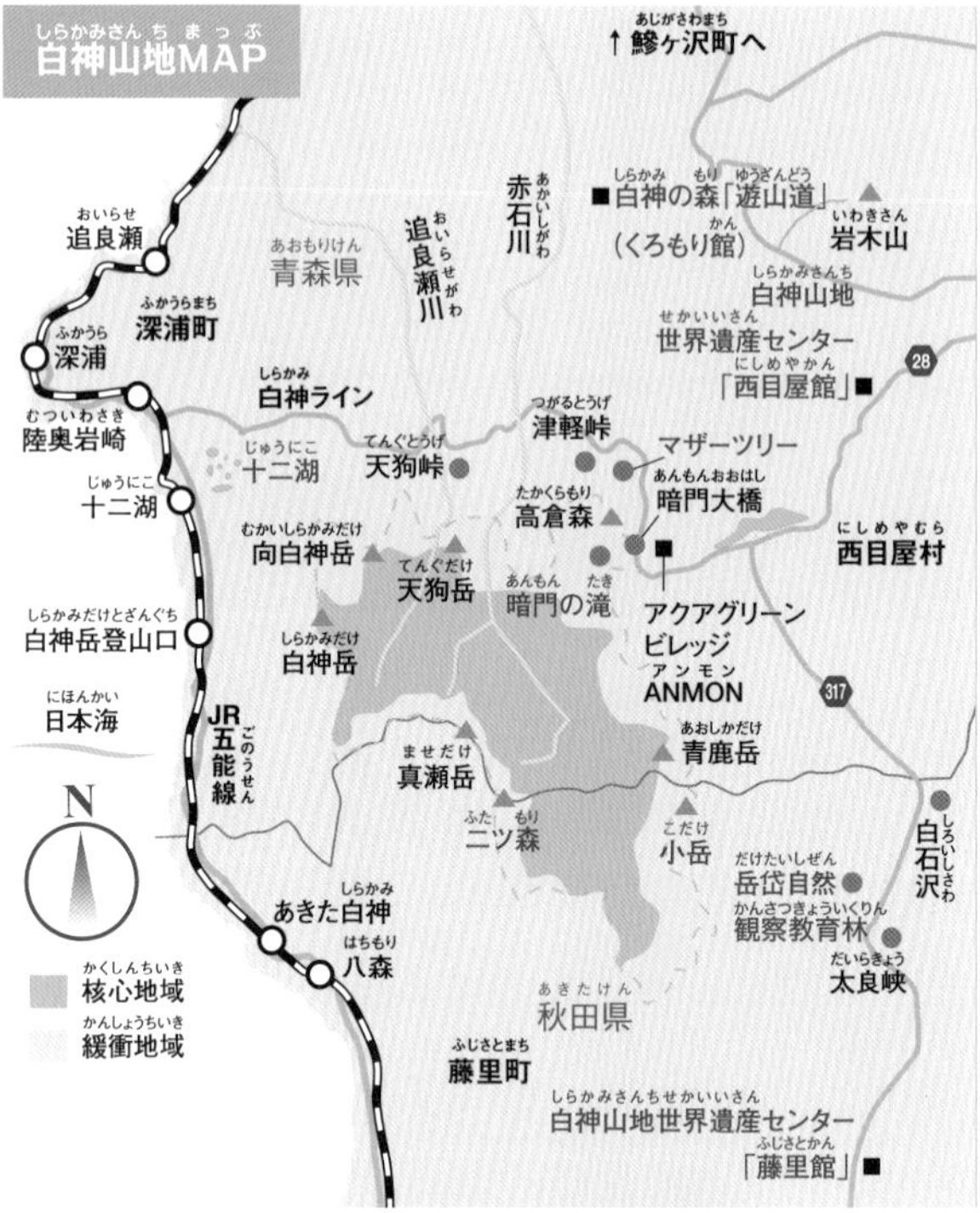

▲津軽峠《つがるとうげ》から眺《なが》めた白神山地《しらかみさんち》　写真提供《しゃしんていきょう》／西目屋村《にしめやむら》

▲ブナ林《ばやし》　写真提供《しゃしんていきょう》／西目屋村《にしめやむら》

ポイント解説《かいせつ》

ブナ

ブナはブナ科《か》ブナ属《ぞく》の木《き》です。温帯性《おんたいせい》の落葉広葉樹林《らくようこうようじゅりん》の典型的《てんけいてき》なもので、北海道南部《ほっかいどうなんぶ》の平地《へいち》から九州地方《きゅうしゅうちほう》の山地《さんち》まで幅広《はばひろ》く分布《ぶんぷ》します。

ブナの寿命《じゅみょう》は250年《ねん》くらいといわれていますが、なかには400年《ねん》を越《こ》えるものもあります。高《たか》さは成木《せいぼく》で20～30m、幹《みき》の太《ふと》さは2～3mぐらいです。1本《ぽん》の木《き》に数万粒以上《すうまんつぶいじょう》の種子《しゅし》をつけますが、動物《どうぶつ》に食《た》べられるなどして発芽《はつが》するのはごくわずかです。発芽後《はつがご》も成木《せいぼく》に育《そだ》つのはわずかです。

青森県《あおもりけん》と秋田県《あきたけん》にまたがる白神山地《しらかみさんち》

「自然《しぜん》」に線《せん》を入《い》れて分《わ》けることは、人間《にんげん》の勝手《かって》な思《おも》いで便宜的《べんぎてき》なものです。県境《けんざかい》にある「山《やま》」も、そのものは何《なに》も変《か》わることなくあり、そこにあるブナの木々《きぎ》も同《おな》じです。計算上《けいさんじょう》、世界遺産《せかいいさん》登録《とうろく》されている地域《ちいき》の面積《めんせき》を県《けん》で分《わ》けると、4分《ぶん》の3が青森県側《あおもりけんがわ》、4分《ぶん》の1が秋田県側《あきたけんがわ》です。核心地域《かくしんちいき》の中《なか》には人跡未踏《じんせきみとう》の原生林《げんせいりん》もあるともいわれています。

また、登録地域以外《とうろくちいきいがい》の周辺《しゅうへん》にも、ブナ林《ばやし》はたくさんあります。これも白神山《しらかみさん》地《ち》のスケールの大《おお》きさであり、ブナの森《もり》と親《した》しむこともできます。白神山地《しらかみさんち》の場合《ばあい》、登録地域周辺《とうろくちいきしゅうへん》のコースの方《ほう》がメインとなっているともいえます。しかも、青森県側《あおもりけんがわ》と秋田県側《あきたけんがわ》の両方《りょうほう》から入《はい》ることが可能《かのう》で、多彩《たさい》なルートがあります。その一部《いちぶ》をここで取《と》り上《あ》げます。

▲白神山地《しらかみさんち》の象徴《しょうちょう》である「マザーツリー」は、推定樹齢《すいていじゅれい》400年《ねん》といわれる巨大《きょだい》なブナの木《き》です。その樹齢《じゅれい》の長《なが》さには驚《おどろ》かされます

青森県側《あおもりけんがわ》

西目屋村《にしめやむら》 「暗門《あんもん》の滝《たき》」と「マザーツリー」

西目屋村《にしめやむら》には、バッファゾーンにある「暗門《あんもん》の滝《たき》」、津軽峠《つがるとうげ》のそばにある「マザーツリー」などがあります。暗門《あんもん》の滝《たき》は名勝《めいしょう》の地《ち》であり、白神山地《しらかみさんち》の深《ふか》い森《もり》に包《つつ》まれて三《みっ》つの滝《たき》があります。上流《じょうりゅう》にある第一《だいいち》の滝《たき》から下流《かりゅう》にある第三《だいさん》の滝《たき》までは、徒歩《とほ》で30分程度《ぷんていど》かかります。なお、アクアグリーンビレッジANMONから第一《だいいち》の滝《たき》までは片道約《かたみちやく》1時間《じかん》です。

マザーツリーは、ブナの巨木《きょぼく》で通称《つうしょう》「母《はは》なる木《き》」と呼《よ》ばれています。樹齢《じゅれい》は約《やく》400年《ねん》といわれており、アクアグリーンビレッジANMONの北側《きたがわ》にあります。途中《とちゅう》には、こんもりとブナが繁《しげ》る「高《たか》倉森《くらもり》」があります。

▲激《はげ》しく水《みず》しぶきをあげる、暗門《あんもん》の滝《たき》の第一《だいいち》の滝《たき》

鰺ケ沢町《あじがさわまち》
白神《しらかみ》の森《もり》「遊山道《ゆうざんどう》」

ブナ散策《さんさく》ゾーン白神《しらかみ》の森《もり》「遊山道《ゆうざんどう》」(有料《ゆうりょう》)は、52haの山腹《さんぷく》にブナ林《ばやし》が広《ひろ》がる親《した》しみのもてるエリアです。樹齢《じゅれい》200年《ねん》を越《こ》えるブナもあり、白神《しらかみ》山地《さんち》・コアゾーンと同《おな》じような森林《しんりん》景観《けいかん》を保《たも》っているといわれており、人《ひと》の手《て》が加《くわ》えられていないブナ林《ばやし》の姿《すがた》を見《み》ることができます。なお、「くろもり館《かん》」はこの散策《さんさく》ゾーンの入《い》り口《ぐち》になります。

※2019年《ねん》9月《がつ》より熊出没《くましゅつぼつ》のため休止《きゅうし》。

▲白神《しらかみ》の森《もり》「遊山道《ゆうざんどう》」

深浦町《ふかうらまち》
「十二湖《じゅうにこ》」

日本海側《にほんかいがわ》に面《めん》した名勝地《めいしょうち》「十二湖《じゅうにこ》」がある、深浦町《ふかうらまち》。ブナの原生林《げんせいりん》に囲《かこ》まれて、30以上《いじょう》の湖沼《こしょう》が点在《てんざい》する神秘的《しんぴてき》なエリアです。中《なか》でも「青池《あおいけ》」は水底《すいてい》に沈《しず》んだブナの木《き》が幻想的《げんそうてき》で、まるで太古《たいこ》の昔《むかし》にさかのぼったような景観《けいかん》を見《み》ることができます。なお、「十二湖《じゅうにこ》」は津軽国定公園《つがるこくていこうえん》にも指定《してい》されています。

▲「青池《あおいけ》」は、見《み》る位置《いち》や光《ひかり》の角度《かくど》で微妙《びみょう》に色《いろ》が変化《へんか》します

秋田県側《あきたけんがわ》

藤里町《ふじさとまち》 「二《ふた》ツ森《もり》」と「小岳《こだけ》」

秋田県側《あきたけんがわ》から世界遺産登録地域《せかいいさんとうろくちいき》にあるブナ林《ばやし》を眺《なが》める場合《ばあい》、「二《ふた》ツ森《もり》」と「小岳《こだけ》」のルートがあります。「二《ふた》ツ森《もり》」は青森県《あおもりけん》との県境《けんざかい》にあり、北部《ほくぶ》にある真瀬川沿《ませがわぞい》の林道《りんどう》の終点《しゅうてん》が登山口《とざんぐち》になっています。また、「小岳《こだけ》」の山頂《さんちょう》から西方《せいほう》へ連《つら》なる世界遺産登録地域《せかいいさんとうろくちいき》の畳《たたみ》を重《かさ》ねたような迫力《はくりょく》のある山並《やまなみ》みは定評《ていひょう》があります。さらに山《やま》の西斜面《にししゃめん》ではハイマツの群落《ぐんらく》を見《み》ることができます。

▲二《ふた》ツ森《もり》から眺望《ちょうぼう》した、世界遺産登録地域《せかいいさんとうろくちいき》

「岳袋自然観察教育林《だけたいしぜんかんさつきょういくりん》」

岳袋自然観察教育林《だけたいしぜんかんさつきょういくりん》は、藤里町《ふじさとまち》と青《あお》森《もり》の西目屋村《にしめやむら》を結《むす》ぶ県道《けんどう》317号《ごう》の太良峡付近《だいらきょうふきん》から北《きた》へ入《はい》ったところにあります。林《はやし》のそばまで車両《しゃりょう》で入《はい》れる手軽《てがる》さがあり、ブナの生《い》きている姿《すがた》を見《み》るには最適《さいてき》なルートです。

林内《りんない》にはモリアオガエルの池《いけ》などがあり、クロサンショウウオなどを見《み》ることができます。また、季節《きせつ》の花々《はなばな》や苔《こけ》むした木《き》にからまるツタなど、原生林《げんせいりん》ならではの姿《すがた》を間近《まぢか》で観察《かんさつ》できます。

▲春《はる》の岳袋自然観察教育林《だけたいしぜんかんさつきょういくりん》

▼樹齢《じゅれい》400年前後《ねんぜんご》と推定《すいてい》される、ブナの巨木《きょぼく》

豊《ゆた》かな自然《しぜん》・植物《しょくぶつ》

▲チゴユリ
高《たか》さ15～30cm。春《はる》に茎《くき》の先端《せんたん》に1cmほどの白《しろ》い花《はな》をつけます

▲シラネアオイ
高《たか》さは20～30cm。花期《かき》は5～7月頃《がつごろ》

▲ヒトリシズカ
4月下旬《がつげじゅん》～5月頃《がつごろ》、林《はやし》の中《なか》や湿《しめ》った木陰《こかげ》に生《は》えます

◀ニッコウキスゲが咲《さ》く、藤里町《ふじさとまち》の遊歩道《ゆうほどう》

■白神山地《しらかみさんち》をもっと知《し》るためのガイドについて

白神山地世界遺産《しらかみさんちせかいいさん》センター「西目屋館《にしめやかん》」

世界遺産《せかいいさん》を守《まも》るための調査研究施設《ちょうさけんきゅうしせつ》。センター内《ない》には「展示《てんじ》・資料《しりょう》コーナー」もあり、白神山地《しらかみさんち》の自然《しぜん》に関《かん》する展示品《てんじひん》を自由《じゆう》に見《み》ることができます。

［所在地《しょざいち》］西目屋村大字田代字神田《にしめやむらおおあざたしろあざかんだ》61-1　［TEL］0172-85-2622　［入館《にゅうかん》］無料《むりょう》　［開館時間《かいかんじかん》］8：30～17：00　［休館日《きゅうかんび》］土《ど》・日曜《にちよう》、祝日《しゅくじつ》など　※隣接地《りんせつち》に「白神山地《しらかみさんち》ビジターセンター」があります

白神山地世界遺産《しらかみさんちせかいいさん》センター「藤里館《ふじさとかん》」

世界遺産白神山地《せかいいさんしらかみさんち》について学《まな》べる施設《しせつ》で、展示室《てんじしつ》には世界遺産条約《せかいいさんじょうやく》の概念《がいねん》や白神山地《しらかみさんち》の自然《しぜん》に関《かん》する資料《しりょう》を展示《てんじ》しています。

［所在地《しょざいち》］藤里町藤琴字里栗《ふじさとまちふじことあざさとぐり》63番地《ばんち》　［TEL］0185-79-3005　［入館《にゅうかん》］無料《むりょう》
［開館時間《かいかんじかん》］4月《がつ》～11月《がつ》、3月《がつ》 9：00～17：00、12月《がつ》～2月《がつ》 10：00～16：00
［休館日《きゅうかんび》］火曜《かよう》（祝日《しゅくじつ》の場合《ばあい》は翌日《よくじつ》）　※12月《がつ》～2月《がつ》は月《げつ》・火曜《かよう》（祝日《しゅくじつ》の場合《ばあい》は翌日《よくじつ》）

総合案内休憩所《そうごうあんないきゅうけいじょ》「くろもり館《かん》」

白神《しらかみ》の森《もり》「遊山道《ゆうざんどう》」の入山受付《にゅうざんうけつけ》やガイドの受付《うけつけ》になっています。展示室《てんじしつ》や休憩室《きゅうけいしつ》も設《もう》けられています。

［所在地《しょざいち》］鰺ヶ沢町大字深谷町字矢倉山《あじがさわまちおおあざふかやまちあざやくらやま》1-26　［TEL］0173-79-2009　［利用料金《りようりょうきん》］一般《いっぱん》・大人《おとな》500円《えん》、小《しょう》・中学生《ちゅうがくせい》400円《えん》　［営業期間《えいぎょうきかん》］4月20日《がつはつか》～9月《がつ》30日《にち》 9：00～16：30（10月1日《がつついたち》～10月《がつ》31日《にち》は～15：30）※受付《うけつけ》は30分前《ぷんまえ》まで　［休館日《きゅうかんび》］期間中《きかんちゅう》は無休《むきゅう》（11月《がつ》～4月下旬《がつげじゅん》は冬期間休《とうきかんきゅう》）
※2019年《ねん》9月《がつ》より営業休止《えいぎょうきゅうし》

自然遺産《しぜんいさん》

屋久島《やくしま》

鹿児島県佐多岬《かごしまけんさたみさき》から、さらに南《みなみ》へ約《やく》60km の海上《かいじょう》に浮《う》かぶ世界遺産《せかいいさん》の屋久島《やくしま》には、シンボルである「屋久杉《やくすぎ》」をはじめ、大小《だいしょう》さまざまな滝《たき》や美《うつく》しい海岸《かいがん》があります。海岸付近《かいがんふきん》はサンゴ礁《しょう》に熱帯魚《ねったいぎょ》が遊《あそ》ぶ「亜《あ》熱帯気候《ねったいきこう》」、1000m級《きゅう》の山《やま》が連《つら》なる山岳部《さんがくぶ》は「冷温帯《れいおんたい》」に近《ちか》い気候《きこう》と、いわば北《きた》から南《みなみ》までの日本列島《にほんれっとう》の自然気候《しぜんきこう》が一《ひと》つの島《しま》に凝縮《ぎょうしゅく》されたようになっており、独自《どくじ》の景観《けいかん》と生態《せいたい》を保《たも》っています。

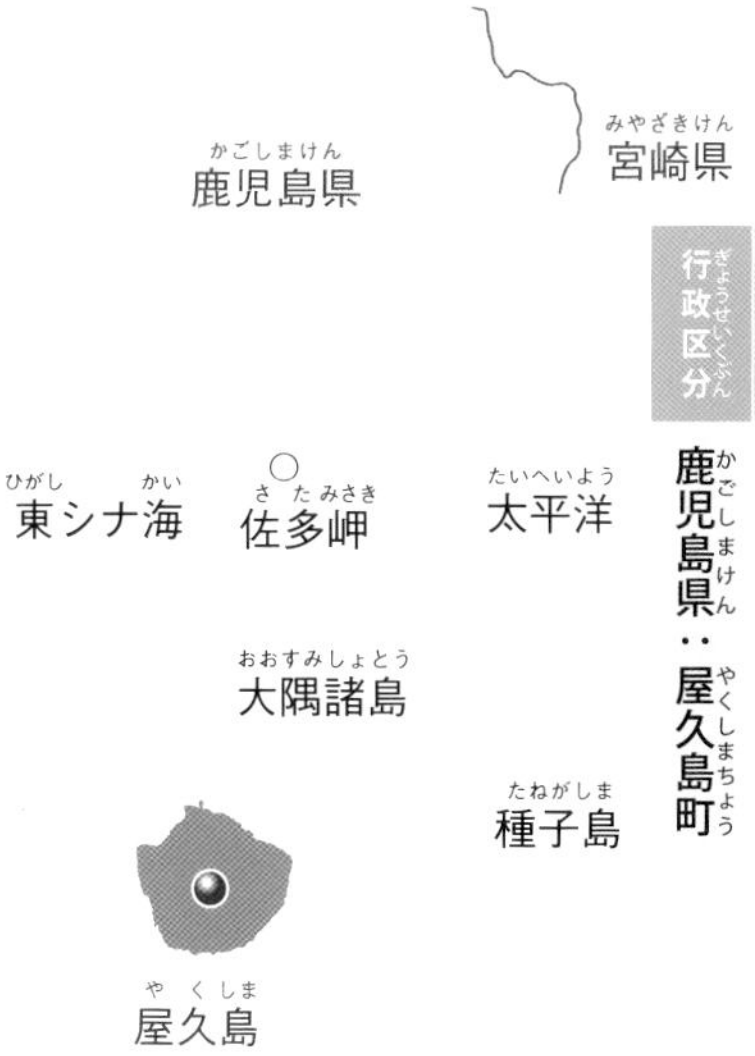

登録内容《とうろくないよう》

遺産種別《いさんしゅべつ》	自然遺産《しぜんいさん》
登録年《とうろくねん》	1993（平成《へいせい》5）年《ねん》
登録基準《とうろくきじゅん》	7、9
面積《めんせき》	10，747ha（屋久島《やくしま》の約《やく》20％）
行政区分《ぎょうせいくぶん》	鹿児島県《かごしまけん》：屋久島町《やくしまちょう》

貴重《きちょう》な生態系《せいたいけい》を誇《ほこ》る巨大《きょだい》な樹《き》のある島《しま》

屋久島《やくしま》の面積《めんせき》は約《やく》500㎢あまりで、周囲《しゅうい》は約《やく》132㎞です。ここに九州《きゅうしゅう》で一番高《いちばんたか》い、標高《ひょうこう》1936mの「宮之浦岳《みやのうらだけ》」があります。さらに1000m級《きゅう》の山《やま》が40以上峰《いじょうみね》を連《つら》ねる山岳島《さんがくとう》です。年間降雨量《ねんかんこううりょう》が4000～10000㎜という多雨《たう》に恵《めぐ》まれることで、島《しま》の90％が深《ふか》い森林《しんりん》におおわれています。

植生《しょくせい》は亜熱帯《あねったい》から亜寒帯《あかんたい》までが垂直《すいちょく》に分布《ぶんぷ》しています。なかでも平地《へいち》から1000m付近《ふきん》まではクス、カシ、シイなどの照葉樹林《しょうようじゅりん》が広《ひろ》がっており、その規模《きぼ》は世界最大《せかいさいだい》といわれています。そして屋久島《やくしま》のシンボルともなっている「屋久杉《やくすぎ》」。また、ヤクシカ、ヤクシマザルなど固有《こゆう》の動物《どうぶつ》や稀少《きしょう》な鳥類《ちょうるい》なども生息《せいそく》しています。

▲島《しま》のほぼ中央《ちゅうおう》にそびえる、標高《ひょうこう》1936mの「宮之浦岳《みやのうらだけ》」

ポイント解説《かいせつ》1

照葉樹林《しょうようじゅりん》

森林《しんりん》の種類《しゅるい》のひとつで、温帯《おんたい》に生育《せいいく》する常緑広葉樹林《じょうりょくこうようじゅりん》のひとつの型《かた》を指《さ》します。構成《こうせい》する樹木《じゅもく》の種類《しゅるい》に、葉《は》の表面《ひょうめん》の照《て》りが強《つよ》いものが多《おお》いので、その名《な》があります。なお、熱帯《ねったい》に生育《せいいく》する常緑広《じょうりょくこう》葉樹林《ようじゅりん》は熱帯雨林《ねったいうりん》とも呼《よ》ばれています。

ポイント解説《かいせつ》2

杉《すぎ》

ヒノキ科《か》の常緑高木《じょうりょくこうぼく》で、日本《にほん》特産《とくさん》の針葉樹《しんようじゅ》です。つまり、日本《にほん》の固有種《こゆうしゅ》で東北地方《とうほくちほう》から九州《きゅうしゅう》の屋久島《やくしま》まで分布《ぶんぷ》します。材木《ざいもく》の資源《しげん》としても重要《じゅうよう》で、また最近《さいきん》では花粉《かふん》が飛《と》び散《ち》ることで花粉症《かふんしょう》の原因《げんいん》にもなっています。

屋久島MAP《やくしままっぷ》

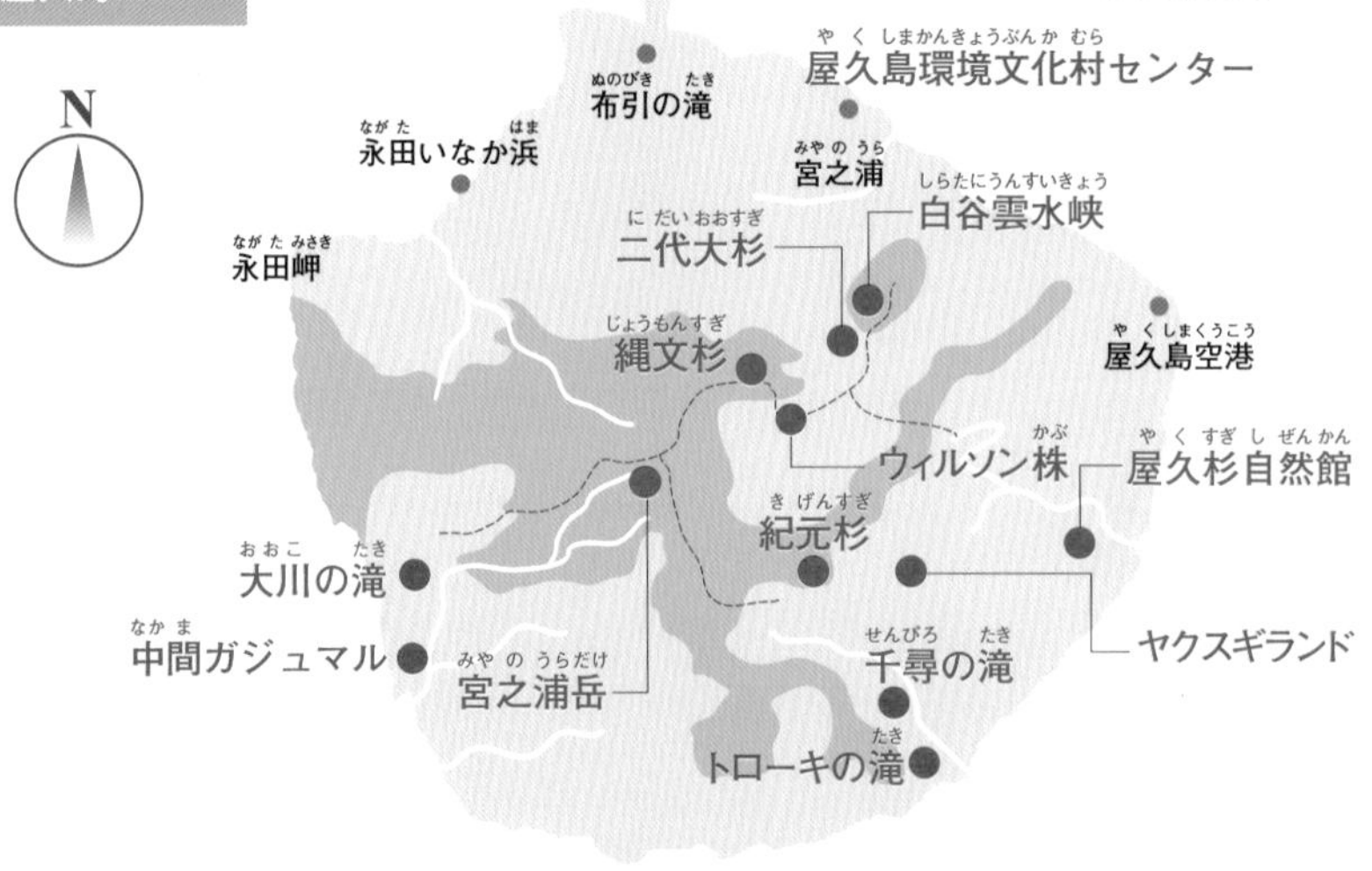

屋《や》久《く》杉《すぎ》

屋久島最大《やくしまさいだい》の「縄文杉《じょうもんすぎ》」

屋久杉《やくすぎ》とは、樹齢《じゅれい》1000年以上《ねんいじょう》のスギをさします。それ以下《いか》のスギは、島《しま》では「小杉《こすぎ》」と呼《よ》ばれます。

屋久島《やくしま》で確認《かくにん》されている最大《さいだい》の杉《すぎ》「縄文杉《じょうもんすぎ》」。これを見《み》るために島《しま》を訪《おとず》れる人《ひと》も多《おお》いです。推定樹齢《すいていじゅれい》は7200年《ねん》といわれています。樹《き》の高《たか》さは25・3m、胸高周囲《きょうこうしゅうい》(成人《せいじん》の胸《むね》の高《たか》さの位置《いち》における幹回《みきまわ》りの大《おお》きさ、地面《じめん》から1・3mの高《たか》さを採用《さいよう》)16・4mもあります。

本来《ほんらい》、スギの樹齢《じゅれい》は数百年前後《すうひゃくねんぜんご》といわれています。屋久杉《やくすぎ》の場合《ばあい》、栄養《えいよう》の乏《とぼ》しい花崗岩《かこうがん》の大地《だいち》で育《そだ》ったため生長《せいちょう》が遅《おそ》く、

▼両手《りょうて》を広《ひろ》げたように枝《えだ》を伸《の》ばし、葉《は》を繁《しげ》らせ、気《き》の遠《とお》くなるような生命力《せいめいりょく》を保《たも》ち続《つづ》けています

その分《ぶん》、材質《ざいしつ》が緻密《ちみつ》で樹脂分《じゅしぶん》が多《おお》いという特徴《とくちょう》があり、長生《ながい》きして大《おお》きくなったと考《かんが》えられています。

この「縄文杉《じょうもんすぎ》」を見《み》るためには、荒川登山口《あらかわとざんぐち》から片道約《かたみちやく》11㎞の登山《とざん》コースを歩《ある》くため約《やく》5時間《じかん》かかります。なお、保護《ほご》のために幹《みき》の周囲《しゅうい》には立《た》ち入《い》ることはできません。展望用《てんぼうよう》のテラスがあり、そこから威厳《いげん》に満《み》ちた巨木《きょぼく》を拝《おが》むことができます。

巨大《きょだい》な切《き》り株《かぶ》「ウィルソン株《かぶ》」

縄文杉《じょうもんすぎ》に至《いた》る「大株歩道《おおかぶほどう》」という道《みち》に入《はい》り、まもなくすると現《あらわ》れるのが「ウィルソン株《かぶ》」。この名前《なまえ》は、1914（大正《たいしょう》13）年《ねん》に調査《ちょうさ》に訪《おとず》れ、この株《かぶ》の存在《そんざい》を紹介《しょうかい》したアメリカの植物学者《しょくぶつがくしゃ》ウィルソン博士《はかせ》にちなんで名付《なづ》けられました。

巨大《きょだい》な切《き》り株《かぶ》は、切《き》り口《くち》の直径《ちょっけい》が13・8mもあり、樹齢《じゅれい》は2000年《ねん》～3000年《ねん》と推定《すいてい》されています。株《かぶ》の根元《ねもと》からは樹齢《じゅれい》300年程《ねんほど》の3本《ぼん》の若《わか》い杉《すぎ》が育《そだ》っています。この株《かぶ》は、伐採後数百年《ばっさいごすうひゃくねん》経《た》っても朽《く》ちることなく、立派《りっぱ》な原型《げんけい》を残《のこ》していて、株《かぶ》の中《なか》の空洞《くうどう》は、何人《なんにん》もの人《ひと》が入《はい》れるほどの空《くう》間《かん》になっています。

▼切《き》り株《かぶ》が原型《げんけい》を残《のこ》しているのは、樹脂《じゅし》の含有量《がんゆうりょう》が多《おお》いからとされています。また3本《ぼん》の杉《すぎ》は「切株更新《きりかぶこうしん》」（倒《たお》れた木《き》や切り倒《たお》した木《き》の株《かぶ》の上《うえ》に苔《こけ》が生《は》え、その苔《こけ》の上《うえ》に種子《しゅし》が落《お》ち、育《そだ》つこと）の好例《こうれい》です

めずらしい形《かたち》をした「二代大杉《にだいおおすぎ》」

「二代大杉《にだいおおすぎ》」は、白谷雲水峡《しらたにうんすいきょう》の入《い》り口《ぐち》(管理棟《かんりとう》)から整備《せいび》された歩道《ほどう》を30分《ぷん》ほど歩《ある》いたところにあります。

初代《しょだい》の切《き》り株《かぶ》の上《うえ》に落《お》ちた種《たね》が発芽《はつが》して成長《せいちょう》した大杉《おおすぎ》で、高《たか》さは32m、胸高周囲《きょうこうしゅうい》4・4mの威容《いよう》を誇《ほこ》ります。なお、この胸高周囲《きょうこうしゅうい》は、腐《くさ》って空洞《くうどう》になっている初代《しょだい》の切《き》り株部分《かぶぶぶん》であると推定《すいてい》されるものです。切《き》り株《かぶ》とその上《うえ》に成長《せいちょう》する杉《すぎ》が、不思議《ふしぎ》な樹《き》の形《かたち》を作《つく》り出《だ》しています。

◀不思議《ふしぎ》な形《かたち》の「二代大杉《にだいおおすぎ》」

■白谷雲水峡《しらたにうんすいきょう》

白谷雲水峡《しらたにうんすいきょう》は白谷川《しらたにがわ》の上流《じょうりゅう》にある面積《めんせき》423.73haの広大《こうだい》な自然休養林《しぜんきゅうようりん》です。入《い》り口《ぐち》は、宮之浦《みやのうら》から約《やく》12kmのところにあります。

入《い》り口《ぐち》の標高《ひょうこう》は620m、照葉樹林《しょうようじゅりん》から屋久杉林《やくすぎりん》への移行帯《いこうたい》にあり、屋久島《やくしま》の照葉樹林帯《しょうようじゅりんたい》を代表《だいひょう》する、イスノキ、ウラジロガシ、タブノキなどの大木《だいぼく》が見《み》られます。また、屋久杉林帯《やくすぎりんたい》を代表《だいひょう》する、スギ、ツガ、モミなどの大木《たいぼく》も見《み》られます。

また、宮崎駿監督《みやざきはやおかんとく》の映画《えいが》「もののけ姫《ひめ》」の森《もり》のイメージになったとされることでも有名《ゆうめい》であり、映画《えいが》のような神秘的《しんぴてき》な森《もり》が広《ひろ》がっています。

▲巨岩《きょがん》が広《ひろ》がり、原生林《げんせいりん》におおわれる「白谷雲水峡《しらたにうんすいきょう》」

見《み》る者《もの》を圧倒《あっとう》する老《ろう》スギ「紀元杉《きげんすぎ》」

案防川《あんぼうがわ》の支流《しりゅう》、荒川《あらかわ》の上流《じょうりゅう》に広《ひろ》がる「ヤクスギランド」から6㎞、車《くるま》で15分《ふん》の場所《ばしょ》に立《た》つ、屋久島《やくしま》でも代表的《だいひょうてき》な屋久杉《やくすぎ》「紀元杉《きげんすぎ》」。樹高《じゅこう》19・5m、胸高周囲《きょうこうしゅうい》8・1m、推定樹齢《すいていじゅれい》3000年《ねん》の老《ろう》スギです。

木《き》の上部《じょうぶ》は、白骨化《はっこつか》していて、それがかえって神秘的《しんぴてき》な雰囲気《ふんいき》を漂《ただよ》わせています。

▲すぐそばまで車《くるま》で行《い》くことができます

■ヤクシマシャクナゲとガジュマル

豊《ゆた》かな生態系《せいたいけい》を誇《ほこ》る屋久島《やくしま》には、数多《かずおお》くの植物《しょくぶつ》が自生《じせい》しています。宮之浦岳《みやのうらだけ》や永田岳《ながただけ》の山頂《さんちょう》付近《ふきん》では5月下旬《がつげじゅん》から6月上旬《がつじょうじゅん》にかけて、ヤクシマシャクナゲが咲《さ》きます。また、夏《なつ》になるとヤクシマフウロやヤクシマリンドウなどの高山植物《こうざんしょくぶつ》が花《はな》を咲《さ》かせます。

マングローブが独特《どくじ》の景観《けいかん》を見《み》せる屋久《やく》島《しま》では、ガジュマルやアコウなどの熱帯《ねったい》の照葉樹林《しょうようじゅりん》を見《み》ることができます。ガジュマルは熱帯性《ねったいせい》のイチジクの仲間《なかま》で、幹《みき》から無数《むすう》の気根《きこん》(空気中《くうきちゅう》の根《ね》)をたらし、幹《みき》と根《ね》の見分《みわ》けがつかなくなるほどです。

▲赤《あか》とピンクの花《はな》が美《うつく》しいヤクシマシャクナゲ

▲「中間橋《なかまばし》」のたもとにある、巨大《きょだい》なガジュマル「中間《なかま》ガジュマル」

文化遺産《ぶんかいさん》

自然遺産《しぜんいさん》

屋久島《やくしま》

滝《たき》

山岳《さんがく》の中《なか》を流《なが》れる川《かわ》が多《おお》い屋久島《やくしま》。島内《とうない》にはいくつもの滝《たき》があり、巨大《きょだい》な岩盤《がんばん》や一枚岩《いちまいいわ》、深《ふか》い森《もり》などを背景《はいけい》に流《なが》れる滝《たき》は、自然遺産《しぜんいさん》の島《しま》ならではの景観《けいかん》を見《み》せてくれます。

▲大川《おおこ》の滝《たき》

里《さと》にある滝《たき》としては、島《しま》の中《なか》で一番大《いちばんおお》きな「大川《おおこ》の滝《たき》」。落差《らくさ》は88mもあり、豪快《ごうかい》に流《なが》れ落《お》ちます。この滝《たき》のある周辺《しゅうへん》の地質《ちしつ》は、島《しま》に多《おお》い花崗岩《かこうがん》ではなく、ホルンフェルスと呼《よ》ばれる変成岩《へんせいがん》の一種《いっしゅ》です。滝《たき》つぼの前《まえ》まで歩《ある》いて行《い》くことでき、また海《うみ》までは歩《ある》いて5分《ふん》という近《ちか》さです

▼千尋《せんぴろ》の滝《たき》

島《しま》の南側《みなみがわ》にある、スケールの大《おお》きな落《らく》差《さ》60mの滝《たき》。滝《たき》の左側《ひだりがわ》には２００m四方《しほう》を越《こ》える巨大《きょだい》な花崗岩《かこうがん》の一枚岩《いちまいいわ》があります。標高《ひょうこう》２７０mのところに展望台《てんぼうだい》もあります

▲トローキの滝《たき》

千尋《せんぴろ》の滝《たき》のすぐ南東《なんとう》にある滝《たき》。滝《たき》の水《みず》が海《うみ》の中《なか》に直接落《ちょくせつお》ちてゆく、全国《ぜんこく》でもめずらしい景観《けいかん》が望《のぞ》めます

海岸《かいがん》

屋久島《やくしま》の北西《ほくせい》にある永田《ながた》いなか浜《はま》。800mほどの美《うつく》しい砂浜《すなはま》が続《つづ》く、島内《とうない》で最《もっと》も大《おお》きな浜《はま》で、アカウミガメの日本一《にほんいち》の産卵地《さんらんち》としても有名《ゆうめい》です。

◀永田《ながた》いなか浜《はま》
アカウミガメの産卵《さんらん》は5月下旬《がつげじゅん》〜7月中旬《がつちゅうじゅん》にかけて、孵化《ふか》は7月後半《がつこうはん》〜9月《がつ》です

■屋久島《やくしま》をもっと知《し》るためのガイドについて

屋久島環境文化村《やくしまかんきょうぶんかむら》センター

宮之浦港《みやのうらこう》のすぐ近《ちか》くにある「屋久島《やくしま》」をまるごと学《まな》べる施設《しせつ》です。館内《かんない》ではアイマックスシアターでの大型映像《おおがたえいぞう》、パネル模型《もけい》や展示《てんじ》などを行《おこな》っています。さらに、インストラクターによるていねいな説明《せつめい》などにより、屋久島《やくしま》の自然《しぜん》や環境《かんきょう》、生活《せいかつ》や文化《ぶんか》などを理解《りかい》することができます。

［所在地《しょざいち》］屋久島町宮之浦《やくしまちょうみやのうら》823番地《ばんち》1　［TEL］0997-42-2900　［開場時間《かいじょうじかん》］9：00〜17：00（展示ホールの入場《にゅうじょう》は〜16:30）　［入館料《にゅうかんりょう》］大人《おとな》530円《えん》、高校《こうこう》・大学生《だいがくせい》370円《えん》、小《しょう》・中学生《ちゅうがくせい》270円《えん》
［休館日《きゅうかんび》］月曜（ただし祝日《しゅくじつ》の場合《ばあい》は翌日《よくじつ》）、年末年始《ねんまつねんし》 ※7月20日《がつはつか》〜8月《がつ》までは無休《むきゅう》

屋久杉自然館《やくすぎしぜんかん》

屋久杉《やくすぎ》づくりの建物《たてもの》が迎《むか》えてくれる、屋久杉自然館《やくすぎしぜんかん》。実物《じつぶつ》や映像《えいぞう》をふんだんに取《と》り入《い》れた展示《てんじ》を行《おこな》っています。屋久杉《やくすぎ》の長寿《ちょうじゅ》の秘密《ひみつ》、江戸時代《えどじだい》の屋久杉《やくすぎ》の伐採《ばっさい》と再生《さいせい》の謎《なぞ》など、数々《かずかず》の疑問《ぎもん》を解《と》き明《あ》かしてくれます。

［所在地《しょざいち》］屋久島町安房《やくしまちょうあんぼう》2739-343　［TEL］0997-46-3113　［開館時間《かいかんじかん》］9：00〜17：00（入館《にゅうかん》は16：30まで）　［入館料《にゅうかんりょう》］大人《おとな》600円、高校《こうこう》・大学生《だいがくせい》400円《えん》、小《しょう》・中学生《ちゅうがくせい》300円《えん》
［休館日《きゅうかんび》］第1火曜《かよう》、年末年始《ねんまつねんし》（12月《がつ》29日《にち》〜1月1日《がつついたち》）

ヤクスギランド

面積《めんせき》270.33haの自然休養林《しぜんきゅうようりん》。林内《りんない》にはいくつものコースに分《わ》かれています。ヤクスギ林帯《りんたい》の大木《たいぼく》が見《み》られるだけではなく、屋久杉《やくすぎ》は推定樹齢《すいていじゅれい》1800年《ねん》の仏陀杉《ぶっだすぎ》をはじめ、三根杉《さんこんすぎ》、母子杉《おやこすぎ》、天柱杉《てんちゅうすぎ》などの巨木《きょぼく》を見《み》ることができます。

［所在地《しょざいち》］屋久島町荒川《やくしまちょうあらかわ》　［TEL］0997-43-5900（屋久島町観光《やくしまちょうかんこう》まちづくり課《か》）
［開場時間《かいじょうじかん》］設定なし［開放期間《かいほうきかん》］年中開放《ねんじゅうかいほう》（冬期《とうきど》雪のため通行《つうこう》止めの場合《ばあい》あり）
［入場料《にゅうじょうりょう》］（協力金《きょうりょくきん》）／高校生以上《こうこうせいいじょう》500円《えん》

自然《しぜん》遺産《いさん》

知床《しれとこ》

日本《にほん》に残《のこ》る最後《さいご》の原始地域《げんしちいき》ともいわれている、北海道《ほっかいどう》の知床半島《しれとこはんとう》。豊《ゆた》かな海《うみ》に囲《かこ》まれた半島《はんとう》には湖《みずうみ》や滝《たき》や山《やま》、川《かわ》などがあります。そこにはさまざまな生物《せいぶつ》が棲《す》んでいます。その生物《せいぶつ》の多様性《たようせい》が認《みと》められたことも海《うみ》の部分《ぶぶん》が登録《とうろく》に入《はい》っていることも日本《にほん》の世界遺産《せかいいさん》（自然《しぜん》遺産）としては初《はじ》めてのことです。

登録内容《とうろくないよう》

遺産種別《いさんしゅべつ》	自然遺産《しぜんいさん》
登録年《とうろくねん》	2005（平成《へいせい》17）年《ねん》
登録基準《とうろくきじゅん》	9、10
面積《めんせき》	［コアゾーン］34,000ha、［バッファゾーン］37,100ha
行政区分《ぎょうせいくぶん》	北海道《ほっかいどう》：斜里町《しゃりちょう》、羅臼町《らうすちょう》

地球《ちきゅう》が創《つく》った貴重《きちょう》な自然《しぜん》をそのまま残《のこ》した「知床《しれとこ》」

北海道《ほっかいどう》の東側《ひがしがわ》に位置《いち》する知床半島《しれとこはんとう》は、オホーツク海《かい》と根室海峡《ねむろかいきょう》を分《わ》けるように突《つ》き出《だ》した延長《えんちょう》（一直線《いっちょくせん》としたときの長《なが》さ）約《やく》63㎞の半島《はんとう》です。アイヌ語《ご》でシリエトク、「大地《だいち》の頭《あたま》・突端《とったん》」を意味《いみ》する秘境《ひきょう》の地《ち》です。標高《ひょうこう》1661mの羅臼岳《らうすだけ》など高《たか》い山々《やまやま》が、背骨《せぼね》のように続《つづ》き、海岸線《かいがんせん》は断崖絶壁《だんがいぜっぺき》で人《ひと》は簡単《かんたん》に入《はい》って行《い》くことはできません。また、半島《はんとう》の先《さき》には灯台《とうだい》があるだけで、車《くるま》が通《とお》れるような道路《どうろ》もありません。

「海氷《かいひょう》」が支《ささ》える命《いのち》

海氷《かいひょう》とは、海水《かいすい》が凍結《とうけつ》してできたものです。オホーツク海《かい》は、海氷《かいひょう》ができる北半球《きたはんきゅう》の中《なか》では最《もっと》も低緯度《ていいど》にあります。たとえば北緯《ほくい》43度《ど》~44度《ど》(ウトロ)という緯度《いど》で海氷《かいひょう》が生《う》まれることが大量《たいりょう》のプランクトンの基礎《きそ》となり、豊《ゆた》かな生態系《せいたいけい》を育《はぐく》んでいます。低緯度《ていいど》で海氷《かいひょう》になる理由《りゆう》は、海《うみ》の塩分濃度《えんぶんのうど》の二重《にじゅう》の構造《こうぞう》など特異《とくい》な条件《じょうけん》が重《かさ》なって起《お》こるものです。この海氷《かいひょう》がとけはじめるときに、植物性《しょくぶつせい》プランクトンが爆発的《ばくはつてき》に増殖《ぞうしょく》し、その連鎖《れんさ》が魚《さかな》、海《うみ》の哺乳類《ほにゅうるい》、陸《りく》の生物《せいぶつ》へという食物《しょくもつ》のネットワークを広《ひろ》げます。知床《しれとこ》ではこのプランクトンの増殖《ぞうしょく》がオホーツク海《かい》の中《なか》で一番早《いちばんはや》く起《お》こります。

▲知床五湖《しれとこごこ》の遊歩道《ゆうほどう》

知床半島《しれとこはんとう》MAP《まっぷ》

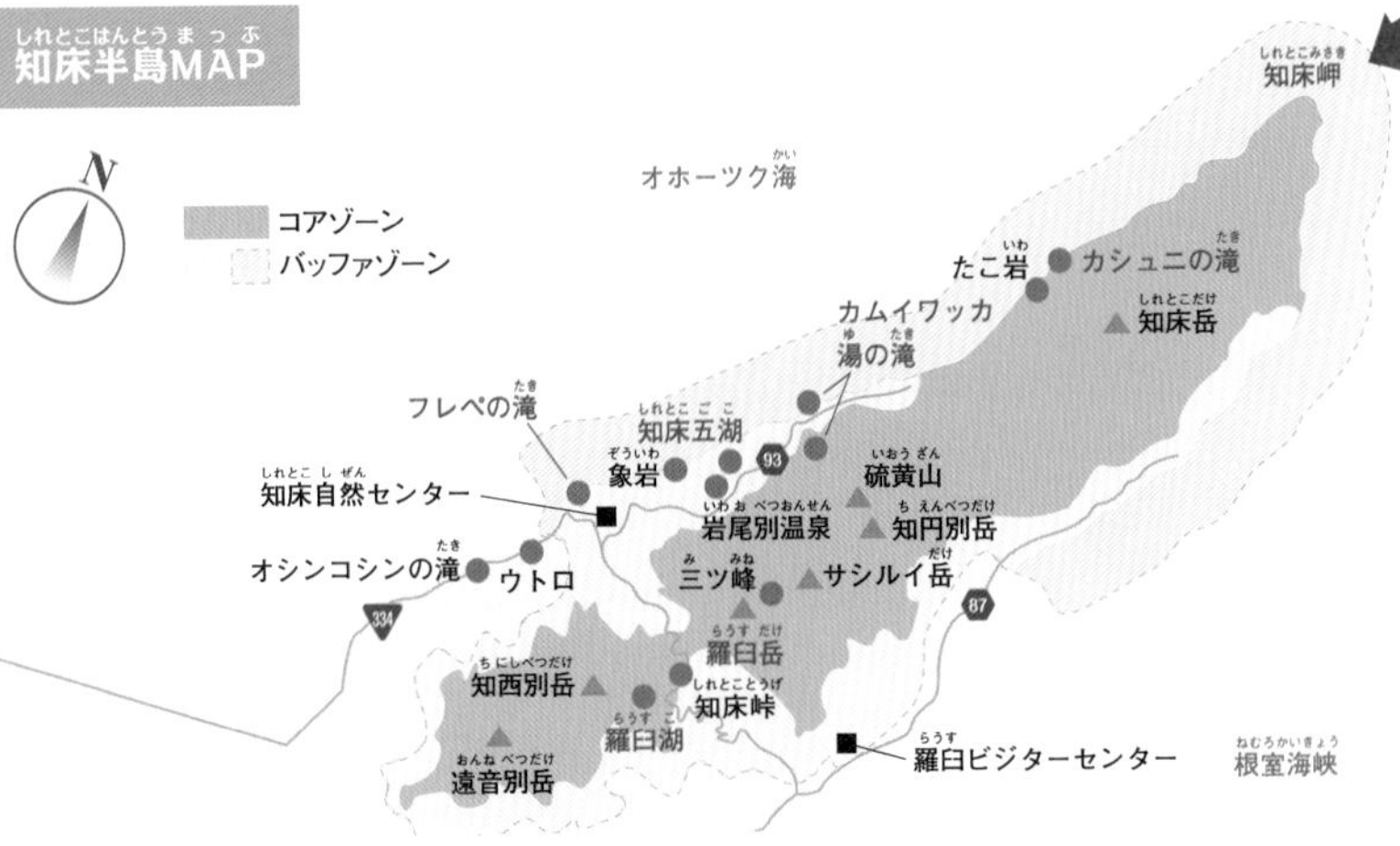

▼上記《じょうき》の知床半島図《しれとこはんとうず》の矢印《やじるし》の方向《ほうこう》から見《み》た、空撮《くうさつ》による知床《しれとこ》の姿《すがた》

知床五湖《しれとこごこ》

知床《しれとこ》の豊《ゆた》かな自然《しぜん》を物語《ものがた》る、人気《にんき》スポット、知床五湖《しれとこごこ》。一湖《いちこ》から五湖《ごこ》まで、五《いつ》つの湖《みずうみ》をめぐる散策路《さんさくろ》が整備《せいび》されています。溶岩台地《ようがんだいち》の上《うえ》に地下水《ちかすい》が湧《わ》き出《だ》して湖《みずうみ》となったため、五湖《ごこ》に流入《りゅうにゅう》する河川《かせん》はありません。

人々《ひとびと》が多《おお》く訪《おとず》れる知床五湖《しれとこごこ》は、ヒグマの生息《せいそく》エリア内《ない》にあり、ヒグマの出没《しゅつぼつ》によって散策路《さんさくろ》の一部閉鎖《いちぶへいさ》や全面閉鎖《ぜんめんへいさ》になることがあります。

▲知床五湖《しれとこごこ》のスタート、一湖《いちこ》の手前《てまえ》に立《た》つ看板《かんばん》

一湖《いちこ》と二湖《にこ》から眺《なが》める知床連山《しれとこれんざん》の眺《なが》めは素晴《すば》らしいものがあります。なお五湖《ごこ》をゆっくりと散策《さんさく》すると約《やく》1時間以上《じかんいじょう》かかりますが、静《しず》かな湖面《こめん》に映《うつ》る山《やま》の姿《すがた》は神秘的《しんぴてき》な美《うつく》しさで、さまざまなポイントで自然遺産《しぜんいさん》ならではの光景《こうけい》に出合《であ》えます。

▲一湖《いちこ》から眺《なが》める、知床連山《しれとこれんざん》と湖面《こめん》に映《うつ》る山《やま》と空《そら》と緑《みどり》

▼二湖《にこ》からの景観《けいかん》

▼四湖《よんこ》からの景観《けいかん》

半島《はんとう》に点在《てんざい》する滝《たき》

知床《しれとこ》にある滝《たき》の美《うつく》しさは、滝《たき》そのものだけではなく、滝《たき》の周辺《しゅうへん》の自然《しぜん》の素晴《すば》らしさも含《ふく》まれています。オホーツクの海《うみ》に落《お》ちる「カシュニの滝《たき》」、荒々《あらあら》しい山肌《やまはだ》に流《なが》れる静《しず》かな「フレペの滝《たき》」、滝《たき》つぼがそのまま露天風呂《ろてんぶろ》になっている「カムイワッカ湯《ゆ》の滝《たき》」など、山《やま》と川《かわ》と海《うみ》が織《お》り成《な》す自然《しぜん》の芸術《げいじゅつ》が楽《たの》しめます。

▲カシュニの滝《たき》
ウトロから知床岬《しれとこみさき》に向《む》かう中間《ちゅうかん》あたりで、船《ふね》の上《うえ》から眺《なが》めることができます

▶カムイワッカ湯《ゆ》の滝《たき》
硫黄山《いおうざん》の山腹《さんぷく》から湧《わ》き出《だ》した温泉《おんせん》が川《かわ》に流《なが》れ込《こ》み、水《みず》ではなくお湯《ゆ》になっています

▲フレペの滝《たき》
知床自然《しれとこしぜん》センターから遊歩道《ゆうほどう》を歩《ある》いて、森《もり》を抜《ぬ》けると現《あら》われる滝《たき》は、幾本《いくほん》もの細《ほそ》い流《なが》れになっていることから「乙女《おとめ》の涙《なみだ》」とも呼《よ》ばれています

◀オシンコシンの滝《たき》
途中《とちゅう》から流《なが》れが二《ふた》つに分《わ》かれていることから「双美《そうび》の滝《たき》」とも呼《よ》ばれています。滝《たき》の上《うえ》にある展望台《てんぼうだい》からはオホーツク海《かい》や知床連山《しれとこれんざん》が眺《なが》められます

海《うみ》と知床《しれとこ》

世界遺産《せかいいさん》「知床《しれとこ》の姿《すがた》」を知《し》る手段《しゅだん》の一《ひと》つとして、ウトロから知床岬《しれとこみさき》まで往復《おうふく》する観光船《かんこうせん》やクルーザーなどの小型船《こがたせん》などに乗《の》る方法《ほうほう》（有料《ゆうりょう》）があります。海岸線《かいがんせん》が200m前後《ぜんご》の海蝕崖《かいしょくがい》を連《つら》ね、ダイナミックな自然景観《しぜんけいかん》が広《ひろ》がります。船《ふね》からしか見《み》られない、海《うみ》からそそり立《た》つ断崖《だんがい》や滝《たき》や奇岩《きがん》も多《おお》く点在《てんざい》。観光船《かんこうせん》は往復《おうふく》で3時間《じかん》45分《ふん》（カムイワッカの滝《たき》で往復《おうふく》する1時間半《じかんはん》のコースもあり）、海《うみ》と陸《りく》が織《お》りなす知床《しれとこ》ならではのパノラマが体感《たいかん》できます。また、船《せん》上《じょう》にいる人《ひと》の手《て》に届《とど》くようなところまでウミネコやカモメが近寄《ちかよ》ってくるのも感動的《かんどうてき》です。

▲海《うみ》（船上《せんじょう》）からしか眺《なが》められない、断崖《だんがい》絶壁《ぜっぺき》の岩肌《いわはだ》

▶知床半島《しれとこはんとう》の突端《とったん》、知床岬《しれとこみさき》

◀海《うみ》に落《お》ちるカムイワッカの滝《たき》。滝《たき》の奥《おく》には硫黄山《いおうざん》の雄姿《ゆうし》が眺《なが》められます

▲ウトロを出《で》て間《ま》もなく、象《ぞう》の鼻《はな》のように見《み》える「象岩《ぞういわ》」が現《あらわ》れます

▲岩山《いわやま》が続《つづ》く中《なか》、カシュニの滝《たき》の手前《てまえ》に「たこ岩《いわ》」があります

▶「たこ岩《いわ》」に近寄《ちかよ》ると、自然《しぜん》が創《つく》り出《だ》した奇岩《きがん》であることがわかります

動《どう》植《しょく》物《ぶつ》と羅《ら》臼《うす》岳《だけ》

海《うみ》と陸《りく》の生《せい》態《たい》系《けい》の結《むす》びつきが自《し》然《ぜん》遺《い》産《さん》登《とう》録《ろく》のポイントにもなった、知《しれ》床《とこ》。オオワシ、シマフクロウ、オジロワシなど世《せ》界《かい》的《てき》な絶《ぜつ》滅《めつ》危《き》惧《ぐ》種《しゅ》の重《じゅう》要《よう》な生《せい》息《そく》地《ち》にもなっています。また、高《こう》山《ざん》植《しょく》物《ぶつ》や湿《しっ》生《せい》植《しょく》物《ぶつ》の宝《ほう》庫《こ》でもあり、中《なか》でも羅《ら》臼《うす》湖《こ》の散《さん》策《さく》路《ろ》には多《おお》くの湿《しっ》生《せい》植《しょく》物《ぶつ》が群《ぐん》生《せい》しています。

▲春《はる》から夏《なつ》にかけては「エゾシカ」を見《み》かけることができます

▲大《おお》きな黄《き》色《いろ》いくちばしが特《とく》徴《ちょう》の天《てん》然《ねん》記《き》念《ねん》物《ぶつ》「オオワシ」。羽《はね》を広《ひろ》げると約《やく》2mほどあります

▶「エゾツツジ」は、夏《なつ》の北《ほっ》海《かい》道《どう》の代《だい》表《ひょう》的《てき》な花《はな》。羅《ら》臼《うす》岳《だけ》への登《と》山《ざん》道《どう》脇《わき》などで見《み》られます

◀「エゾコザクラ」は雪《ゆき》どけあとの湿《しめ》った場《ば》所《しょ》などに群《ぐん》生《せい》します

▲知《しれ》床《とこ》峠《とうげ》から眺《なが》める標《ひょう》高《こう》1661mの「羅《ら》臼《うす》岳《だけ》」は迫《はく》力《りょく》があります

▶羅《ら》臼《うす》湖《こ》に行《い》く途《と》中《ちゅう》にある5つの沼《ぬま》のひとつ、「羅《ら》臼《うす》湖《こ》三《さん》の沼《ぬま》」から見《み》る「羅《ら》臼《うす》岳《だけ》」。手《て》前《まえ》は「ワタスゲ」という湿《しっ》生《せい》植《しょく》物《ぶつ》

冬《ふゆ》の知床《しれとこ》

知床《しれとこ》の豊《ゆた》かさの源《みなもと》となっている、「海氷《かいひょう》」。よく使《つか》われる「流氷《りゅうひょう》」は、海上《かいじょう》を流《なが》れ漂《ただ》っている氷《こおり》をさす言葉《ことば》です。

▲凍《こお》りつくような雪《ゆき》に包《つつ》まれる、冬《ふゆ》の知床連山《しれとこれんざん》

海氷《かいひょう》ができると海水《かいすい》の対流《たいりゅう》が促進《そくしん》され、海《うみ》の下層《かそう》にあった栄養《えいよう》が表層《ひょうそう》まで循環《じゅんかん》します。さらに光《ひかり》や温度《おんど》の条件《じょうけん》にも恵《めぐ》まれるため、海氷《かいひょう》の下部《かぶ》は植物《しょくぶつ》プランクトンの格好《かっこう》の生育場《せいいくば》になります。海水《かいすい》の中《なか》で植物《しょくぶつ》プランクトンが増殖《ぞうしょく》すると、それを餌《えさ》とする動物《どうぶつ》プランクトンも増殖《ぞうしょく》します。これを魚《さかな》が食《た》べるという仕組《しく》みになっています。

▲冬《ふゆ》から春《はる》にかけて、流氷《りゅうひょう》とともに移動《いどう》する「ゴマフアザラシ」

このような食物連鎖《しょくもつれんさ》を維持《いじ》する豊《ゆた》かな知床《しれとこ》の自然《しぜん》は、そこに棲《す》む海《うみ》の哺乳類《ほにゅうるい》や陸《りく》の生物《せいぶつ》にとっても、かけがえのないものになっています。

▲普段《ふだん》は歩《ある》くことのできない流氷《りゅうひょう》の上《うえ》を安全《あんぜん》に案内《あんない》してくれる、「流氷《りゅうひょう》ウォーク」のツアー。海《うみ》に落《お》ちても安全《あんぜん》なドライスーツを着用《ちゃくよう》します

▲流氷《りゅうひょう》の下《した》で植物《しょくぶつ》プランクトンが増殖《ぞうしょく》し、知床《しれとこ》の豊《ゆた》かな海《うみ》を支《ささ》えます

▲天然記念物《てんねんきねんぶつ》「オオワシ」と豊《ゆた》かな海《うみ》のシンボルである流氷《りゅうひょう》がひとつになっている知床《しれとこ》らしいシーンです

▲流氷《りゅうひょう》の中《なか》に沈《しず》んでゆくオレンジ色《いろ》の夕日《ゆうひ》が、氷《こおり》に反射《はんしゃ》して幻想的《げんそうてき》な世界《せかい》をつくりだします

■知床《しれとこ》をもっと知《し》るためのガイドについて

知床《しれとこ》ガイド協議会《きょうぎかい》

知床《しれとこ》の自然環境《しぜんかんきょう》の保全《ほぜん》と価値《かち》を高《たか》めるために、2004年《ねん》に設立《せつりつ》されたガイド事業《じぎょう》を行《おこな》う人《ひと》たちの協議会《きょうぎかい》です。有料《ゆうりょう》のガイドがあってこそはじめてわかる知床《しれとこ》の魅力《みりょく》もあります。「知床五湖《しれとこごこ》」に関《かん》するガイドなどのツアーがあります。

［所在地《しょざいち》］斜里町《しゃりちょう》ウトロ西《にし》186-8　［TEL］0152-24-3838

知床国立公園《しれとここくりつこうえん》　羅臼《らうす》ビジターセンター

環境省《かんきょうしょう》が設置《せっち》している施設《しせつ》。羅臼《らうす》を中心《ちゅうしん》にした知床《しれとこ》の動植物《どうしょくぶつ》の剥製《はくせい》や標本《ひょうほん》、知床半島《しれとこはんとう》のジオラマなどを展示《てんじ》しています。図書資料《としょしりょう》も揃《そろ》っており、羅臼岳登山《らうすだけとざん》や羅臼湖散策《らうすこさんさく》などのアドバイスも行《おこな》っています。

［所在地《しょざいち》］羅臼町《らうすちょう》湯《ゆ》ノ沢町《さわちょう》6-27　［TEL］0153-87-2828　［入館《にゅうかん》］無料《むりょう》
［開館時間《かいかんじかん》］9：00～17：00（11～4月《がつ》は10：00～16：00）　［休館日《きゅうかんび》］月曜《げつよう》、年末年始《ねんまつねんし》

知床自然《しれとこしぜん》センター

知床峠《しれとことうげ》と知床五湖《しれとこごこ》の分岐点《ぶんきてん》にあり、運営管理《うんえいかんり》は（財《ざい》）知床財団《しれとこざいだん》が行《おこな》っています。知床《しれとこ》の自然《しぜん》についてビジター向《む》けにさまざまな情報《じょうほう》を提供《ていきょう》。高《たか》さ12m、幅《はば》20mのMEGAスクリーンを設置《せっち》した「KINETOKO」では、知床《しれとこ》の自然《しぜん》をオリジナル映像作品《えいぞうさくひん》で鑑賞《かんしょう》できます。

［所在地《しょざいち》］斜里町大字遠音別村字岩宇別《しゃりちょうおおあざおんねべつむらあざいわうべつ》531番地《ばんち》　［TEL］0152-24-2114　［入館《にゅうかん》］無料《むりょう》（KINETOKOの入館《にゅうかん》は大人《おとな》600円《えん》 子《こ》ども300円《えん》）　［開館時間《かいかんじかん》］8：00～17：30（10/21～4/19は9：00～16：00）　［休館日《きゅうかんび》］年末年始《ねんまつねんし》（ただし予告《よこく》なしに休館《きゅうかん》になる場合《ばあい》があります）

自然《しぜん》遺産《いさん》

小笠原諸島《おがさわらしょとう》

東京湾《とうきょうわん》から南《みなみ》に約《やく》1000km離《はな》れた太平洋上《たいへいようじょう》にあり、大小《だいしょう》約《やく》30の亜熱帯《あねったい》の島々《しまじま》からなる小笠原諸島《おがさわらしょとう》。大陸《たいりく》と一度《いちど》も地続《ちつづ》きになったことがなく、他《ほか》の地域《ちいき》の影響《えいきょう》を受《う》けにくい環境《かんきょう》の中《なか》、生物《せいぶつ》が独自《どくじ》の進化《しんか》をとげているということで2011年《ねん》6月《がつ》に自然遺産《しぜんいさん》に登録《とうろく》されました。なお、ここにしかない、珍《めずら》しい動植物《どうしょくぶつ》(固有種《こゆうしゅ》)が多《おお》く見《み》られます。

登録内容《とうろくないよう》

遺産種別《いさんしゅべつ》	自然遺産《しぜんいさん》
登録年《とうろくねん》	2011(平成《へいせい》23)年《ねん》
登録基準《とうろくきじゅん》	9
面積《めんせき》	[コアゾーン]7,939ha
行政区分《ぎょうせいくぶん》	東京都《とうきょうと》:小笠原村《おがさわらむら》

写真提供《しゃしんていきょう》(一部《いちぶ》)/小笠原村《おがさわらむら》

小笠原諸島《おがさわらしょとう》の固有種《こゆうしゅ》とは?

カタツムリ類《るい》は106種《しゅ》のうち100種《しゅ》(94%)、樹木《じゅもく》やシダなど441種《しゅ》のうち161種《しゅ》(36%)、昆虫類《こんちゅうるい》1380種《しゅ》のうち379種《しゅ》(27%)が固有種《こゆうしゅ》です。さらに生息数《せいそくすう》が300頭《とう》ほどのオガサワラコウモリ、数十羽《すうじゅっぱ》のアカガシラカラスバトなど絶《ぜつ》滅《めつ》が危《き》惧《ぐ》されている生物《せいぶつ》もたくさんいます。

▲アホウドリ

小笠原諸島《おがさわらしょとう》の分《わ》け方《かた》と人口《じんこう》

小笠原諸島《おがさわらしょとう》は下《した》の表《ひょう》のように「小笠原群島《おがさわらぐんとう》」「火山列島《かざんれっとう》（硫黄島列島《いおうとうれっとう》）」「孤立《こりつ》している島々《しまじま》」に分《わ》けることができます。父島《ちちじま》、母島《ははじま》、硫黄島《いおうとう》、南鳥島《みなみとりしま》以外《いがい》は無人島《むじんとう》です。すべての島《しま》の面積《めんせき》を合《あ》わせても106・1㎢です。硫黄島《いおうとう》、南《みなみ》鳥島《とりしま》には自衛隊《じえいたい》や気象庁《きしょうちょう》の関係者《かんけいしゃ》だけで一般《いっぱん》の人《ひと》は住《す》んでいません。また硫黄島《いおうとう》へは旧島民《きゅうとうみん》の慰霊《いれい》などの例外《れいがい》を除《のぞ》き上陸《じょうりく》は禁止《きんし》されています。

父島《ちちじま》、母島《ははじま》の2島《とう》には約《やく》2569人《にん》（2020年時点《ねんじてん》）の人《ひと》が生活《せいかつ》しています。小笠原《おがさわら》には空港《くうこう》がなく、東京《とうきょう》の竹《たけ》芝桟橋《しばさんばし》から出《で》ている定期船《ていきせん》で父島《ちちじま》まで約《やく》24時間《じかん》かかります。年間《ねんかん》の観光客《かんこうきゃく》は例年《れいねん》約《やく》18000人《にん》にもおよびます。

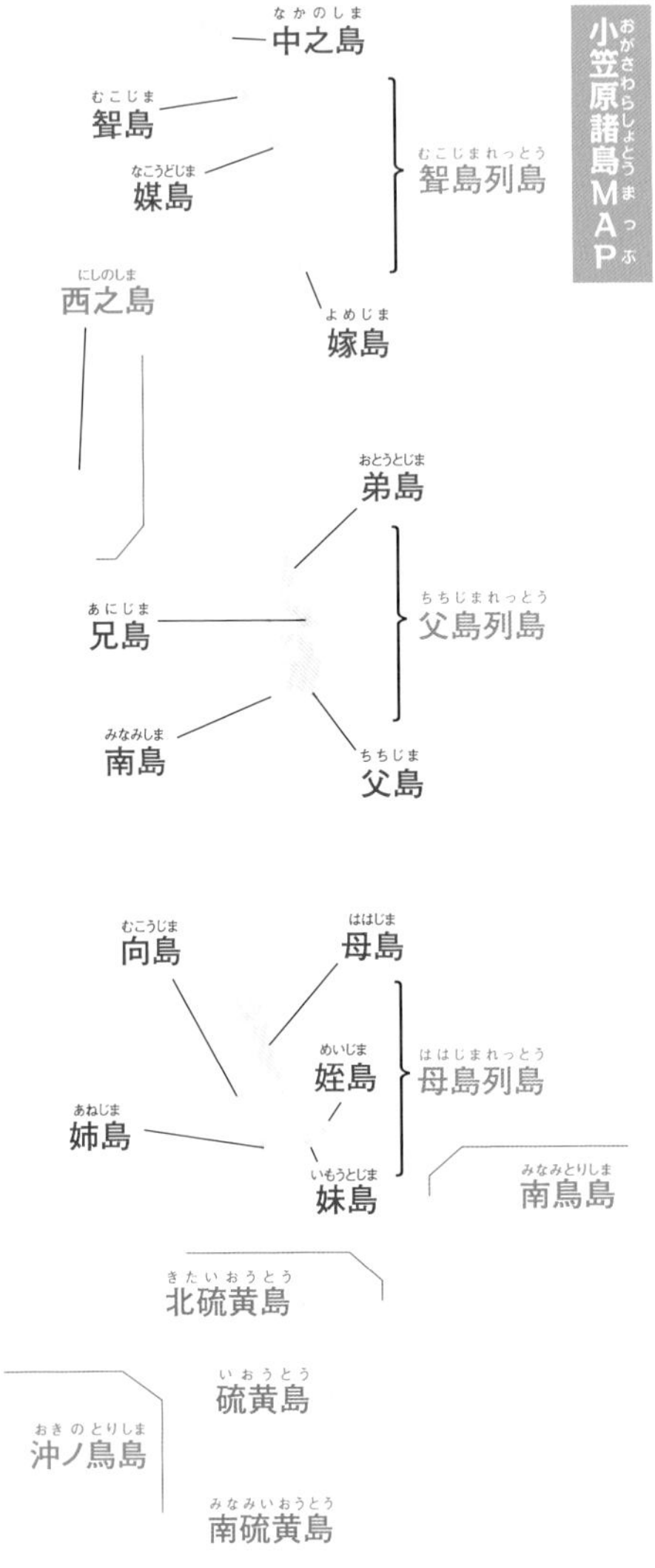

▶父島宮乃浜《ちちじまみやのはま》の釣浜海浜公園《つりはまかいひんこうえん》

■小笠原諸島《おがさわらしょとう》の分《わ》け方《かた》（一例《いちれい》）

小笠原諸島《おがさわらしょとう》	小笠原群島《おがさわらぐんとう》	聟島列島《むこじまれっとう》　聟島《むこじま》、媒島《なこうどじま》など
		父島列島《ちちじまれっとう》　父島《ちちじま》、兄島《あにじま》、弟島《おとうとじま》など
		母島列島《ははじまれっとう》　母島《ははじま》、姉島《あねじま》、妹島《いもうとじま》など
	火山列島《かざんれっとう》（硫黄列島《いおうれっとう》）	北硫黄島《きたいおうとう》、硫黄島《いおうとう》、南硫黄島《みなみいおうとう》
	孤立《こりつ》している島々《しまじま》	西之島《にしのしま》、南鳥島《みなみとりしま》、沖ノ鳥島《おきのとりしま》

「東洋《とうよう》のガラパゴス」と呼《よ》ばれる小笠原《おがさわら》

たくさんの固有種《こゆうしゅ》が小笠原《おがさわら》に生《う》まれたのは、「海洋島《かいようとう》」であるという重要《じゅうよう》な条件《じょうけん》があります。

その歴史《れきし》をさかのぼると約《やく》4800万年前《まんねんまえ》に父島列島《ちちじまれっとう》と聟島列島《むこじまれっとう》、約《やく》4400万年前《まんねんまえ》に母島列島《ははじまれっとう》が誕生《たんじょう》しています。これらの島々《しまじま》は太平洋《たいへいよう》プレートの沈《しず》み込《こ》みが始《はじ》まって間《ま》もない時期《じき》に生《う》まれた海洋性島弧《かいようせいとうこ》（列状《れつじょう》に連《つら》なっている島《しま》のこと、日本列島《にほんれっとう》も島弧《とうこ》の一《ひと》つです）です。

▲豊《ゆた》かな海《うみ》に突《つ》き出《だ》す母島《ははじま》・南崎《みなみさき》

生物《せいぶつ》は何《なん》らかの方法《ほうほう》（鳥《とり》によって運《はこ》ばれる、海流《かいりゅう》や風《かぜ》に流《なが》されたり、流木《りゅうぼく》に付《つ》いてやって来《く》る）で、島《しま》に偶然《ぐうぜん》たどり着《つ》きます。小笠原《おがさわら》の生物《せいぶつ》は、長《なが》い歴史《れきし》のなかで島《しま》の環境《かんきょう》に適応《てきおう》して生《い》き残《のこ》ったものの子孫《しそん》です。これらの生物《せいぶつ》のなかには本土《ほんど》と隔離《かくり》された状態《じょうたい》で長期間独自《ちょうきかんどくじ》の進化《しんか》を繰《く》り返《かえ》し、固有種《こゆうしゅ》へ進化《しんか》するものも出現《しゅつげん》しました。

このようにして小笠原《おがさわら》でしか見《み》られない固有《こゆう》の生物《せいぶつ》が多《おお》く生育《せいそく》していることから、小笠原《おがさわら》は「東洋《とうよう》のガラパゴス」と呼《よ》ばれています。特《とく》に陸産貝類《りくさんかいるい》や植物《しょくぶつ》、昆虫類《こんちゅうるい》では、今《いま》でも進行中《しんこうちゅう》の進化《しんか》の過程《かてい》を見《み》ることができるので、「進化《しんか》の実験場《じっけんじょう》」とも呼《よ》ばれることがあります。

なお小笠原《おがさわら》の気候《きこう》は年間《ねんかん》を通《つう》じて温暖《おんだん》で、父島《ちちじま》の年平均気温《ねんへいきんきおん》は約《やく》23度《ど》、年間降水量《ねんかんこうすいりょう》は約《やく》1280ミリです。

ポイント解説《かいせつ》1

海洋島《かいようとう》

大洋《たいよう》の上《うえ》にあって、過去《かこ》に大陸《たいりく》と地続《じつづ》きになったことがない島《しま》。代表的《だいひょうてき》なものにハワイ諸島《しょとう》やガラパゴス諸島《しょとう》があります。この海洋島《かいようとう》に対《たい》する島《しま》が「大陸島《たいりくとう》」で、大陸《たいりく》の近《ちか》くにあり大陸《たいりく》と地続《じつづ》きになったことがある島《しま》。ニュージーランド島《とう》などが有名《ゆうめい》です。

ポイント解説《かいせつ》2

ガラパゴス諸島《しょとう》

南米《なんべい》エクアドルの本土《ほんど》から西《にし》へ960km離《はな》れた太平洋上《たいへいようじょう》に浮《う》かぶ19の主《しゅ》たる群島《ぐんとう》。約《やく》5000年前《ねんまえ》の火山活動《かざんかつどう》で海底《かいてい》から隆起《りゅうき》した島々《しまじま》です。北南米《きたなんべい》の大陸《たいりく》から離《はな》れていたため、大型《おおがた》の陸生哺乳類《りくせいほにゅうるい》がいませんでした。このため、ガラパゴスゾウガメ、リクイグアナ、ウミイグアナなどガラパゴスにしかいない種《しゅ》がたくさんいます。1978年《ねん》に世界《せかい》自然遺産第《しぜんいさんだい》1号《ごう》として登録《とうろく》されています。

小笠原《おがさわら》の陸産貝類《りくさんかいるい》

陸産貝類《りくさんかいるい》は100種《しゅ》（固有種率《こゆうしゅりつ》94%）が確認《かくにん》されていますが、現在《げんざい》も新種《しんしゅ》の発見《はっけん》が続《つづ》いているため、種《しゅ》は増《ふ》えています。7つの固有属《こゆうぞく》があることが知《し》られていますが、その中《なか》のひとつの属《ぞく》・カタマイマイ属《ぞく》は島《しま》で著《いちじる》しい進化《しんか》と多様化《たようか》をとげて、多数《たすう》の種《しゅ》に分《わ》かれています。『○△×カタマイマイ』とカタマイマイの名《な》が付《つ》く種類《しゅるい》だけでも約《やく》25種類《しゅるい》あります。

写真《しゃしん》の白《しろ》い殻《から》のヒロベソカタマイマイ、茶色《ちゃいろ》の葉《は》と同《おな》じ色《いろ》で見分《みわ》けがつきにくいですが半化石種《はんかせきしゅ》コガネカタマイマイもその仲間《なかま》です。

※陸産貝類《りくさんかいるい》とは、カタツムリ類《るい》など陸域《りくいき》を主《おも》な生活《せいかつ》の場《ば》とする貝類《かいるい》のこと。貝類《かいるい》は生息場所《せいそくばしょ》に応《おう》じて、海産貝類《かいさんかいるい》、淡水産貝類《たんすいさんかいるい》、陸産貝類《りくさんかいるい》に都合上《つごうじょう》、分《わ》けられています。陸産貝類《りくさんかいるい》は厚《あつ》い殻《から》や粘膜《ねんまく》など乾燥《かんそう》を防《ふせ》ぐための機構《きこう》や肺《はい》を持《も》つなど陸《りく》で生活《せいかつ》するのに適応《てきおう》しています。

▲南島《みなみじま》のヒロベソカタマイマイ

▲母島《ははじま》のコガネカタマイマイ

小笠原《おがさわら》の植物類《しょくぶつるい》と鳥類《ちょうるい》

小笠原諸島《おがさわらしょとう》の固有《こゆう》の植物類《しょくぶつるい》といえば「乾性低木林《かんせいていぼくりん》」があげられます。文字通《もじどお》りの意味《いみ》だと「乾燥《かんそう》した立地《りっち》に成立《せいりつ》する低木林《ていぼくりん》」ですが、小笠原《おがさわら》の場合《ばあい》は特定《とくてい》の植生《しょくせい》（植物《しょくぶつ》の集団《しゅうだん》）を表《あらわ》す言葉《ことば》として使《つか》われています。

小笠原《おがさわら》は降水量《こうすいりょう》が少《すく》なく、火山性《かざんせい》の島《しま》であるために土壌《どじょう》の状態《じょうたい》も良《よ》くなく、背丈《せたけ》の低《ひく》い林《はやし》が広《ひろ》がっており、特《とく》に尾根部《おねぶ》（山地《さんち》の一番高《いちばんたか》い部分《ぶぶん》の連《つら》なり）では土壌《どじょう》が薄《うす》くなり樹木《じゅもく》の背丈《せたけ》は1m以下程度《いかていど》に成長《せいちょう》しません。

乾性低木林《かんせいていぼくりん》は父島《ちちじま》の一部《いちぶ》と兄島《あにじま》（ほぼ全域《ぜんいき》）の山頂傾斜面《さんちょうけいしゃめん》に見《み》られます。構成《こうせい》する樹種《じゅしゅ》は約《やく》37種《しゅ》（父島《ちちじま》のある地区《ちく》）、シマイスノキ、シマホルノトキなど、ほとんどが固有種《こゆうしゅ》です。

一方《いっぽう》、小笠原諸島《おがさわらしょとう》の谷部《たにぶ》では土壌《どじょう》が良《よ》いため、樹木《じゅもく》の背丈《せたけ》は20mにも達《たっ》します。特《とく》に、母島《ははじま》には湿性高木林《しっせいこうぼくりん》が見《み》られます。また、ハハジマボタンなど固有《こゆう》の花《はな》も多《おお》くあります。

ほ乳類《にゅうるい》や鳥類《ちょうるい》では、天然記念物《てんねんきねんぶつ》であるオガサワラオオコウモリ（父島《ちちじま》）、ハハジマメグロなどが生息《せいそく》しています。

▲島全体《しまぜんたい》が乾性低木林《かんせいていぼくりん》に包《つつ》まれる兄島《あにじま》

▲黄色《きいろ》が鮮《あざ》やかなテリハハマボウ

▲真《ま》っ白《しろ》な花《はな》びらが美《うつく》しい、ハハジマノボタン

▲亜熱帯《あねったい》に棲《す》む鳥《とり》らしい色《いろ》と形《かたち》のハハジマメグロ

▲花《はな》がかたまって咲《さ》くムニンヒメツバキ

小笠原《おがさわら》の海《うみ》の生《い》きもの

小笠原《おがさわら》の海《うみ》は同《おな》じ緯度《いど》にある沖縄《おきなわ》の海《うみ》とは異《こと》なり、濃《こ》い青色《あおいろ》をしています。サンゴ礁《しょう》や熱帯魚《ねったいぎょ》などが見《み》られ、豊《ゆた》かな景観《けいかん》が広《ひろ》がっています。

▲海中《かいちゅう》を泳《およ》ぐアオウミガメ

日本最大《にほんさいだい》のアオウミガメの産卵地《さんらんち》でもあります。なお、小笠原《おがさわら》の魚類《ぎょるい》については、固有種《こゆうしゅ》の判断《はんだん》がむずかしいことから、陸上《りくじょう》の生物《せいぶつ》ほど研究《けんきゅう》が進《すす》んでいません。

▲釣浜海域公園《つりはまかいいきこうえん》の大型魚《おおがたぎょ》(ブダイの仲間《なかま》)

小笠原諸島《おがさわらしょとう》の島々《しまじま》

父島《ちちじま》

小笠原諸島最大《おがさわらしょとうさいだい》の島《しま》で、兄島《あにじま》・弟島《おとうとじま》とともに「父島列島《ちちじまれっとう》」をつくっています。島《しま》そのものが国立公園《こくりつこうえん》となっていますが、島《しま》の北西部《ほくせいぶ》を中心《ちゅうしん》とする大村集落《おおむらしゅうらく》は小笠原村《おがさわらむら》の人々《ひとびと》の生活《せいかつ》の場《ば》でもあります。

　父島《ちちじま》の南西《なんせい》にあるサンゴ礁《しょう》でできた石灰岩《せっかいがん》の島《しま》・南島《みなみじま》は「宝石《ほうせき》の島《しま》」と呼《よ》ばれています。

▲父島《ちちじま》の中心部《ちゅうしんぶ》、大村集落《おおむらしゅうらく》

母島《ははじま》

父島《ちちじま》の南約《みなみやく》50 kmに位置《いち》する母島《ははじま》は、周辺《しゅうへん》の姉島《あねじま》・妹島《いもうとじま》と「母島列島《ははじまれっとう》」をつくっています。島《しま》の南部《なんぶ》の沖村《おきむら》が、住民《じゅうみん》の住《す》む唯一《ゆいいつ》の集落《しゅうらく》となっています。なお、南崎周辺《みなみざきしゅうへん》には地上性《ちじょうせい》のカタマイマイ類《るい》2種類《しゅるい》のほか、樹上性《じゅじょうせい》のカタマイマイ類《るい》が見《み》られます。

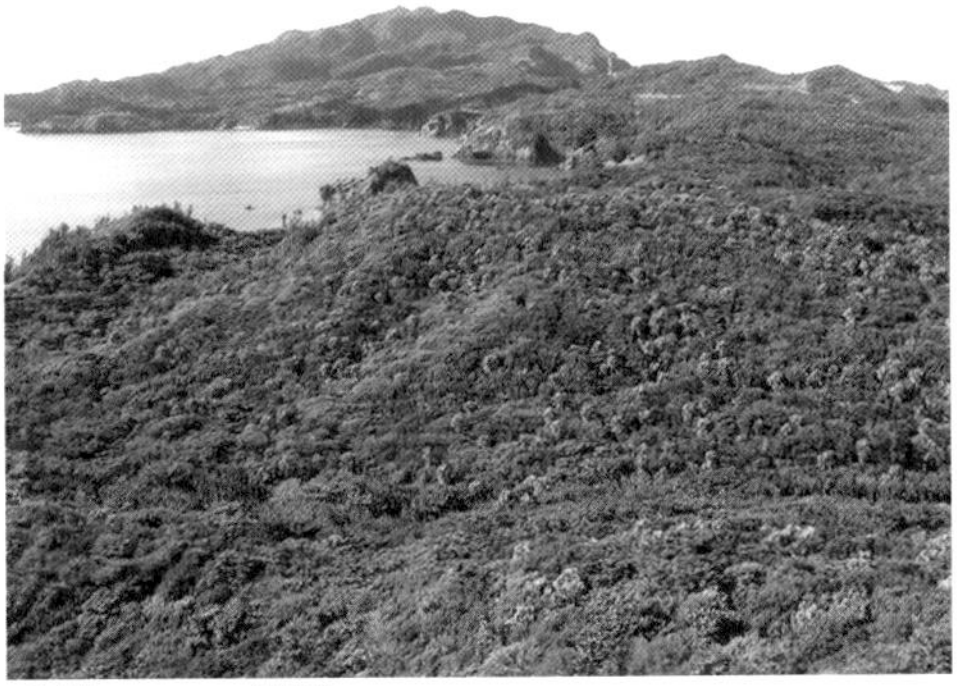
▲緑《みどり》にあふれる母島《ははじま》

聟島《むこじま》

聟島《むこじま》は、嫁島《よめじま》、媒島《なこうどじま》などの「聟島列島《むこじまれっとう》」の一《ひと》つです。現在《げんざい》は無《む》人島《じんとう》ですが、明治《めいじ》時代以降《じだいいこう》に移住《いじゅう》がはじまり、牛《うし》やヤギの放牧《ほうぼく》、サツマイモ栽培《さいばい》が行《おこな》われた時期《じき》がありました。今《いま》はアホウドリ移住計画《いじゅうけいかく》などを進《すす》めています。

▲南島《みなみじま》にあるエメラルドグリーンの扇池《おうぎいけ》

写真提供《しゃしんていきょう》（父島《ちちじま》マイマイ類《るい》など一部《いちぶ》）／環境省《かんきょうしょう》　立田《たつた》　理一郎《りいちろう》

■小笠原諸島《おがさわらしょとう》をもっと知《し》るためのガイドについて

小笠原《おがさわら》ビジターセンター

小笠原《おがさわら》の自然《しぜん》を中心《ちゅうしん》に、歴史《れきし》や文化《ぶんか》などについてをさまざまな展示《てんじ》などで紹介《しょうかい》。小笠原《おがさわら》にしかいない固有種《こゆうしゅ》などの珍《めずら》しい動植物《どうしょくぶつ》についての知識《ちしき》を深《ふか》めることができます。ほかにも自然教室《しぜんきょうしつ》などを行《おこな》っています。

［所在地《しょざいち》］小笠原村父島西町《おがさわらむらちちじまにしまち》　［TEL］04998-2-3001　［入館《にゅうかん》］無料《むりょう》　［開館時間《かいかんじかん》］8:30〜17:00（春休《はるやす》み、GW、夏休《なつやす》みなどの繁忙期《はんぼうき》は8:30〜21:00）　［休館日《きゅうかんび》］おがさわら丸《まる》が島《しま》に停泊《ていはく》していない日《ひ》（繁忙期《はんぼうき》は開館《かいかん》）

小笠原海洋《おがさわらかいよう》センター

アオウミガメ、ザトウクジラに関《かん》する研究調査《けんきゅうちょうさ》を行《おこな》っているほか、自然環境《しぜんかんきょう》プログラムを展開《てんかい》。小笠原《おがさわら》の海《うみ》の環境《かんきょう》や自然《しぜん》への理解《りかい》を目的《もくてき》とした活動《かつどう》を実施《じっし》。センターには展示館《てんじかん》とウミガメ飼育施設《しいくしせつ》があり、ウミガメ教室《きょうしつ》や産卵期《さんらんき》のナイトレクチャー（有料《ゆうりょう》、要予約《ようよやく》）を開催《かいさい》しています。

［所在地《しょざいち》］小笠原村父島字屏風谷《おがさわらむらちちじまあざびょうぶだに》　［TEL］04998-2-2830　［入館《にゅうかん》］無料《むりょう》　［開館時間《かいかんじかん》］9:00〜12：00、13：30〜16：00（おがさわら丸出港日《まるしゅっこうび》は〜13：00）　［休館日《きゅうかんび》］おがさわら丸《まる》が島《しま》に停泊《ていはく》していない日《ひ》

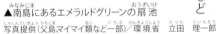

世界遺産登録《せかいいさんとうろく》をめざす

日本《にほん》の暫定《ざんてい》リスト

暫定《ざんてい》リストに記載《きさい》する物件《ぶっけん》について、日本《にほん》では文化遺産候補《ぶんかいさんこうほ》は文化庁《ぶんかちょう》、自然遺産候補《しぜんいさんこうほ》は環境省《かんきょうしょう》、林野庁《りんやちょう》が主《おも》に担当《たんとう》します。これに、国土交通省《こくどこうつうしょう》や文部科学省《もんぶかがくしょう》などで構成《こうせい》される「世界遺産条約 関係省庁連絡会議《せかいいさんじょうやくかんけいしょうちょうれんらくかいぎ》」を経《へ》て、暫定《ざんてい》リストの物件《ぶっけん》が決定《けってい》され、外務省《がいむしょう》を通《つう》じてユネスコ世界遺産《せかいいさん》センターに提出《ていしゅつ》されます。現在《げんざい》、日本《にほん》の暫定《ざんてい》リストとして提出《ていしゅつ》されている物件《ぶっけん》は次《つぎ》の7件《けん》です。暫定《ざんてい》リストの中《なか》から、原則的《げんそくてき》に1年《ねん》につき各国《かっこく》1物件《ぶっけん》をユネスコ世界遺産《せかいいさん》センターに推薦《すいせん》します。

なお、世界遺産委員会《せかいいさんいいんかい》で審査《しんさ》された物件《ぶっけん》には「登録《とうろく》」「情報照会《じょうほうしょうかい》」「登録延期《とうろくえんき》」「不登録《ふとうろく》」のいずれかの決議《けつぎ》が行《おこな》われます。

文化遺産

- **「武家《ぶけ》の古都《こと》・鎌倉《かまくら》」**（神奈川県《かながわけん》、1992年《ねん》）
- **「彦根城《ひこねじょう》」**（滋賀県《しがけん》、1992年《ねん》）
- **「飛鳥《あすか》・藤原《ふじわら》の宮都《きゅうと》とその関連資産群《かんれんしさんぐん》」**（奈良県《ならけん》、2007年《ねん》）
- **「佐渡《さど》島の金山《きんざん》」**（新潟県《にいがたけん》、2010年《ねん》）
- **「平泉《ひらいずみ》—仏国土《ぶっこくど》（浄土《じょうど》）を表《あらわ》す建築《けんちく》・庭園及《ていえんおよ》び考古学的遺跡群《こうこがくてきいせきぐん》—（拡張《かくちょう》）」**（岩手県《いわてけん》、2012年《ねん》）

※（）内《ない》は行政区分《ぎょうせいくぶん》と暫定《ざんてい》リストに記載《きさい》された年《とし》です

「平泉《ひらいずみ》－仏国土《ぶっこくど》（浄土《じょうど》）を表《あらわ》す建築《けんちく》・庭園及《ていえんおよ》び考古学的遺跡群《こうこがくてきいせきぐん》－」はすでに世界遺産《せかいいさん》に正式登録《せいしきとうろく》されています。但《ただ》し資産内容《しさんないよう》が変化《へんか》する場合《ばあい》などに暫定《ざんてい》リストにも入《はい》るケースがあるようです。

暫定《ざんてい》リスト

武家《ぶけ》の古都《こと》・鎌倉《かまくら》

概要《がいよう》

普遍的価値《ふへんてきかち》	中世武家文化《ちゅうせいぶけぶんか》の中心《ちゅうしん》として栄《さか》えた、古都《こと》・鎌倉《かまくら》の寺院《じいん》や神社《じんじゃ》など
所在地《しょざいち》	神奈川県《かながわけん》：鎌倉市《かまくらし》、逗子市《ずしし》、横浜市《よこはまし》

▲鶴岡八幡宮《つるおかはちまんぐう》の舞殿《まいでん》、下拝殿《しもはいでん》とも呼《よ》ばれています

古都《こと》・鎌倉《かまくら》は、源頼朝《みなもとのよりとも》が1185(文治元《ぶんじがん》)年《ねん》に日本《にほん》で初《はじ》めて武家政治《ぶけせいじ》を確立《かくりつ》した鎌倉幕府《かまくらばくふ》の拠点《きょてん》となったところです。東国《とうごく》・鎌倉《かまくら》の地《ち》に都《みやこ》を築《きず》き、武家《ぶけ》が政治《せいじ》を行《おこな》う新《あたら》しい時代《じだい》をつくりました。そして鎌倉《かまくら》では、現代《げんだい》日本《にほん》に大《おお》きな影響《えいきょう》を与《あた》えた武家《ぶけ》による新《あたら》しい文化《ぶんか》が生《う》まれました。かつての都市計画《としけいかく》の中心《ちゅうしん》となった鶴岡八幡宮《つるがおかはちまんぐう》と、その正面《しょうめん》に延《の》びる若宮大路《わかみやおおじ》。その周囲《しゅうい》には寺院《じいん》や寺院跡《じいんあと》、外部《がいぶ》に通《つう》じる険《けわ》しい切《き》り通《どお》し道《どう》が現存《げんぞん》します。中世《ちゅうせい》の武家文化《ぶけぶんか》を生《う》み出《だ》した遺産《いさん》が残《のこ》る地域《ちいき》です。

▲瑞泉寺《ずいせんじ》の庭園《ていえん》

1327(嘉暦《かりゃく》2)年《ねん》に日本人禅僧《にほんじんぜんそう》の夢窓国師《むそうこくし》によって開《ひら》かれた「瑞泉寺《ずいせんじ》」。本堂裏《ほんどううら》には岩盤《がんばん》を削《けず》って作《つく》られた芸術性《げいじゅつせい》の高《たか》い庭園《ていえん》を有《ゆう》しています

▲鎌倉《かまくら》 衣張山《きぬはりやま》の名越切通《なこえきりどおし》

物資運搬《ぶっしうんぱん》のために山《やま》などを切《き》り開《ひら》いて造《つく》った道《みち》が切通《きりどお》しです。中世鎌倉《ちゅうせいかまくら》の雰囲気《ふんいき》を残《のこ》している趣《おもむ》きのある古道《こどう》です

暫定《ざんてい》リスト

彦根城《ひこねじょう》

概要《がいよう》

普遍的価値《ふへんてきかち》	17世紀初頭《せいきしょとう》の城郭建築最盛期《じょうかくけんちくさいせいき》の遺産《いさん》
所在地《しょざいち》	滋賀県《しがけん》:彦根市《ひこねし》

▲南《みなみ》や北《きた》の面《めん》から見《み》た彦根城《ひこねじょう》の天守閣《てんしゅかく》はどっしりとしています

彦根城《ひこねじょう》は、井伊直勝《いいなおかつ》が約20年《ねん》の歳月《さいげつ》をかけて1622（元和《げんな》8）年《ねん》に完成《かんせい》した平山城《ひらやまじろ》です。天守《てんしゅ》は大津城《おおつじょう》から、天秤櫓《てんびんやぐら》は長浜城《ながはまじょう》から移築《いちく》し、石田三成《いしだみつなり》の佐和山城《さわやまじょう》の資材《しざい》も使《つか》われました。国宝《こくほう》にも指定《してい》されている天守《てんしゅ》が有名《ゆうめい》ですが、櫓《やぐら》、門《もん》、石垣《いしがき》、堀《ほり》、御殿《ごてん》、庭園《ていえん》、藩校《はんこう》、武家屋敷《ぶけやしき》などの、江戸時代《えどじだい》の城《しろ》にあった建物《たてもの》や遺跡《いせき》が創建《そうけん》以来《いらい》400年《ねん》を経《へ》た今《いま》も状態《じょうたい》よく残《のこ》っています。

17世紀初頭《せいきしょとう》の城郭建築最盛期《じょうかくけんちくさいせいき》の遺産《いさん》で、防御的部分《ぼうぎょてきぶぶん》と城主《じょうしゅ》の居館部分《きょかんぶぶん》を含《ふく》め、城郭《じょうかく》の全体像《ぜんたいぞう》を最《もっと》もよく残《のこ》していることが評価《ひょうか》されています。

▲玄宮園《げんきゅうえん》
彦根城《ひこねじょう》の中《なか》に作られた庭園《ていえん》。美《うつく》しい景色《けしき》を楽《たの》しむほか、武士《ぶし》たちが庭園《ていえん》に野山《のやま》を表現《ひょうげん》し、そこを舞台《ぶたい》として、いろいろな活動《かつどう》を行《おこな》いました

▲天秤櫓《てんびんやぐら》
城《しろ》の大切《たいせつ》な場所《ばしょ》には櫓《やぐら》が建《た》てられ、見張《みは》りをしたり、門《もん》を守《まも》ったりしました。現在《げんざい》は4つの櫓《やぐら》が残《のこ》っています

暫定《ざんてい》リスト

飛鳥《あすか》・藤原《ふじわら》の宮都《きゅうと》とその関連資産群《かんれんしさんぐん》

概要《がいよう》

普遍的価値《ふへんてきかち》	数々《かずかず》の歴史資産《れきししさん》と美《うつく》しい田園風景《でんえんふうけい》を誇《ほこ》っている文化《ぶんか》的景観《てきけいかん》
所在地《しょざいち》	奈良県《ならけん》：明日香村《あすかむら》、橿原市《かしはらし》、桜井市《さくらいし》

▲石舞台古墳《いしぶたいこふん》
細川谷《ほそかわだに》に入《はい》っていく渓口部《けいこうぶ》に築造《ちくぞう》された一辺約《いっぺんやく》50mの大方墳《だいほうふん》で、飛鳥古墳《あすかこふん》の代名詞《だいめいし》になる著名《ちょめい》な古墳《こふん》です

「飛鳥《あすか》・藤原《ふじわら》」（上記《じょうき》所在地《しょざいち》）は、推古天皇《すいこてんのう》が即位《そくい》した592（崇峻《すしゅん》5）年《ねん》から、710（和銅《わどう》3）年《ねん》に平城京《へいじょうきょう》へ遷都《せんと》するまでの間《あいだ》、いわゆる飛鳥時代《あすかじだい》に多《おお》くの天皇《てんのう》が宮《ぐう》を置《お》いた地域《ちいき》です。歴代《れきだい》の天皇《てんのう》・皇族《こうぞく》の宮殿《きゅうでん》や付帯《ふたい》する施設《しせつ》、寺院《じいん》、当時《とうじ》の貴族《きぞく》の墳墓《ふんぼ》などの遺跡《いせき》が多数《たすう》残《のこ》り、日本《にほん》の古代国家《こだいこっか》の形成過程《けいせいかてい》を明《あき》らかにし、中国大陸《ちゅうごくたいりく》や朝鮮《ちょうせん》半島《はんとう》を含《ふく》めさまざまな交流《こうりゅう》が行《おこな》われていました。飛鳥《あすか》・藤原《ふじわら》の宮《きゅう》都《と》とその関連資産群《かんれんしさんぐん》は、100年以上《ねんいじょう》にわたる往時《おうじ》の遺跡群《いせきぐん》を、今《いま》なお地下《ちか》に良好《りょうこう》に残《のこ》しています。構成資産《こうせいしさん》には石舞台古墳《いしぶたいこふん》をはじめ、高松塚古墳《たかまつづかこふん》、キトラ古墳《こふん》、飛鳥寺跡《あすかでらあと》、藤原京跡《ふじわらきょうあと》、大和三山《やまとさんざん》などが含《ふく》まれます。

▲高松塚古墳《たかまつづかこふん》
高松塚周辺《たかまつづかしゅうへん》地区《ちく》の東《ひがし》に位置《いち》する古墳《こふん》。石室《せきしつ》の壁画《へきが》が有名《ゆうめい》で、色彩鮮《しきさいあざ》やかな西壁《にしかべ》の女子群像《じょしぐんぞう》は、歴史《れきし》の教科書《きょうかしょ》などにも紹介《しょうかい》されています

▲藤原京《ふじわらきょう》の中心《ちゅうしん》にあった藤原宮《ふじわらきゅう》の瓦《かわら》
写真提供《しゃしんていきょう》／
奈良県立橿原考古学研究所附属博物館《ならけんりつかしはらこうこがくけんきゅうじょふぞくはくぶつかん》

暫定《ざんてい》リスト

佐渡島《さどしま》の金山《きんざん》

概要《がいよう》

普遍的価値《ふへんてきかち》	かつて日本最大《にほんさいだい》の金鉱山《きんこうざん》であった佐渡島《さどがしま》の採鉱《さいこう》から精錬《せいれん》にいたるまでの資産《しさん》
所在地《しょざいち》	新潟県《にいがたけん》：佐渡市《さどし》

▲相川《あいかわ》の搗鉱場跡《とうこうばあと》（佐渡金山《さどきんざん》）

佐渡島《さどがしま》には、16世紀末《せいきまつ》から400年間《ねんかん》も採掘《さいくつ》を行《おこな》っていた金銀山《きんぎんざん》や銀山《ぎんざん》があります。現在《げんざい》、確認《かくにん》されている鉱山遺跡《こうざんいせき》は44カ所《しょ》です。江戸《えど》時代《じだい》には日本最大《にほんさいだい》の金《きん》、銀《ぎん》の採掘《さいくつ》が行《おこな》われ、幕府《ばくふ》の財政《ざいせい》を支《ささ》えました。全国《ぜんこく》から大勢《おおぜい》の人《ひと》が集《あつ》まり、最盛期《さいせいき》には約《やく》5万人《まんにん》もの人《ひと》が暮《く》らした鉱山都市《こうざんとし》・相川《あいかわ》が誕生《たんじょう》しました。明治時代《めいじじだい》には、西洋技術《せいようぎじゅつ》の導入《どうにゅう》と日本独自《にほんどくじ》の技術革新《ぎじゅつかくしん》によってさらに採掘量《さいくつりょう》が増《ふ》え、技術《ぎじゅつ》や経営手法《けいえいしゅほう》を取《と》り入《い》れて発展《はってん》させ、文化的伝統《ぶんかてきでんとう》を形成《けいせい》しました。算出《さんしゅつ》された金《きん》は、日本《にほん》の近代化《きんだいか》に大《おお》きな役割《やくわり》を果《は》たしました。登録《とうろく》を目指《めざ》す資産《しさん》は、相川金銀山《あいかわきんぎんざん》、鶴子《つるし》銀山《ぎんざん》、新穂銀山《にいぼぎんざん》、西三川砂金山《にしみかわさきんざん》などで、ここには遺跡《いせき》・建造物《けんぞうぶつ》・鉱山都市《こうざんとし》・集落《しゅうらく》などが含《ふく》まれます。特《とく》に相川金銀山《あいかわきんぎんざん》は、露頭掘《ろとうぼ》り群《ぐん》、宗大夫間歩《そうだゆまぶ》、南沢《みなみざわ》疎水道《そすいどう》、佐渡奉行所跡《さどぶぎょうしょあと》など多《おお》くの国指定史跡《くにしていしせき》があります。また、蓮華峰寺弘法堂《れんげぶじこうぼうどう》、小比叡神社本《こびえじんじゃほん》殿《でん》・鳥居《とりい》、妙宣寺五重塔《みょうせんじごじゅうのとう》は国《くに》の重要文化財《じゅうようぶんかざい》に、宿根木《しゅくねぎ》が国《くに》の重要《じゅうよう》伝統的建造物群保存地区《でんとうてきけんぞうぶつぐんほぞんちく》に指定《してい》されています。

▲大立縦坑《おおだてたてこう》

▼宗大夫間歩《そうだゆうまぶ》のろう人形《にんぎょう》

代表的《だいひょうてき》な佐渡島《さど》の鉱山《こうざん》

●西三川砂金山《にしみかわさきんざん》

平安時代《へいあんじだい》の「今昔物語集《こんじゃくものがたりしゅう》」に説話《せつわ》があるほど古《ふる》くから砂金産出場《さきんさんしゅつば》として知《し》られていました。1460 年頃《ねんごろ》に開発《かいはつ》が始《はじ》まり、1872 年《ねん》に閉山《へいざん》。江戸時代《えどじだい》には岩盤掘削技術《がんばんくっさくぎじゅつ》と水利技術《すいりぎじゅつ》が導入《どうにゅう》されて産出量《さんしゅつりょう》が増大《ぞうだい》。江戸時代《えどじだい》の絵図《えず》と変《か》わらない地形《ちけい》、往時《おうじ》を偲《しの》ぶ水路跡《すいろあと》や役所跡《やくしょあと》などが良好《りょうこう》に保存《ほぞん》されています。

●鶴子銀山《つるしぎんざん》

1542 年《ねん》、越後国《えちごこく》（新潟県《にいがたけん》）の商人《しょうにん》によって発見《はっけん》されたと伝《つた》えられています。当時《とうじ》はから一攫千金《いっかくせんきん》を夢見《ゆめみ》る人々《ひとびと》が集《あつ》まり、「鶴子千軒《つるしせんけん》」と呼《よ》ばれる繁栄期《はんえいき》を迎《むか》えるほどシルバーラッシュに沸《わ》き、港《みなと》や街並《まちなみ》みは整備《せいび》されました。山中《さんちゅう》にはおびただしい数《かず》の「露頭掘《ろとうぼ》り」の痕跡《こんせき》がいまも残《のこ》っています。

●相川金銀山《あいかわきんぎんざん》

坑道《こうどう》の総延長《そうえんちょう》は約《やく》400km、最深部《さいしんぶ》は海面下《かいめんか》530m、採掘《さいくつ》された鉱石《こうせき》は約《やく》1500 万《まん》トンと日本最大《にほんさいだい》の金銀山《きんぎんざん》です。江戸幕府《えどばくふ》の財政安定《ざいせいあんてい》に貢献《こうけん》し、1989（平成元《へいせいがん》）年《ねん》まで採掘《さいくつ》が続《つづ》けられました。道跡《みちあと》や製錬施設跡《せいれんしせつあと》、集落《しゅうらく》跡《あと》、港《みなと》の遺構《いこう》など、鶴子銀山《つるしぎんざん》の技術《ぎじゅつ》などを継承《けいしょう》した多《おお》くの遺産《いさん》が現存《げんぞん》します。

▲歌川広重《うたがわひろしげ》が描《えが》いた江戸時代《えどじだい》の佐渡鉱山《さどこうざん》

▼西三川砂金山最大《にしみかわさきんざんさいだい》の採掘地《さいくつち》「虎丸山《とらまるやま》」

暫定《ざんてい》リスト

平泉《ひらいずみ》―仏国土《ぶっこくど》（浄土《じょうど》）を表《あらわ》す建築《けんちく》・庭園《ていえん》及《およ》び考古学的遺跡群《こうこがくてきいせきぐん》―（拡張《かくちょう》）

概要《がいよう》

普遍的価値《ふへんてきかち》	平安時代後期《へいあんじだいこうき》、浄土思想《じょうどしそう》に基《もと》づいて造《つく》られた遺跡《いせき》や史跡《しせき》、景観《けいかん》など
所在地《しょざいち》	岩手県《いわてけん》：平泉町《ひらいずみちょう》、奥州市《おうしゅうし》、一関市《いちのせきし》

平泉周辺《ひらいずみしゅうへん》MAP《まっぷ》

「平泉《ひらいずみ》―仏国土《ぶっこくど》（浄土《じょうど》）を表《あらわ》す建築《けんちく》・庭園《ていえん》及び考古学的《こうこがくてき》遺跡群《いせきぐん》」は、2011年に世界遺産《せかいいさん》リストに登録《とうろく》されました。既《すで》に登録《とうろく》されている寺院《じいん》の境内《けいだい》・庭園《ていえん》に加《くわ》え、平泉《ひらいずみ》の中心地《ちゅうしんち》から、さらに広範囲《こうはんい》に拡張登録《かくちょうとうろく》を目指《めざ》している遺跡群《いせきぐん》です。政府《せいふ》がユネスコへ提出《ていしゅつ》した暫定《ざんてい》リストの中《なか》で、拡張登録《かくちょうとうろく》を目指《めざ》す資産《しさん》の概要《がいよう》は次《つぎ》のとおりです。『平泉《ひらいずみ》の文化遺産《ぶんかいさん》は、奥州藤原氏《おうしゅうふじわらし》が4代《だい》にわたって蓄積《ちくせき》した莫大《ばくだい》な財力《ざいりょく》を背景《はいけい》としつつ、武力《ぶりょく》ばかりに頼《たよ》ることなく、仏教《ぶっきょう》に基《もと》づく理想世界《りそうせかい》である「浄土世界《じょうどせかい》」の実現《じつげん》を目指《めざ》して造営《ぞうえい》し、宗教《しゅうきょう》を基軸《きじく》とする独特《どくとく》の支配《しはい》の拠点《きょてん》として成立《せいりつ》したものです。これらの一群《いちぐん》の構成資産《こうせいしさん》は今日《こんにち》に至《いた》るまで良好《りょうこう》に保存《ほぞん》され、平泉《ひらいずみ》が「浄土世界《じょうどせかい》」を体現《たいげん》する政治《せいじ》・行政上《ぎょうせいじょう》の拠点《きょてん》として、比類《ひるい》のない事例《じれい》であることを示《しめ》しています。』としました。

さらなる登録《とうろく》を目指《めざ》す構成《こうせい》資産《しさん》は、「柳之御所遺跡《やなぎのごしょいせき》（平泉町《ひらいずみちょう》）」、「達谷窟《たっこくのいわや》（平泉町《ひらいずみちょう》）」、「白鳥舘《しろとりたて》遺跡《いせき》（奥州市《おうしゅうし》）」、「長者ケ原廃寺《ちょうじゃがはらはいじ》跡《あと》（奥州市《おうしゅうし》）」、「骨寺村荘園遺跡《ほねでらむらしょうえんいせき》（一関市《いちのせきし》）」の5資産《しさん》です。

構成資産《こうせいしさん》リスト

- **柳之御所遺跡《やなぎのごしょいせき》**
  （史跡《しせき》、平泉町《ひらいずみちょう》）
- **達谷窟《たっこくのいわや》**
  （史跡《しせき》、平泉町《ひらいずみちょう》）
- **白鳥舘遺跡《しろとりたていせき》**
  （史跡《しせき》、奥州市《おうしゅうし》）
- **長者ケ原廃寺跡《ちょうじゃがはらはいじあと》**
  （史跡《しせき》、奥州市《おうしゅうし》）
- **骨寺村荘園遺跡《ほねでらむらしょうえんいせき》**
  （史跡《しせき》、重要文化的景観《じゅうようぶんかてきけいかん》、一関市《いちのせきし》）

▲達谷窟《たっこくのいわや》
平泉町《ひらいずみちょう》に所在《しょざい》する毘沙門天《びしゃもんてん》をまつった堂《どう》
写真提供《しゃしんていきょう》／岩手県観光協会《いわてけんかんこうきょうかい》

▲柳之御所遺跡《やなぎのごしょいせき》
吾妻鏡《あづまかがみ》に記《しる》されている、奥州藤原氏《おうしゅうふじわらし》の政庁《せいちょう》・平泉館跡《ひらいずみのたちあと》と推定《すいてい》
写真提供《しゃしんていきょう》／岩手県観光協会《いわてけんかんこうきょうかい》

▲長者ケ原廃寺跡《ちょうじゃがはらはいじあと》
奥州市衣川《おうしゅうしころもがわ》にある平安時代《へいあんじだい》の寺院跡《じいんあと》
写真提供《しゃしんていきょう》／奥州市教育委員会《おうしゅうしきょういくいいんかい》

▲骨寺村荘園遺跡《ほねでらむらしょうえんいせき》
中尊寺《ちゅうそんじ》にある2つの荘園絵図《しょうえんえず》に描《えが》かれた景観《けいかん》が現存《げんぞん》する遺跡《いせき》
写真提供《しゃしんていきょう》／一関市教育委員会《いちのせききょういくいいんかい》

▲白鳥舘遺跡《しろとりたていせき》
奥州市前沢《おうしゅうしまえさわ》にある、中世《ちゅうせい》の川湊跡《かわみなとあと》と推定《すいてい》される遺跡《いせき》
写真提供《しゃしんていきょう》／奥州市教育委員会《おうしゅうしきょういくいいんかい》

[編集]
浅井 精一
本田 玲二
魚住 有
相馬 彰太
中村 萌美

[デザイン]
CD.AD:玉川 智子
D:安井 美穂子
D:垣本 亨
D:里見 遥

[制作]
カルチャーランド

みんなが知りたい! 日本の「世界遺産」
未来に遺すわたしたちの文化と自然

2023年4月15日　第1版・第1刷発行
2024年7月 5 日　第1版・第3刷発行

著　者　世界遺産を学ぶ会（せかいいさんをまなぶかい）
発行者　株式会社メイツユニバーサルコンテンツ
　　　　代表者　大羽孝志
　　　　〒102-0093 東京都千代田区平河町一丁目1-8
印　刷　株式会社厚徳社

ご意見・ご感想はホームページから承っております。
ウェブサイト　https://www.mates-publishing.co.jp/

企画担当:千代 寧

※本書は2020年発行の『知っておきたい！日本の「世界遺産」がわかる本 増補改訂版』を元に
内容の確認、新規内容を追加、書名・装丁を変更して新たに発行したものです。